풍성한 삶

Full Life in Christ

Copyright 2000 ⓒ by Whitaker House
Korean edition ⓒ 2012 by Dreambook Publishing House
with permission of Whitaker House

All rights reserved.

이 책은 Whitaker House사와 드림북출판사와의
독점 계약에 의해 한국에서의 출판권은 본사에서 소유하고 있습니다.
저작권법에 의해 한국 내에서 보호를 받는 저작물이므로
무단 전재와 복제를 금합니다.

풍성한 삶

· 초판 1쇄 발행 2012년 12월 20일

· 지은이 앤드류 머레이   · 옮긴이 박민희
· 펴낸이 민상기   · 편집장 이숙희 · 펴낸곳 도서출판 드림북

· 등록번호 제 65 호 · 등록일자 2002. 11. 25.
· 경기도 의정부시 가능1동 639-2
· Tel (031)829-7722, 070-8882-4445 Fax(02)2272-7809
· 필름출력 주신그래픽스 · 인쇄 넥스트프린팅 · 제책 동신제책사
· 총판 : 하늘유통(031-947-7777)

· 책번호 55
· 잘못된 책은 교환해 드립니다.
· 이 출판물은 저작권법에 의해 보호를 받는 저작물이므로 무단 복제할 수 없습니다.
· 독자의 의견을 기다립니다.
· www.dreambook21.co.kr

풍성한 삶

:: 앤드류 머레이 지음 | 박민희 옮김

드림북

서언

　복되신 우리 주님의 형상과 우리가 부름 받은 목적인 그분을 닮는 것에 관한 이 책을 펴내면서, 나는 두 가지를 말하고 싶다.

　첫 번째 소견은 내가 맡은 일이 어렵다는 것과 내게는 그 일을 수행하기에 결점이 많다는 것을 누구보다도 나 자신이 잘 알고 있다는 것이다. 내가 해야 할 일은 두 가지였다.

　하나는 "범사에 형제들과 같이 되"신(히 2:17) 하나님의 아들의 모습을 그리는 것이었는데, 실제 인간으로 사셨던 그분이 어떻게 아버지 하나님이 우리에게 원하시는 모습에 꼭 맞는 본이셨는지를 보여주는 것이 그 목적이었다. 나는 예수 그리스도를 본받으려고 애쓰는 모든 사람 안에 그분을 닮는 것을 한없이 그리고 대단히 매력 있게 하고 소원을 유발하고 사랑을 일게 하고 희망을 불어넣으며 믿음을 강화하는 모습을 제공하고 싶었다.

　그 다음에 나는 신자가 실제로 이 형상을 나타낼 때 그의 다른 모습을 어느 정도 영적으로 정확하게 묘사해야 했다. 그리고 일상생활의 시련과 의무들의 한복판에서 그리스도를 닮는 것이 단지 이상적인 것이 아니라는 것을 성령의 능력을 통하여 입증할 사람은 가장 복된 실체가 될 수 있다.

나는 복된 삶의 한 가지 특징을 설명하려고 애쓴 후에 사람이 기껏해야 그저 어렴풋이 볼 수 있는 영적 아름다움을 인간의 생각으로 파악하려고 하는 것이, 또는 그것을 인간의 말로 표현하려고 하는 것이 진정 얼마나 불충분한지를 정말로 나는 자주 그리고 철저하게 통감했다!

우리에게는 "하나님의 영광의 광채"(히 1:3)이신 그분의 영적 영광의 그 참된 비전이 부족한데 반하여, 바로 우리 생각들은 하나님의 말씀이 알려주는 것에 대해 인간적인 생각들을 우리에게 제공하면서 정말로 자주 우리를 속인다.

내가 말하고 싶은 두 번째 소견은 우리의 변화가 지향해야 하는 그 복된 형상의 영광을 보는 것이 진정 필요하다는 것이다. 나는 얼마 전 한 학급에서 실물교육 방법으로 수업을 진행하는 것을 보면서 많은 감동을 받은 적이 있다. 교사는 그림 하나를 학생들에게 보여주면서 주의 깊게 보라고 말했다. 그런 다음 그들은 잠시 눈을 감고 자기들이 본 것을 생각하고 기억하는 시간을 가졌다. 교사는 그 그림을 치웠고, 학생들은 자기들이 기억할 수 있는 것을 모두 말해야 했다. 그들은 그 그림을 다시 보았고 조금 전에 자기들이 관찰하지 못했던 것을 관찰하려고 애썼다.

다시금 그들은 눈을 감고 생각한 다음 자기들이 더 많이 관찰한 것을 말했다. 그들은 이 과정을 한 번 더 반복했고 비로소 그 그림의 모든 부분(line)을 자세히 말할 수 있게 되었다.

어린아이들의 눈들이 주목하여 그 그림을 뚫어지게 본 다음에 눈을 꼭 감고 자신들이 보았던 것을 확실히 이해하고 흡수하고 간직하려고 애쓰는 모습을 보았을 때, 나는 만일 우리의 성경 읽기가 보다 더 이 실물교육과 같다면 성경이 우리에게 생생하게 묘사하고 있는 눈에 보이지 않는 영적 실재들이 훨씬 더 심오하게 우리의 내면생활에 영향을 줄 것이라고 느꼈다.

우리는 하나님의 진리로서의 하나님의 말씀이 포함하는, 우리 마음에 박혀 뿌리를 내려야 할 본질적이고 영적인 실재에 시간을 들이기보다는 너무나 쉽게 성경의 문자들(words)이 제시하는 생각들로 만족하고 만다. 우리는 우리가 본받아야 하는 그리스도 안에 나타난 하나님의 형상을 곰곰 생각할 때 그것을 기억하도록 하자. 어떤 특별한 기운이 우리의 생각을 사로잡았을 때 눈을 감고 마음을 열어보자. 하나님의 말씀이 우리 앞에 복되신 주님을 제시하고 있는 그 특별한 빛 가운데서 우리가 진정으로 그분을 볼 때까지, 생각하고 기도하고 그리고 성령의 역사를 믿자. 우리가 알고 있는 그분 안에 있는 그 하늘의 아름다움에 대한 깊고도 변치 않는 감동이 우리 안에 재현될 그 날을 위해 준비하자. 뚫어지게 쳐다보고 또 다시 쳐다보자. 예배하고 사모하자. 우리가 그분을 그분의 모습 그대로 보면 볼수록, 우리는 분명 더욱 그분을 닮게 될 것이다. 인간이신 그리스도 예수 안에 나타난 하나님의 형상을 공부하고, 그 형상이 당신을 소유하고 또 당신 안에 살아 있도록 당신의 가장 깊은 존재를 양도하고 개방하며, 그런 다음 계속 나아가 하늘의 초상(likeness)이 자기를 나타내게 하고 또 당신의 삶으로 당신의 동료들 가운데 빛나게 하라. 우리는 바로 그것을 위해 구속함을 받았다. 그러므로 그것이 우리가 살아가는 목적이 되게 하자.

    나는 이 책을 복되신 주님의 은혜로운 돌보심에 맡긴다. 이 책은 그 복되신 주님의 영광에 대해 말하려는 것이다. 그리스도를 닮는 삶과 같이 아름다운 삶 또는 복된 삶은 없다는 것을 그분이 우리로 하여금 알게 해 주시기를 바란다. 복되신 주님과 연합할 때 그리스도를 닮는 삶은 진정 우리를 위한 것이라는 것을 우리가 믿도록 그분께서 우리를 가르쳐주시기를 바란다. 그리고 매일 그분의 말씀이 우리에게 자신의 형상에 대해 말씀하시는 것을 우리가 들음에 따라, 우리 각자에게 다음과 같이 말할 수 있는 은혜가 있기를 바란다. "오, 나의 하나님 아버지! 주님의 사랑하는 아들이 이 세상에 계실 때 주님 안에서, 주님과 함께 그리고 주님을 위해 사신 것 같이, 저도 그렇게 살게 하여 주옵소서."

앤드류 머레이
웰링턴, 케이프 오브 굳 호프(희망봉)에서

목 차

서언 / 4

1. 우리가 예수 그리스도 안에 거하기 때문에 / 11
2. 예수님이 우리를 부르심 / 21
3. 섬기는 자 / 30
4. 예수 그리스도 우리의 머리 / 40
5. 부당하게 받는 고난 / 49
6. 그리스도와 함께 십자가에 못 박히기 / 57
7. 예수님의 자기부인 / 67
8. 예수님의 자기희생 / 76
9. 이 세상에 속하지 않는 삶 / 85
10. 예수님의 천국 사명 / 94
11. 하나님의 선택 / 102
12. 하나님의 뜻을 행하기 / 111
13. 불쌍히 여기는 마음 / 120
14. 하나님과 예수님의 하나 되심 / 129
15. 예수님이 하나님을 의지하심 / 137
16. 예수님의 사랑 / 146

17. 예수님의 기도 / 154

18. 예수님이 성경을 사용하심 / 165

19. 용서 / 175

20. 예수님을 보기 / 184

21. 예수님의 겸손 / 193

22. 예수님의 죽으심을 닮기 / 202

23. 예수님의 부활을 닮기 / 210

24. 예수님의 죽으심을 본받기 / 219

25. 사람들을 위해 자기 목숨을 주기 / 228

26. 예수님의 온유하심 / 237

27. 하나님의 사랑 안에 거하기 / 245

28. 성령의 인도하심을 따르기 / 256

29. 하나님으로 말미암는 예수님의 생명 / 265

30. 하나님께 영화롭게 하기 / 274

31. 예수님의 영광 가운데 사는 삶 / 285

32. 우리의 본이신 예수 그리스도를 전하기 / 294

우리가 그리스도 안에 거하기 때문에

<small>그의 안에 산다고 하는 자는
그가 행하시는 대로 자기도 행할지니라.
-요일 2:6</small>

그리스도 안에 거하는 것과 그리스도와 같이 행하는 것은 이 세상에서 본질적인 연합으로 나타나는 새로운 삶의 두 가지 복이다. 그리스도 안에 거하는 삶의 열매는 그리스도를 닮는 삶(Life like Christ)이다.

"그리스도 안에 거하는 것"이라는 말은 결코 우리에게 낯선 말이 아니다. "내 안에 거하라 나도 너희 안에 거하리라"(요 15:4)는 명령을 수반하는 포도나무와 가지의 놀라운 비유는 종종 풍부한 교훈과 위로의 출처였다. 그리고 비록 우리가 그분 안에 거하는 것의 교훈을 완전하게 깨닫지 못한 것처럼 느낄지라도, 우리 영혼이 "주님, 주님은 모든 것을 아십니다. 주님은 제가 진정 주님 안에 거한다는 것을 알고 계십니다"라고 말할 수 있을 때 오는 기쁨을 우리는 어느 정도 맛보았다. 주님은 또한 여전히 우리가 자주 이러한 열렬한 기도를 할 것을 알고 계신다. "복되신 주님, 저로 하여금 완전하고 흠 없이 주님 안에 거하게 하여 주옵소서."

"그리스도와 같이 행하는 것"이라는 두 번째 말은 첫 번째 말 못지않게 중요하다. 그것은 그분 안에 거하는 것이 발휘할 놀라운 능력에 대한 약속이다. 우리를 내맡기고 온전히 그분 안에서 살아가는 삶의 열매로서, 그분의 생명이 우리 안에서 아주 강하게 역사하여 내적 삶의 외적 표현인 우리의 행위가 그분의 행위를 닮게 된다. 그 둘은 불가분의 관계에 있다. 안에 거하는 것은 언제나 그리스도와 **같이 행하는 것**보다 우선한다. 그렇지만 그리스도와 같이 행하고자 하는 바람은 동일하게 그 밖의 다른 어떤 거함보다 우선한다. 오직 그럴 때만 친밀한 연합의 필요가 온전히 충족된다. 하늘의 공급자이신 하나님은 자신의 충만한 은혜를 자유로이 주신다. 왜냐하면 그분은 우리 영혼이 자신의 계획에 따라 그것을 사용할 준비가 되어 있음을 아시기 때문이다. 우리 주님이 "너희도 내 계명을 지키면 내 사랑 안에 거하리라"(요 15:10)고 말씀하셨을 때, 그분은 이것, 곧 (너 자신을) 내맡기고 나와 같이 행하는 것이 내 안에 온전하게 거하는 길이라는 것을 의미했다. 많은 사람들이 이것이 바로 그리스도 안에 거하는

데 실패하는 이유를 푸는 열쇠라는 것을 깨달을 것이다. 즉 그들은 그리스도와 같이 행할 의도를 가지고 그리스도 안에 거하기를 구한 것이 아니라는 것을 말이다. 사도 요한의 말은 우리로 하여금 그 두 진리가 서로 불가결하게 연결되어 있을 뿐만 아니라 서로에게 의존적이라는 것을 보게 해 준다.

그 말씀이 가르치는 첫 번째 교훈은 이것이다. 그리스도 안에 거하려고 하는 사람은 정확히 그분이 행하신 대로 행해야 한다는 것이다. 가지는 그 가지가 속한 포도나무와 같은 열매를 맺는 것이 당연하다는 것을 우리는 알고 있다. 포도나무와 가지의 생명은 완전히 똑같은 것이기에 겉으로 나타나는 그 생명의 모습도 똑같아야 한다. 주 예수님이 자신의 보혈로 우리를 구속하시고 자신의 의 가운데 우리를 아버지 하나님께 드리셨을 때, 그분은 우리로 하여금 우리의 옛 본성으로 우리가 할 수 있는 최선을 다해 하나님을 섬기도록 내버려 두신 것이 아니다. 절대로 그렇게 하신 것이 아니다. 그분 안에 영원한 생명, 곧 하늘의 거룩하고 신령한 생명이 있었으며, 그분 안에 있는 사람은 누구나 그 동일한 영원한 생명을 그것의 거룩한 하늘의 능력 가운데서 얻게 된다. 그러므로 그분 안에 거하면서 계속해서 그분으로부터 생명을 얻는 사람은 누구나 "그가 행하시는 대로 (자기도) 행"해야 한다고 주장하는 것은 아주 당연한 것이다.

그러나 영혼 안에 있는 이 강력한 하나님의 생명은 우리로 하여금 맹목적으로 또는 부지불식간에 그리스도가 행하신 대로 행하지 않을 수 없게 하는 맹목적인 힘으로 작용하지 않는다. 그와 반대로, 그리스도와 같이 행하는 것은 그렇게 행하고 싶은 강렬한 소원 가운데 구하고 또 강한 의지에 따라 받아들인 의도적인 선택의 결과여야 한다. 이러한 목적을 가지고서 하늘에 계신 하나님 아버지께서는 예수님의 지상 생활 안에서 하늘의 삶이 우리의 인간 생활의 조건들과 환경들 속으로 내려올 때 그것은 어떤 것일지를 우리에게 보여주셨다. 이와 동일한 목적을 가지고서 우리가 그분으로부터 새 생명을 받되 더 풍성하게 받을 수 있도록 자신 안에 살라고 우리를 부르실 때, 주 예수님은 우리를 자신의 지상 생활로 이끄신다. 우리에게 새 생명을 주신 것은 우리도 그분이 행하신 대로 행하도록 하기 위함이라고 주님은 말씀하신다. "내가 아버지의 계명을 지켜 그의 사랑 안에 거하는 것 같이 너희도 내 계명을 지키면 내 사랑 안에 거하리라"(요 15:10). 주님의 이 말씀은 그분의 지상 생활 전체를 포함하며 아주 간결하게 그것을 우리의 모든 행동의 법칙과 본으로 만들어 준다. 만일 우리가 예수님 안에 거한다면, 우리는 그분이 행하셨던 것과 달리 행하지 않을 것이다. 이 간단하고 포괄적인 단어인 그리스도를 닮는(Christlike)은 기독교적 삶의 복된 법칙을 포함한다. 그리스도인은 예수님이 생각하신 대로 생각하고 예수님이 말씀하신 대로 말하며 예수님이 행하신 대로 행해야 한다. 그는 예수님이 존재하신대로 존재해야 한다.

그 두 번째 교훈은 첫 번째 교훈의 완성이다. 그리스도와 같이 행하려고 하는 사람은 그분 안에 거해야 한다. 이 교훈의 이중적인 필요가 있다. 어떤 사람들에게는 그리스도의 본을 따르고자 하는 가장 진지한 바람과 노력은 있지만, 그들은 그분 안에 깊고도 실제적인 거함이 없이는 그렇게 하는 것이 얼마나 불가능한지 제대로 인식하지 못한다. 그들은 이 경험을 하나의 현실로 만들 수 있는 유일한 능력인 그리스도 안에서 사는 것에서 나오는 능력 없이 그리스도와 같이 살라는 높은 차원의 명령에 순종하려고 하기 때문에 실패한다. 또 어떤 사람들에게는 정 반대의 잘못이 있다. 그들은 자신들의 연약함을 알고 있으며, 그리하여 자신들은 그리스도와 같이 행하는 것은 불가능한 일이라고 생각한다. 그리스도와 같이 행하려고 하다가 실패하는 사람들은 자신들이 실패할 것이라고 생각하기 때문에 그리스도와 같이 행하려고 하지 않는 사람들 못지않게 교훈이 필요하다. 그리스도와 같이 행하려고 하는 사람은 반드시 그리스도 안에 거해야 한다. 그분 안에 거하는 사람은 그분과 같이 행할 수 있는 능력이 있다. 자기 혼자서나 자기 자신의 노력으로가 아니라 우리의 약한 데서 자신의 능력을 완전하게 하시는 예수님 안에서 말이다(고후 12:9).

예수님의 능력이 내 안에서 역사하는 것은 다름 아닌 내가 나의 전적인 약함을 가장 철저하게 느끼고 나 자신과 놀랍게 연합을 이루시는 그분을 내 생명으로 완전히 영접할 때이다. 그 때서야 비로소 나는 나 자신의 능력이 획득할 수 있는 것을 넘어서 완전히 생활해 나갈 수 있게 된다. 내가 그분 안에 거하는 것은 순간이나 특정한 시기의 문제가 아니라 그분의 지속적인 은혜로 말미암아 내가 한 순간도 간단없이 머무르고 또 나의 모든 기독교적 삶을 실연하는 심원한 삶의 과정이라는 것을 깨닫기 시작한다. 나는 진정으로 그분을 나의 완전한 본으로 받아들일 용기가 난다. 왜냐하면 감추어진 내적 연합과 닮음은 행위와 품행 가운데 가시적인 모습으로 나타나야 한다고 나는 확신하기 때문이다.

사랑하는 독자 여러분, 만일 우리가 묵상하는 중에 하나님이 자신의 말씀과 그 말씀이 그리스도를 닮는 삶에 관해 가르치는 것의 의미를 진정으로 이해할 수 있는 은혜를 우리에게 주신다면, 우리는 우리로 하여금 몇 번이고 "어떻게 이런 일들이 있을 수 있지?"라고 외치게 할 좋은 것과 나쁜 것(the heights and depths)과 만날 것이다. 만일 성령께서 보이지 않으시는 하나님의 형상으로서 우리 주님의 인간성이 지닌 하늘의 완전을 보여주시면서 "그러므로 너희도 행할지니라"고 말씀하신다면, 우선적으로 우리는 우리가 주님으로부터 아주 멀리 있다는 것을 통감하게 될 것이다. 우리는 언제든지 기꺼이 희망을 포기할 준비를 하고서 아주 많은 사람들이 그러는 것처럼 이렇게 말하려고 할 것이다. "그렇게 하려고 노력할 이유가 뭐가 있어. 어차피 나는 결코 예수님과 같이 행할 수 없는 걸." 바로 그런 순간에 우리는 그리스도 안에 거하는 사람은 그분이 행하신대로 행해야 하고 또 행할 수 있다는 이 말씀에서 힘을 얻게 될 것이다. 주님의 이 말씀은 새로운 의미와 함께 충분한 능력의 확신으로 다가올 것이다. "그가 내 안에, 내가 그 안에 거하면 사람이 열매를 많이 맺나니"(요 15:5).

그러므로 그리스도 안에 거하라! 모든 신자는 그리스도 안에 있지만, 그렇다고 모든 사람이 의식적으로 기쁨과 신뢰 가운데 자신의 전 존재를 그분의 영향력에 내맡긴 채로 그분 안에 거하는 것은 아니다. 당신은 그분 안에 거한다는 것이 무엇을 의미하는지 알고 있다. 그것은 우리의 전 영혼으로 그분이 우리의 생명이 되심에 동의하는 것이고, 삶을 형성하게 되는 모든 것 가운데서 우리를 고무하실 그분을 의존하는 것이며, 그런 다음 그분이 우리를 다스리시고 또 우리 안에서 역사하시도록 모든 것을 완전히 내어드리는 것이다. 그것은 매 순간 그분이 진정 우리 안에서 우리가 되어야 할 본 모습을 이루어 가신다는 것을 확실하게 믿는 것이다. 주님 자신이 우리로 하여금 그 완전한 내어드림을 유지할 수 있도록 하실 수 있으며, 그분은 그 내어드림 가운데서 자신의 모든 뜻을 자유롭게 행하신다.

진정 그리스도와 같이 행하기를 갈망하는 모든 사람들로 하여금 그분의 모습을 생각하면서, 또 만일 그들이 자신을 신뢰하기만 한다면 그분은 자신의 존재를 나타내실 것임을 생각하면서 용기를 내게 하라. 그분은 참 포도나무이시다. 여지까지 어떤 포도나무도 그분이 우리를 위해 하실 것을 자신의 가지를 위해 그렇게 완전하게 한 적이 없다. 우리는 그저 가지들이 되는 것에 동의하기만 하면 된다. 그분은 자신의 크신 능력으로 당신을 붙드시고 자신의 무한한 충만함 가운데서 당신의 필요를 채워주시는, 우리가 감히 상상할 수 없는 참 포도나무이시라는 것을 기쁘게 신뢰하면서 그분을 경배하라. 그러므로 한숨과 실패 대신에 당신의 믿음이 하나님을 바라볼수록, 하나님께 감사하라!는 믿음의 언어를 반복하는 찬양의 소리를 듣게 될 것이다. 그분 안에 거하는 사람은 그분이 행하신대로 행한다. 하나님께 감사하라! 나는 그분 안에 거하며, 그분이 행하신대로 행한다. 그렇다. 하나님께 감사하라! 하나님의 구속함을 받은 백성들의 복된 삶에서 이 두 가지, 곧 그리스도 안에 거하는 것과 그리스도와 같이 행하는 것은 하나로서 서로 나뉠 수 없다.

〈함께 드리는 기도〉

    복되신 구주 예수님, 주님께서 제가 얼마나 자주 "주님, 제가 주님 안에 거합니다"라고 말했는지 알고 계십니다. 그럼에도 저는 때때로 주님 안에서 사는 삶의 온전한 기쁨과 능력이 부족함을 깨닫습니다. 오늘 주님의 말씀을 통해 제가 왜 실패했는지를 알게 되었습니다. 저는 주님의 영광보다는 제 자신의 위로와 성장을 위해서 주님 안에 거하려고 했습니다. 주님과의 감추어진 연합의 목표가 어떻게 주님을 완전히 본받는 것인지를 온전히 이해하지 못했습니다. 저는 어째서 주님과 같이 자신을 내맡긴 채로 하나님 아버지를 온전하게 섬기고 또 그분께 순종하는 사람만이 하늘의 사랑이 그를 위해 할 수 있는 모든 것을 온전히 받을 수 있는지를 깨닫지 못했습니다. 그러나 이제는 어느 정도 깨닫게 되었습니다. 주님과 같이 살면서 사역하기 위해서는 온전하게 내맡기는 것이 주님의 생명의 놀라운 능력을 온전하게 경험하는 것보다 우선한다는 것을 말입니다.

    주님, 그것을 깨닫게 해주셔서 감사합니다. 제 마음을 다해 주님의 부르심을 받아들이며, 범사에 주님이 행하신대로 행하기 위해 제 자신을 내어드립니다. 주님이 이 세상에 계셨고 또 행하셨던 범사에 주님의 충실한 제자가 되는 것이 저의 유일한 소원입니다.

　복되신 주님, 주님이 행하신대로 행하기 위해서 진실로 자기 자신을 내맡기는 사람은 주님 안에 온전히 거할 수 있는 은혜를 받을 것입니다. 오, 나의 주님! 제가 여기 있습니다. 그리스도처럼 행하기 위해서 여기 있습니다! 그것을 위해 진실로 제 자신을 주님께 바칩니다. 그리스도 안에 거하기 위해 바칩니다. 그것을 위해서 아주 확실한 믿음을 가지고 주님을 섬깁니다. 주님께서 손수 제 안에서 주님의 사역을 온전하게 이루어 주옵소서.

　그리고 오, 나의 주님! 제가 주님과 같이 행하는 것이 무엇인지에 관해 묵상할 때마다, 성령께서 저를 돕게 하여 주옵소서. 그리스도 안에 거하는 사람으로 저에게는 그리스도와 같이 행할 능력이 있습니다. 아멘.

예수님이 우리를 부르심

내가 너희에게 행한 것 같이
너희도 행하게 하려 하여 본을 보였노라.
-요 13:15

이 말씀을 하신 분은 바로 우리 영혼을 구원하신 사랑의 구속자 예수 그리스도이시다. 그분은 자신을 낮추시고 손수 제자들의 발을 씻기시는 종의 일을 행하셨다. 그렇게 하심으로 그분의 사랑은 사람들에게 저녁 만찬 자리에 없었던 섬김을 실제로 보여주었다. 동시에 그분은 죄에서 그들을 깨끗하게 하실 때 그들을 위해 무엇을 행하셨는지를 인상적인 상징으로 보여주셨다. 이 이중적인 사랑의 사역에서, 그분은 하나의 중요한 행위로서 몸과 영혼에 대한 축복의 사역으로 그분의 삶의 전 사역을 나누기에 앞서 그들에게 그것을 제시하셨다. 예수님은 앉으실 때 이렇게 말씀하셨다. "내가 너희에게 행한 것 같이 너희도 행하게 하려 하여 본을 보였노라." 따라서 그들이 예수님 안에서 보았고 또 그분에게서 경험한 모든 것은 그들의 삶의 법칙이 되었다. "내가 행한 것 같이 너희도 행하라."

복되신 구주 예수님의 말씀은 우리에게도 해당된다. 주님이 자신의 죄를 깨끗이 씻어 주셨다는 것을 알고 있는 각 사람에게, 그분은 죽으러 가는 사람의 모든 감동어린 호소력으로 이렇게 말씀하셨다. "내가 너희에게 행한 것 같이 너희도 행하게 하려 하여 본을 보였노라." 예수 그리스도는 진정으로 우리가 무엇을 행하든지 자신이 행하시는 것을 본대로 행하라고 요구하신다. 주님이 우리에게 행하셨고 또 여전히 매일 행하고 계신 것을 우리도 다른 사람들에게 다시 행해야 하는 것이다. 주님은 자기를 낮추는 사랑, 남을 용서하는 사랑 그리고 구원하는 사랑에서 우리의 본이시다. 우리 각자는 주님을 닮아야 하고 그분을 나타내야 한다.

즉시 이런 생각이 든다. "아, 나는 진정 좀처럼 그리스도와 같이 살지 않았구나! 그렇게 사는 것이 당연한 것이라는 것도 거의 알지 못했구나!" 그럼에도 그분은 나의 주님이시다. 주님은 나를 사랑하시며 나도 그분을 사랑한다. 나는 주님이 내게 원하시는 삶의 방식으로 살아가야 한다. 다른 생각은 품지 않아야 한다. 나는 주님의 말씀에 내 마음을 개방하고 그분의 본을 빤히 바라보아야 한다. 그것이 내게 그것의 신령한 능력을 발휘해 나로 하여금 꼼짝없이 "주님, 주님이 행하신 것 같이, 저도 그렇게 행하겠나이다"라고 외치게 할 때까지 말이다.

하나의 본의 능력은 일차적으로 두 가지 사항에 의존한다. 하나는 그것의 매력이고, 다른 하나는 그 본을 보여주는 사람의 개인적인 관계와 영향력이다. 두 가지 점에서, 우리 주님의 본에는 정말로 능력이 있다!

혹은 우리 주님의 본에는 정말로 아주 매력적인 어떤 것이 있는가? 나는 아주 진지하게 이 질문을 한다. 왜냐하면 그분의 제자들 가운데 많은 이들의 행실로 판단해 볼 때, 그것은 실은 그렇지 않은 것처럼 보이기 때문이다. 아, 하나님의 성령이 우리의 눈을 열어 독생자 예수 그리스도의 모습이 지닌 하늘의 아름다움을 보게 하신다면!

우리는 주 예수님이 어떤 분이신지를 알고 있다. 그분은 모든 영광의 하나님의 아들로서 본질과 영광과 완전하심에서 아버지 하나님과 하나이시다. 예수님이 이 세상에 계실 때 그분을 가리켜 이렇게 말할 수 있었다. "이 생명이 나타내신 바 된지라 이 영원한 생명을 우리가 보았고 증언하여 너희에게 전하노니 이는 아버지와 함께 계시다가 우리에게 나타내신 바 된 이시니라"(요일 1:2). 그분 안에서 우리는 하나님을 본다. 그분 안에서 우리는 하나님이 우리가 사는 이 땅에 계신다면 어떻게 행하실지를 본다. 그분 안에서 하늘나라에 있는 아름답고 사랑스러우며 완전한 모든 것이 지상 생활의 형태로 우리에게 알려졌다. 만일 우리가 진정 하늘나라에서 고상하고 영광스러운 것으로 여겨지는 것이 무엇인지 보기 원한다면, 그리고 만일 우리가 정말로 신적인 것이 무엇인지 보기 원한다면, 우리는 예수님만 보면 된다. 그분이 행하시는 모든 것 가운데 하나님의 영광이 나타났다.

그러나 아, 하나님의 자녀들이 눈이 어두워 보지 못하는구나! 그들 중 많은 이들이 이 하늘의 아름다움에 매력을 느끼지 못한다. 그들은 그것을 바랄 이유를 찾지 못한다.

이 세상 왕의 궁정에서 살아가는 생활 태도와 방식은 그가 다스리는 제국의 전역에 크게 영향을 미친다. 그것들이 보이는 본은 귀족이나 상류계급에 속하는 사람들이 모방한다. 그러나 (이 세상에) 오셔서 육체로 거하셨던 하늘의 왕이신 예수님이 보이신 본-우리는 어떻게 여기 이 세상에서 하나님을 닮는(Godlike) 삶을 살 수 있는지를 우리가 알 수 있도록-은 그분을 따르는 사람들이 거의 받으려고 하지 않는다. 우리가 예수님을 바라볼 때, 즉 그분이 아버지 하나님의 뜻에 순종하신 것, 자신을 겸손히 낮춰 가장 하찮은 사람들의 종이 되신 것 그리고 자신을 온전히 포기하고 희생하면서 보여주신 그분의 사랑을 바라볼 때, 우리는 하늘이 보여주고자 하는 가장 놀랍고 영광스러운 것을 보게 된다. 하늘에서도 그보다 더 크거나 밝은 것을 보지 못할 것이다. 의심할 바 없이, 본받음을 매력적이게 하고 또 가능하게 할 의도로 하나님이 주신 그와 같은 본이 우리를 납득시키는 것은 마땅하다. 그것은 우리가 "내가 너희에게 행한 것 같이 너희도 행하게 하려 하여 본을 보였노라"는 말씀을 들을 때 거룩한 질투심과 말로 표현할 수 없는 기쁨으로 우리 안에 있는 모든 것을 각성시킬 만하지 않은가?

이것이 전부는 아니다. 하나의 본의 능력은 그 자체의 본래적인 탁월성에 있을 뿐만 아니라 본을 보여주시는 그분과의 개인적인 관계에 있다. 예수님은 제자들 앞에서 다른 사람들의 발을 씻기신 것이 아니다. 예수님이 "내가 너희에게 행한 것 같이 너희도 행해"(요 13;15)야 한다고 말씀하신 것은 그분이 그들의 발을 씻기셨을 때이다. "내가 행한 것 같이 너희도 하라"는 명령을 시행하는 것은 그리스도와의 개인적인 관계에 대한 자각이다. 내가 가서 다른 사람들에게 같은 것을 할 수 있는 능력이 있는 것은 예수님이 나에게 행하신 것에 대한 경험이다. 그분은 자신이 나에게 행하신 그 이상의 것을 하라고 나에게 요구하지 않으시지만, 그렇다고 그보다 덜한 것을 기대하지도 않으신다. "내가 행한 것 같이 너희도 하라." 주님은 섬기는 종으로 자신이 자기를 낮추신 것 이상으로 나 자신을 낮추라고 내게 요구하지 않으신다. 비록 그분이 우리에게 그것을 요구하셨을지라도, 그것은 이상하지 않았을 것이다. 왜냐하면 우리는 그분의 천한 피조물이기 때문이다. 그러나 그것은 주님의 바람이 아니다. 그분은 그저 왕이신 자신이 행하셨고 또 되셨던 것을 우리가 하고 또 그렇게 되라고 명하신다.

예수님은 나를 사랑하시고 또 나를 축복하시기 위해 굴욕으로 느껴질 만큼 자신을 낮추셨다. 그분은 그것을 자신의 최고의 영광과 복으로 여기셨다. 그리고 지금 그분은 자신이 행하셨던 대로 사랑하고 섬기면서 동일한 영광과 복을 나누어 갖도록 나를 초대하신다. 진실로, 만일 내가 진정 나를 향한 사랑과 오직 그 사랑이 나에게 도달하는 통로가 될 수 있었던 굴욕 그리고 나를 깨끗하게 하신 죄 씻음의 능력을 알고 있다면, 나는 오직 이렇게 밖에 말할 수 없다. "복되신 주님, 그렇습니다. 주님이 제게 행하신 대로 저도 행하겠습니다." 그 탁월한 본이 되시는 예수님의 하늘에 속한 사랑과 그 탁월한 모범이 되시는 그분의 신적 사랑이 결합되어 그분의 본을 그 밖의 다른 것보다 더 매력적으로 만든다.

내가 결코 잊지 말아야 할 것이 하나 있다. 그분과 같이 행할 수 있는 능력을 나에게 주는 것은 예수님이 한 때 나에게 행하신 것에 대한 기억이 아니라 그분이 지금 나와 함께 하고 계신 것에 대한 생생한 경험이다. 그분의 사랑은 현재의 실체, 곧 내가 그분처럼 사랑할 수 있게 해주는 생명과 사랑의 유입(inflowing)임에 틀림없다. 예수님이 나를 위해 무엇을 행하고 계신지, 그분은 그것을 어떻게 하시는지, 그것을 행하시는 이는 바로 그분이시라는 것 그리고 그분이 나에게 행하고 계신 것을 나도 다른 사람들에게 하는 것이 가능하다는 것을 내가 깨달을 수 있는 것은 오직 성령을 통해서다.

"내가 너희에게 행한 것 같이 너희도 행하게 하려 하여 본을 보였노라." 참으로 귀중한 말씀이다! 영광스러운 전망이다! 예수님은 내 안에 사랑의 신령한 능력을 나타내실 것이다. 내가 다른 사람들에게 그것을 나타낼 수 있도록 말이다. 그분은 나에게 복을 주신다. 내가 다른 사람에게 복을 줄 수 있도록 말이다. 그분은 나를 사랑하신다. 내가 다른 사람들을 사랑할 수 있도록 말이다. 그분은 나에게 종이 되셨다. 내가 다른 사람들에게 종이 되도록 말이다. 그분은 나를 구원하시고 깨끗하게 하신다. 내가 다른 사람들을 구하고 깨끗하게 하도록 말이다. 그분은 나를 위해 그리고 나에게 자기 자신을 전부 주신다. 내가 다른 사람들을 위해 그리고 다른 사람들에게 나 자신을 전부 주도록 말이다. 나는 단지 그분이 나에게 행하시는 것을 다른 사람들에게 행해야 한다. 그 이상 아무 것도 행하지 않아야 한다. 나는 그분이 나에게 그것을 행하시고 계시기 때문에 그것을 행한다. 내가 행하는 것은 오직 내가 그분에게서 받고 있는 것을 반복해서 나타내는 것뿐이다(수 10:32를 보라).

놀라운 은혜! 그것이 우리 주님의 지고의 영광을 구성하는 것에서 그분을 닮도록 우리를 부른다. 놀라운 은혜! 그것으로 인해 우리는 다른 사람들에게 예수님을 닮는 것을 보이기에 앞서 먼저 우리에 대해서 그리고 우리 안에서 그분을 닮으라는 예수님 자신의 부르심을 감당할 수 있게 된다. 우리의 온 마음은 그분의 명령에 기쁘게 응답할 것이다. 그렇습니다, 복되신 주님. 주님이 저에게 행하시는 것 같이, 저도 다른 사람들에게 행하겠나이다.

〈함께 드리는 기도〉

은혜로우신 주님, 찬양과 기도 외에 제가 지금 무엇을 할 수 있습니까? 만일 제가 저를 내맡기어 주님의 모든 사랑과 능력이 저를 통해 다른 사람들에게 흘러가도록 한다면 주님이 제 안에 그것을 드러내 보이시겠다는 이 놀라운 말씀에 제 마음이 어찌할 바를 모르겠습니다. 비록 두렵고 떨리기는 하지만 진심어린 감사의 경배를 드리면서, 기쁨과 확신을 가지고 그 말씀을 받아들이며 이렇게 기도합니다. "제가 여기에 있나이다. 주님이 저를 얼마나 사랑하시는지 보여 주옵소서. 그러면 주님이 저를 사랑하신 것같이 다른 사람들을 사랑함으로 그들에게 그것을 보여주겠나이다."

그리고 복되신 주님, 제가 이것을 할 수 있도록 저에게 다음의 두 가지를 주옵소서. 제가 주님이 저를 얼마나 사랑하시는지, 저에 대한 주님의 사랑이 왜 주님의 기쁨과 복이 되는지, 주님이 진정 제게 필요한 모든 것을 하실 만큼 저의 것이 되도록 그 사랑 안에서 어떻게 주님이 주님 자신을 저에게 그렇게 완전히 주셨는지 주님의 성령을 통해 저에 대한 주님의 사랑을 분명하게 알게 하여 주옵소서. 주님, 이것을 주옵소서. 그러면 주님이 저를 사랑하시고 저를 위해 사시는 것처럼, 제가 다른 사람들을 사랑하고 다른 사람들을 위해 사는 법을 알겠나이다.

그리고 저에게 사랑이 얼마나 부족한지를 느낄 때마다, 제가 주님과 같이 사랑하라는 명령을 이행해야 하는 것은 제 작은 가슴의 사랑으로가 아니라 제 안에 널리 쏟아지는 주님의 사랑으로라는 것을 알게 하여 주옵소서. 오, 저의 하늘의 포도나무이신 하나님이시여! 제가 주님의 가지가 아닌가요? 제 주변에 있는 사람들을 사랑하고 축복할 때 저를 통해 흘러가는 것은 주님의 충만한 생명과 사랑입니다. 동시에, 주님이 저에게 어떤 분이신지 알려주시고 또 제가 주님의 이름으로 다른 사람들을 위해 주님이 원하시는 사람이 되도록 저에게 힘을 주시는 분은 주님의 영이십니다. 이런 믿음으로 감히 이렇게 말씀드립니다. "주님, 주님이 저에게 하시는 것 같이 저도 다른 사람들에게 하겠나이다. 아멘."

섬기는 자

내가 주와 또는 선생이 되어 너희 발을 씻었으니
너희도 서로 발을 씻어 주는 것이 옳으니라.
-요 13:14

나는 섬기는 자로 너희 중에 있노라.
-눅 22:27

앞장에서 우리는 주님께서는 자신이 구속하신 사람들에게 자신의 본을 따르라고 요구하시고 또 기대하실 권한이 있다는 것에 대해서 이야기했다. 이제 우리는 우리가 그분을 따라야 하는 문제를 좀 더 깊이 생각해 볼 것이다.

"너희도 서로 발을 씻어 주는 것이 옳으니라"는 말씀이 우리가 완전히 이해하고 싶은 말씀이다. 우리가 주님에게서 보는 종의 모습, 그 섬김의 목표였던 씻어주심 그리고 그것의 동기였던 사랑, 이것들이 우리가 고찰해보려고 하는 세 가지 주된 내용이다.

첫째로 종의 모습을 보도록 하자. 관례에 따라 손님들의 발을 씻어줄 물을 포함하여 최후 만찬을 위한 모든 준비가 되어 있었다. 그러나 그 일을 해 줄 사람이 없었다. 각기 다른 사람이 해주기만을 기다렸다. 열두 제자들 중 아무도 자기를 낮춰 그 일을 하려고 하지 않았다. 심지어는 만찬 식탁에서조차도, 그들은 자신들이 기다리던 하나님의 나라에서 누가 가장 큰 자가 되어야 하는가에 대한 생각에 빠져 있었다(막 10:35-44; 눅 22:34를 보라). 갑자기, 예수님이 일어나서서(그들은 여전히 식탁에 앉아 있었다) 겉옷을 벗어 옆에 두시고 수건을 가져다가 허리에 두르신 다음 그들의 발을 씻기기 시작하셨다. 아, 천사들도 놀라 흠모하며 쳐다볼 만한 놀라운 광경이로다! 자신을 섬기러 올 준비가 되어 있는 수많은 천사들을 부르실 수 있는 우주 만물의 창조자요 왕이신 그리스도께서 애정 어린 말로 열 두 제자를 향해 너희 중 한 사람이 하라고 말씀하실 수도 있었을 것이다. 그러나 그리스도께서는 손수 자신이 섬기는 자의 자리를 선택하시고 자신의 거룩한 손으로 더러운 발을 잡고 씻어주셨다. 예수님은 자신의 신적 영광을 충분히 인식하면서 그것을 하셨다. 왜냐하면 요한은 이렇게 말했기 때문이다.

> 저녁 먹는 중 예수는 아버지께서 모든 것을 자기 손에 맡기신 것
> 과 또 자기가 하나님께로부터 오셨다가 하나님께로 돌아가실 것
> 을 아시고 저녁 잡수시던 자리에서 일어나 겉옷을 벗고 수건을 가
> 져다가 허리에 두르시고.(요 13:3-4)

하나님이 모든 것을 맡기신 손에 흔하거나 깨끗하지 않은 것은 아무 것도 없다. 천한 일을 한다고 해서 사람이 천해지는 것은 결코 아니다. 사람이 일을 영예롭게 하고 고상하게 하며 가장 변변찮은 봉사에도 자신의 가치를 부여해준다.

그와 같은 극도의 겸손-우리는 일반적으로 그렇게 부른다-가운데서 우리 주님은 신적인 영광을 얻고 그 일 가운데서 참된 복의 길로 자신의 교회를 인도하시는 인도자가 되신다. 그분이 종이 되신 것은 하나님의 아들로서다. 모든 것을 자기 손 안에 가지고 계신 그분은 아버지 하나님의 사랑 받는 아들이셨기 때문에, 그분이 그렇게 몸을 낮추는 것은 그리 어려운 것이 아니었다. 예수님은 그와 같이 종의 모습을 취하심으로 그리스도의 교회 안에 지위의 법칙을 선포하신다. 사람이 은혜 안에 더 높이 서기를 바랄수록, 그는 모든 사람을 섬기는 종이 되는 일에서 자신의 기쁨을 더 많이 찾아야 한다는 것이다. "너희 중에 누구든지 으뜸이 되고자 하는 자는 너희의 종이 되어야 하리라"(마 20:27). "너희 중에 큰 자는 너희를 섬기는 자가 되어야 하리라"

(마 23:11). 하나님의 사랑 받는 아들이신 그리스도를 닮는 것에 대한 나의 의식이 높아질수록, 나는 더욱 진정으로 나를 낮추고 내 주변에 있는 모든 사람을 섬기게 될 것이다.

종은 언제나 자기 주인의 일과 관심사를 돌보는 사람이다. 그는 언제나 자기 주인에게 자신은 주인만을 즐겁게 하거나 유익하게 할 일을 하려고 애쓴다는 것을 보여줄 준비를 한다. 그와 같이 예수님은 이렇게 말씀하셨다. "인자가 온 것은 섬김을 받으려 함이 아니라 도리어 섬기려 하고 자기 목숨을 많은 사람의 대속물로 주려 함이니라"(막 10:45). "나는 섬기는 자로 너희 중에 있노라." 따라서 나는 모든 사람들의 종으로서 하나님의 자녀들 사이를 돌아다니면서 살아야 한다. 만일 내가 다른 사람을 축복하고자 한다면, 나는 겸손하고 애정 어린 마음으로 준비를 갖추고 그들을 섬겨야 하고, 나 자신의 영예나 이익을 돌보지 않고 오직 그들에게 복이 되어야 한다. 나는 제자들의 발을 씻어주시던 그리스도의 본을 따라야 한다. 종은 아랫사람으로 여겨지는 것에 대해 부끄러워하거나 굴욕감을 느끼지 않는다. 다른 사람을 섬기는 것이 그의 역할이고 일이다. 우리가 너무나 자주 다른 사람들을 축복하지 않는 이유는, 우리는 은혜나 은사에 있어서 그들보다 우월하거나 적어도 그들과 동등하다는 것을 보이고 싶어 하기 때문이다. 만일 우리가 복된 종의 정신으로 우리 주님으로부터 다른 사람들과 사귀는 법을 배우기만 한다면, 우리는 진정 세상에 복이 될 것이다! 일단 이 본이 그리스도의 교회에서 있어야 할 역할로 제 자리를 찾게 된다면, 그분의 임재의 능력은 곧 알려질 것이다.

그러면 제자는 이 하찮은 봉사의 정신으로 어떤 일을 수행하기로 되어 있는가? 발을 씻어주는 것은 이중적인 사역을 나타낸다. 몸을 청결하게 하고 상쾌하게 하는 것과 영혼을 구원하는 것이 그것이다. 우리 주님이 이 세상에서 살아가시는 동안 내내, 이 두 가지는 항상 하나로 연합되어 있었다. 병자들이 고침을 받고, 복음이 가난한 사람들에게 전파되었던 것이다(눅 7:22를 보라). 중풍병자들과 다른 많은 사람들에게서 보듯이, 몸이 복을 받아 건강하게 되는 것은 성령께 드려진 삶의 본보기와 약속이었다.

예수님을 따르는 사람은 "너희도 서로 발을 씻어 주"어야 한다는 명령을 받을 때 이 진리를 잊어버리지 않을 것이다. 외적이고 신체적인 것은 내적이고 영적인 삶에 이르는 문이라는 것을 기억하면서, 그는 영혼의 구원을 자신의 거룩한 사랑의 사역에서 첫 번째 목표로 삼는다. 그러나 동시에 그는 일상생활의 사소하고 일반적인 일 속에서 즉각적인 사랑의 봉사를 통해 사람들의 마음에 이르는 길을 찾는다. 그가 자신이 종이라는 것을 보이는 것은 책망과 질책에 의해서가 아니다. 그렇지 않다. 매일의 활동 가운데 그가 자신은 언제나 자신이 어떻게 도울 수 있는지 또는 어떻게 섬길 수 있는지에 관해 생각하고 있다는 것을 입증하는 것은 다정함과 친절한 행위에 의해서다. 따라서 그는 예수님을 따르는 자가 되는 것이 무엇인지에 대한 살아 있는 증인이 된다. 이러한 사람이 말씀을 전할 때 말씀이 능력 있는 말씀으로 다가오며, 듣는 사람들의 마음속으로 쉽게 들어가는 것을 알게 된다. 그런 다음, 그는 인간의 죄, 비뚤어짐 그리고 반대와 마주칠 때 낙담하는 대신에 예수님이 자신과 함께 얼마나 참고 견디시는지를 알고 또 그분이 어떻게 여전히 매일 자신을 깨끗하게 하시는지를 알기 때문에 버티어 낸다. 그는 자신이 하나님이 임명하신 종들 중 한 사람이라는 것을, 곧 사람들을 섬기고 구원하기 위해서 완전히 허리를 구부리라고, 심지어 필요한 경우에는 다른 사람들의 발 앞에 무릎을 꿇고 절하라고 명하셨다는 것을 깨닫는다.

사람으로 하여금 애정 어린 섬김의 삶을 살 수 있게 할 정신은 오직 예수님에게서만 배울 수 있다. 요한은 예수님에 관해 이렇게 썼다. "유월절 전에 예수께서 자기가 세상을 떠나 아버지께로 돌아가실 때가 이른 줄 아시고 세상에 있는 자기 사람들을 사랑하시되 끝까지 사랑하시니라"(요 13:1). 너무 어려워서 사랑할 수 없는 것은 아무 것도 없다. 사랑은 결코 희생에 대해 말하지 않는다. 설사 하찮을지라도, 사랑하는 사람을 축복하기 위해서 사랑은 자진해서 모든 것을 포기한다. 예수님을 종이 되게 한 것은 바로 사랑이었다. 그 종의 역할과 일을, 어떤 희생을 치르고서라도 우리가 힘쓸 우리를 위한 복으로 만들어 줄 것은 오직 사랑뿐이다. 아마도 예수님과 같이 우리도 우리에게 배은망덕하고 배반으로 보답할 유다와 같은 사람들의 발을 씻어주어야 할지도 모른다. 아마도 우리는 처음에는 베드로와 같이 "내 발을 절대로 씻지 못하시리이다"(요 13:8)라고 말하면서 섬김을 받기를 거절하고, 그 다음에는 참을성 없이 "주여 내 발뿐 아니라 손과 머리도 씻어 주옵소서"(9절)라는 자신들의 말에 우리가 응하지 않을 때 불만을 나타내는 많은 사람들을 만나게 될지도 모른다. 오직 하늘에 속한, 식지 않는 사랑만이 주님이 "서로 발을 씻어 주라"고 본으로 우리에게 보여주신 그 위대한 사역을 감당할 수 있도록 오래 참음과 용기 그리고 지혜를 제공해준다.

무엇보다도, 당신이 진정으로 종이 될 수 있는 것은 오직 (하나님의) 아들(a son)로서라는 것을 이해하려고 노력하라. 그리스도께서 종의 형체를 가지신 것은 성자(the Son)로서였다. 이 점에서, 당신은 자발적이고 행복한 섬김의 비밀을 알게 될 것이다. 지존하신 하나님의 아들로서 사람들 가운데서 행하라. 하나님의 아들(a son)이 자신의 하나님 아버지의 영광을 나타낼 수 있는 것은 오직 이 세상에서뿐이며, 오직 그리고 어떤 희생을 치르고서라도 잃어버린 자들의 마음에 사랑을 제공할 수 있는 방법을 찾기 위해 사는 것은 참으로 하나님을 닮는 것이며 또한 복되다는 것을 입증할 수 있는 것도 오직 이 세상에서뿐이다.

오, 나의 영혼아! 너의 사랑만으로는 이것에 이를 수 없다. 그러므로 "내 사랑 안에 거하라"(요 15:10)는 주님의 말씀에 귀를 기울이라. 우리의 한 가지 소원은 주님께서 우리를 얼마만큼 사랑하시는지 우리에게 가르쳐 달라고 하는 것과, 우리로 하여금 계속해서 그분의 사랑 안에 거하게 해 달라고 하는 것이어야 한다. 그분의 사랑이 종일 당신을 깨끗이 씻어주고 정결하게 하고 유지하며 축복하는 것을 경험하면서 매일 주님의 사랑 받는 사람으로 살아가라. 당신 속으로 흘러들어오는 주님의 사랑은 다시금 당신으로부터 흘러나와 다른 사람들의 발을 씻어주는 데 있어서 그분의 본을 따르는 것을 당신의 가장 큰 기쁨으로 만들어 줄 것이다.

다른 사람들에게 사랑과 겸손이 없다고 불평하지 말고 그 대신에 주님이 자신의 백성을 일깨워 그들의 소명을 감당하게 하시기를 위해 주님께 많이 기도하라. 그들이 주님을 자신들의 본으로 생각하고 있다는 것을 세상이 볼 수 있도록 그들이 주님의 발자국을 따르게 해달라고 기도하라. 그리고 만일 당신이 주변에 있는 사람들에게서 보기를 원하는 것을 보지 못한다면, 더욱 더 진지하게 기도하라. 적어도 당신만이라도 예수님과 같이 사랑하고 섬기는 것이 최고의 복과 기쁨일 뿐만 아니라, 예수님과 같이 다른 사람들에게 복과 기쁨이 되는 방법이라는 것을 이해하고 입증하는 사람이 되도록 말이다.

〈함께 드리는 기도〉

　나의 주님, 제 자신을 주님께 드리오니 저로 하여금 이 복된 섬김의 삶을 살아가게 하옵소서. 주님 안에서 종의 영은 왕 같은 영, 하늘에서 내려와서 하늘로 올라가는 영이라는 것을 보았습니다. 종을 닮은 영은 하나님의 아들 예수 그리스도의 영(Spirit)이십니다.

　주님의 영원한 사랑이 제 안에 거함으로, 제 삶은 주님의 삶을 닮게 될 것이며, 다른 사람들에 대한 제 삶의 언어는 주님의 언어와 같이 "나는 섬기는 자로 너희 중에 있노라"가 될 것입니다.

　오, 영광을 받으실 하나님의 아들이시여! 주님께서는 주님의 영이 우리 안에 얼마나 적게 거하시는지, 이 종의 생활이 세상이 영예롭다고 여기거나 고상하다고 여기는 모든 것과 얼마나 반대되는지 알고 계십니다. 그러나 주님은 무엇이 옳은지에 대한 새로운 교훈을 가르치시기 위해서 오셨고, 하늘에서는 가장 작은 자가 되는 영광과 섬김의 복을 어떻게 여기는지에 대해서 우리에게 보여주시기 위해서 오셨습니다. 오, 새로운 생각을 주시고 또 새로운 느낌을 불어넣어주시는 주님! 저에게 주님의 마음과 같은 마음, 성령으로 충만한 마음, 주님이 사랑하신 것같이 사랑할 수 있는 마음을 주옵소서. 오, 주님! 주님의 성령께서 제 안에 거하십니다. 주님으로 충만하게 되는 것이 저의 재산이며, 성령의 기쁨 안에서 저는 주님이 존재하듯이 존재할 수 있습니다. 주님이 섬김의

삶을 사신 것과 같이, 제 자신을 드려 섬김의 삶을 살아가겠습니다. 주님이 평판을 중요시하지 않으시고 종의 형체를 가지시고 사람의 모양으로 나타나셔서 자기를 낮추실 때 주님 안에 있던 동일한 마음(빌 2:5, 7-8)이 제 안에도 있게 하여 주옵소서. 그렇습니다, 주님. 주님의 은혜 안에서 그 동일한 마음이 저에게도 있게 하여 주옵소서. 하나님의 자녀로서, 다른 사람들의 종이 되게 하여 주옵소서. 아멘.

예수 그리스도 우리의 머리

> 이를 위하여 너희가 부르심을 받았으니 그리스도도
> 너희를 위하여 고난을 받으사 너희에게 본을 끼쳐
> 그 자취를 따라오게 하려 하셨느니라…친히 나무에 달려
> 그 몸으로 우리 죄를 담당하셨으니 이는 우리로
> 죄에 대하여 죽고 의에 대하여 살게 하려 하심이라
> 그가 채찍에 맞음으로 너희는 나음을 얻었나니.
> —벧전 2:21,24

그리스도의 본을 따르고 또 그분의 발자취를 따라 행하라는 부르심은 너무나 고상해서 어떻게 죄 많은 사람들에게 하나님의 아들과 같이 행하기를 기대할 수 있느냐고 의아해할 만한 충분한 이유가 있다. 대부분의 사람들이 하는 대답은 다음과 같이 실제적이다. "정말이지 그것을 기대할 수 없어요. 그 명령은 우리 앞에 아름답기는 하지만 성취할 수 없는 이상을 보이는 것이에요."

성경이 말하는 대답은 그와는 다르다. 성경은 우리로 하여금 우리가 그리스도와 맺는 놀라운 관계로 향하게 한다. 왜냐하면 그리스도와의 우리의 연합은 우리 안에 하늘의 생명을 그것의 온 힘으로 불러일으키기 때문에, 우리는 그리스도께서 사신대로 살아야 한다는 주장은 아주 진지하게 받아들여져야 한다. 그리스도의 본을 따르는 일에 진지한 사람들은 그리스도와 그분의 백성 사이의 이 관계를 확실히 이해할 필요가 있다.

그러면 이 관계는 무엇인가? 그것은 3중적이다. 베드로는 그리스도에 대한 위의 구절에서 그분을 우리의 보증(Surety)과 우리의 본(Example) 그리고 우리의 머리(Head)로 언급한다.

그리스도는 우리의 보증이시다. "그리스도도 우리를 위하여 고난을 받으사…친히 나무에 달려 그 몸으로 우리 죄를 담당하셨으니." 우리의 보증으로서 그리스도는 우리를 대신하여 고난을 받으시고 죽으셨다. 그분은 우리의 죄를 담당하시고 즉시 그것의 저주와 힘을 타파하셨다. 우리의 보증으로서 그분은 우리가 할 수 없는 것을 하셨고, 따라서 우리는 이제 그것을 할 필요가 없게 되었다.

그리스도는 또한 우리의 본이시다. 어떤 의미에서, 그분의 사역은 유일한 것이다. 다른 의미에서, 우리는 그 안에서 그분을 따라야 한다. 우리는 그분이 행하신 대로 행해야 하고, 그분이 사신대로 살아야 하며, 그분이 고난을 받으신 대로 고난을 받아야 한다. "그리스도도 우리를 위하여 고난을 받으사 우리에게 본을 끼쳐 그 자취를 따라오게 하려 하셨느니라." 나의 보증으로서 그분의 고난은 나에게 나의 본으로서 그분의 고난과 같은 고난을 받도록 요청한다. 그러나 이것은 사리에 맞는가? 나의 보증으로서 그분이 고난을 받으실 때, 그분은 신적 본성의 능력을 가지고 계셨다. 그러면 육신의 연약함을 가지고 있는 내가 어떻게 그와 같은 고난을 받을 수 있단 말인가? 베드로가 그렇게 긴밀하게 연합시키는 이 둘, 즉 보증으로서의 고난과 본으로서의 고난 사이에는 극복할 수 없는 그 큰 격차가 있지 않은가? 그렇지 않다. 그 큰 격차를 메우는 그리스도의 사역의 복된 세 번째 면이 있는데, 그것은 보증으로서의 그리스도와 본으로서의 그리스도 사이를 잇는 연결 고리이다. 그것은 우리가 진정 그 보증을 우리의 본으로 받아들이고, 그분과 같이 살고 그분과 같이 고난을 받으며 그분과 같이 죽는 것을 가능하게 해준다.

그리스도는 또한 우리의 머리이시다. 여기에 그분의 보증과 그분의 본의 근본과 통일이 있다. 그리스도는 두 번째 아담이시다. 신자로서 나는 영적으로 그분과 하나다. 이 연합 안에서 그분은 내 안에 사시며 나에게 자신이 이루신 사역의 능력, 자신의 고난과 죽음과 부활의 능력을 나누어주신다. 우리가 로마서 6장과 그 밖의 다른 곳에서 그리스도인은 "죄에 대하여는 죽은 자요…하나님께 대하여는 살아 있는 자"(롬 6:11)라고 가르침을 받는 것은 바로 이 토대 위에서다. 그리스도의 그 생명, 곧 죽음과 그 죽음의 힘을 경험한 생명이 신자 안에서 역사한다. 그러므로 그는 그리스도와 함께 죽었다가 그리스도와 함께 다시 살았다. 우리가 그분의 죽으심으로 말미암아 용서를 받을 뿐만 아니라 "죄에 대하여 죽고 의에 대하여 살게 하"기 위해서 "친히 나무에 달려 그 몸으로 우리 죄를 담당하셨으니"라고 베드로가 말했을 때, 그가 표명한 것이 바로 이 사상이다.

우리가 첫 번째 아담의 영적 죽음과 관계가 있어서 정말로 그 사람 안에서 하나님께 대해 죽었듯이, 우리는 두 번째 아담과 관계가 있어서 그분 안에서 죄에 대하여 죽었다. 그분 안에서 우리는 하나님께 대해 다시 살게 되었다. 그리스도는 우리의 보증으로서 우리를 위해 살다가 우리를 위해 죽으셨고, 우리의 본으로서 우리에게 사는 법과 죽는 법을 보여주셨을 뿐만 아니라, 우리의 머리로서 우리는 그 분과 하나가 되고 그분의 죽음 안에서 우리가 죽었으며 지금은 그분의 생명 안에서 우리가 산다. 이것은 우리에게 우리의 보증을 우리의 본으로 따를 힘을 제공해준다. 우리의 머리가 되시는 그리스도는 그 보증을 믿는 것과 그 본을 따르는 것을 나눌 수 없게 하나로 만드는 띠이다.

이 셋은 하나이다. 이 세 진리는 서로에게서 나뉘지 않는다. 그럼에도 그러한 일이 아주 흔하게 일어난다. 그리스도의 속죄에 대한 믿음이 없으면서도 그분의 본을 따르기를 바라는 사람들이 있다. 그들은 자신들 안에서 그리스도와 같이 살 수 있는 힘을 구하려고 하지만, 그들의 노력은 헛되다. 보증은 확실히 믿지만 본은 무시하는 사람들도 있다. 그들은 십자가의 보혈을 통한 구속을 믿지만, 그것을 지고가신 그분의 발자취를 따르는 것을 등한시 한다. 속죄에 대한 믿음은 정말로 건물의 기초와 같지만 그것이 전부는 아니다. 그들의 기독교 신앙은 또한 성화에 대한 바른 인식이 없는 불충분한 것이다. 왜냐하면 그들은 그리스도의 속죄에 대한 믿음과 함께 그분의 본을 따르는 것이 어떤 이유로 꼭 필요한지를 이해하지 못하기 때문이다.

더욱이 이 두 진리, 곧 보증으로서의 그리스도와 본으로서의 그리스도를 받아들였음에도 아직 무엇인가를 결여하고 있는 사람들이 있다. 그들은 그리스도께서 보증으로 행하신 것에 대해 그리스도를 본으로 따르지 않을 수 없다고 느끼지만, 그들에게는 그렇게 할 수 있는 능력이 부족하다. 그들은 오늘날 그분의 본을 따르는 것을 정말로 어떻게 이룰 수 있는지 올바르게 이해하지 못한다. 그들에게 필요한 것은 성경이 머리로서의 그리스도에 대해 가르치는 것을 분명하게 이해하는 것이다. 보증이신 그리스도는 내 밖에 있는 어떤 분이 아니라 내가 그분 안에 있고 그분이 내 안에 계시기 때문에, 나는 그분과 같이 될 수 있다. 바로 그분의 생명이 내 안에서 산다. 자신의 피로 나를 사신 그분 자신이 내 안에 사신다.

그분의 발자취를 따르는 것은 하나의 본분이다. 그것은 가능성이기 때문에 머리와 지체들 사이의 놀라운 연합의 당연한 결과이다. 그리스도의 본에 대한 복된 진리가 우선적이 되게 되는 것은 오직 이것이 정확하게 이해될 때이다. 만일 예수님 자신이 자신의 삶과 하나가 되게 하여 내 안에서 자신의 삶을 닮게 하신다면, 나의 본분은 분명해지고 영광스러운 것이 된다. 한편으로, 나는 그리스도의 본을 알고 따르기 위해서 그것을 바라보아야 한다. 다른 한편으로, 나는 그분 안에 거해야 하고 또 내 안에서 이루시는 그분의 삶의 복된 역사에 내 마음을 개방해야 한다. 그분은 죄와 나에 대한 그것의 저주를 정복하심과 마찬가지로 틀림없이, 그분은 나를 지배하는 그것의 힘을 정복하실 것이다. 나를 위한 자신의 죽으심을 통해 시작하신 일을 그분은 내 안에서 자신의 삶을 통해 이루실 것이다. 나의 보증은 또한 나의 머리이시기 때문에, 본이신 그리스도께서 내 삶을 다스리셔야 하고 또 다스리실 것이다.

어거스틴은 이렇게 말했는데, 그 말은 종종 인용되곤 한다. "주님, 주님이 명하시는 것을 주시고 주님이 원하시는 것을 명하십시오." 이것은 여기서도 딱 들어맞는다. 만일 내 안에 살고 계신 주님께서 자신이 나에게 명하시는 것을 주신다면, 그분은 너무 높은 것을 요구하실 수 없다. 그러므로 나는 아주 높이 그리고 널리 그분의 거룩한 본을 바라보고 또 그것을 내 행동의 법칙으로 받아들일 용기를 가질 것이다. 그것은 더 이상 내가 되어야 하는 모습을 말하는 명령이 아니라 내가 될 모습에 대한 약속이다. 우리가 정말로 그리스도와 같이 행할 수 없다는 생각보다 더 그리스도의 본의 능력을 약하게 하는 것은 없다. 그러한 생각들을 귀담아 듣지 말라. 하늘에서의 완전한 모습은 이 땅에서 시작되고 나날이 자랄 수 있으며 살아갈수록 더 가시적이 될 것이다. 당신의 머리이신 그리스도께서 여전히 이루어가고 계신 자기 자신의 형상을 따른 갱신은 그분이 단번에 이루신 보증의 사역만큼 확실하고도 강력하다. 이 이중적인 복이 십자가를 두 배로 값지게 만들게 하라. 우리의 머리이신 그분은 우리와 연합하여 우리를 위해 죄를 담당하시기 위해 보증으로서 고난을 당하셨다. 우리의 머리이신 그분은 자신과 연합하여 그분이 우리를 승리와 영광으로 이끄실 길을 우리에게 보이실 수 있도록 본으로서 고난을 당하셨다. 고난당하시는 그리스도는 우리의 머리와 우리의 보증과 우리의 본이시다.

그러므로 내가 배워야 할 큰 교훈은, 우리가 그분의 발자취를 따라야 하는 것은 그분이 우리의 속죄와 구속을 이루신 고난의 그 신비로운 길 안에서라는 놀라운 진리이다. 그 구속을 충만하게 경험하는 것은 그 고난 안에서의 개인적인 사귐에 달려 있다. "그리스도도 우리를 위하여 고난을 받으사 너희에게 본을 끼쳐." 성령께서 이것이 의미하는 바를 나에게 알려주시기를 바란다.

〈함께 드리는 기도〉

　귀하신 구세주이시여, 주님이 보증으로 행하신 사역으로 인해 진심으로 감사를 드립니다. 주님께서는 죄 많은 죄인인 저를 대신하여 십자가 위에서 친히 주님의 몸으로 저의 죄를 담당하셨습니다. 그 십자가는 마땅히 제가 져야 할 것이었습니다. (그럼에도) 주님께서 십자가가 복과 생명의 자리로 변할 수 있도록 그것을 지시고 저와 같이 되셨습니다.
　그리고 이제 주님은 저를 복과 생명의 자리인 십자가의 자리로 부르십니다. 거기에서 저는 주님을 닮게 되고, 주님 안에서 고난을 당하고 죄를 짓지 않을 능력을 얻게 됩니다. 저의 머리이신 주님은 저와 함께 고난을 당하시고 죽으신 저의 보증이십니다. 저의 머리이신 주님은 저의 본이십니다. 그러므로 저는 주님과 함께 고난을 당하고 죽습니다.
　귀하신 구주시여, 제가 이것을 거의 이해하지 못했음을 고백합니다. 저에게 주님의 보증은 주님의 본보다 더 귀중했습니다. 주님께서 저를 위해 십자가를 지신 것이 너무나 기뻤습니다. 하지만 저는 너무나 작은 존재라서 주님과 같이 그리고 주님과 함께 십자가를 감당할 수 없습니다. 저에게 십자가의 속죄는 십자가의 사귐보다 더 귀중했습니다. 주님의 구속 안에 있는 희망은 주님과의

개인적인 교제보다 더 귀중했습니다.

사랑하는 주님, 이러한 제 모습을 용서해 주시고, 또 저를 가르쳐 저의 머리이신 주님과의 연합 안에서 행복을 찾게 하여 주시고 더 이상은 그 행복을 주님의 본에서보다 주님의 보증에서 찾지 않게 해 주옵소서. 그리고 제가 주님을 어떻게 따라야 하는지를 곰곰 생각할 때, 저의 믿음이 더 강하고 더 현명하게 해 주옵소서. 예수님은 저의 본이십니다. 왜냐하면 주님은 저의 생명이시기 때문입니다. 저는 주님을 닮아야 하고 또 주님을 닮을 수 있습니다. 왜냐하면 저는 주님과 하나이기 때문입니다. 저의 복되신 주님이시여, 주님의 사랑을 위하여 이것을 주옵소서. 아멘.

부당하게 받는 고난

> 부당하게 고난을 받아도 하나님을 생각함으로
> 슬픔을 참으면 이는 아름다우나 죄가 있어
> 매를 맞고 참으면 무슨 칭찬이 있으리요
> 그러나 선을 행함으로 고난을 받고 참으면
> 이는 하나님 앞에 아름다우니라.
> -벧전 2:19-20

    베드로는 아주 흔히 있는 일과 관련하여 우리의 보증과 본으로서의 그리스도에 관한 중요한 말을 한다. 그는 그 당시 대부분 노예였던 종들에게 편지를 써 보냈다. 그는 그들에게 "사환들아 범사에 두려워함으로 주인들에게 순종하되 선하고 관용하는 자들에게만 아니라 또한 까다로운 자들에게도 그리하라"(벧전 2:18)고 가르쳤다. 왜냐하면 그가 그렇게 쓴 대로, 만일 어떤 사람이 잘못을 저지르고 그것에 대한 벌을 받는다면, 그것을 참고 견디는 것은 특별한 은혜가 아니기 때문이다. 그러나 만일 어떤 사람이 선을 행하고도, 그것으로 인해 고난을 받고 그것을 참고 견딘다면, 그것은 하나님께 아름다운 것이며, 그와 같이 부당함을 견디는 것은 그리스도를 닮는 것이다. 보증으로서 우리의 죄를 담당하실 때, 그리스도는 사람에게서 부당하게 고난을 받으셨다. 그분의 본을 따를 때, 우리도 언제든지 부당하게 고난을 받을 수 있어야 한다.

우리 동료들에게 부당하게 대우를 받는 것보다 더 견디기 힘든 것은 거의 없다. 아픈 느낌 외에도 굴욕감과 부당하다는 느낌이 들고, 또 우리의 권리가 침해당하고 있다는 생각도 하게 된다. 우리 동료들이 우리에게 무언가를 할 때, 우리가 그리스도를 우리의 본으로 참되게 받아들였는지 확인하기 위해 우리로 하여금 그와 같이 시련을 받게 하시는 하나님의 뜻을 즉각적으로 분간하기란 쉽지 않다. 그 본을 눈여겨 살펴보자. 우리는 부당한 대우를 끈기 있게 감당할 수 있는 능력을 그분에게 준 것이 무엇인지를 그분에게서 배우게 될 것이다.

그리스도는 고난을 하나님의 뜻으로 믿었다. 그분은 성경에서 하나님의 종은 고난을 받게 될 것을 알았다. 그분은 그러한 사실을 잘 알고 있었다. 그래서 고난이 왔을 때 그것에 놀라지 않았다. 주님은 그것을 기대하셨다. 그분은 자신이 완전하게 되어야 함을 알고 계셨다. 그래서 그분이 먼저 생각한 것은 어떻게 하면 그것으로부터 자유롭게 될까가 아니라, 어떻게 하면 그 안에서 하나님을 영화롭게 할 수 있을까였다. 그것 때문에 주님은 가장 큰 부당함을 온전히 감당하실 수 있었다. 그분은 그 가운데서 하나님의 손길을 보셨다.

그리스도인이여, 당신은 그리스도께서 그렇게 하셨던 마음으로 부당하게 고난을 받을 능력을 갖기를 원하는가? 일어나는 모든 일 가운데서 하나님의 손길과 뜻을 분간하는 것에 익숙해져라. 이 교훈은 당신이 생각하는 것보다 더 중요하다. 당신에게 닥치는 고난이 큰 것이든, 아니면 매일의 삶 속에서 당신의 마음을 상하게 하는 사소한 것이든, 그렇게 한 사람을 생각하기 전에 하나님께서 내가 그 일을 통해 자신을 영화롭게 하는지 보시기 위해 나로 하여금 그 어려움에 처하게 하신다는 것을 잠잠히 기억하라. 이 시련이 크든 작든, 그것은 하나님이 허락하신 것이며 나에 대한 그분의 뜻이다. 내가 우선적으로 해야 할 일은 그 안에서 하나님의 뜻을 깨닫고 그것에 순종하는 것이다. 그러면 이것이 베푸는 영혼의 쉼 가운데서 나는 지혜를 얻어 지혜롭게 행하는 법을 알게 될 것이다. 내 시선을 사람에게서 하나님께로 돌리면, 부당하게 고난을 받는 것은 겉으로 보이는 것만큼 그리 힘들지 않다.

그리스도께서도 하나님이 자신의 권리와 영예를 돌보신다는 것을 믿었다. 우리 안에는 하나님으로부터 유래하는 본래적인 권리의식이 있다. 그러나 가시적인 세계에서 살고 있는 사람은 자신의 영예가 이 세상에서 즉시 지지를 받게 되기를 바란다. (반면에) 영원한 세계에서 사는 사람은 하나님의 손 안에 자신의 권리와 명예에 대한 옹호를 맡기는 것으로 만족한다. 그는 하나님이 그것들을 안전하게 지켜주신다는 것을 알고 있다. 주 예수님도 그와 같으셨다. 베드로는 이렇게 썼다. "욕을 당하시되 맞대어 욕하지 아니하시고 고난을 당하시되 위협하지 아니하시고 오직 공의로 심판하시는 이에게 부탁하시며"(벧전 2:23). 그것은 하나님 아버지와 그분의 아들 예수님 사이의 확고한 점이었다. 즉 하나님의 아들 예수님은 자기 자신의 영예를 돌보지 않으시고 오직 아버지 하나님의 영광을 돌보셨다. 아버지 하나님은 그분의 아들 예수님의 영예를 돌보셨다. 그리스도인들로 하여금 이것에서 그리스도의 본을 따르게 하라. 그러면 그는 그와 같은 쉼과 평안을 얻게 될 것이다. 당신의 권리와 명예를 하나님의 보호하심에 맡겨라. 하나님이 당신을 지키시고 돌보신다는 확고한 믿음을 가지고 다른 사람이 당신에게 가하는 모든 공격에 대처하라. 의로 심판하시는 그분께 그것을 내맡겨라.

게다가, 그리스도는 고난 받는 사랑의 힘을 믿었다. 우리 모두는 사랑의 힘보다 더 큰 힘은 없다는 것을 인정한다. 그것을 통해 그리스도는 세상의 적대를 물리치셨다. 다른 모든 승리는 단지 강제적인 복종을 제공한다. 사랑만이 적을 친구로 바꿈으로써 그를 이기는 참된 승리를 제공한다. 우리 모두는 이러한 진리를 하나의 원리로서 인정하면서도 그것을 적용하는 데는 머뭇거린다. 그리스도는 그것을 믿었고 그것에 따라 행하셨다. 그분은 또한 자신의 원한을 풀 것이라고 말씀하셨다. 그러나 그분의 원한은 사랑의 원한이었고 적들을 친구로 만들어 자기 발 앞에 무릎을 꿇게 하셨다. 주님은 침묵과 복종을 통해, 그리고 고난과 부당하게 고난 받음을 통해 자신이 승리를 거두게 될 것이라고 믿었다. 왜냐하면 결국에는 사랑이 이길 것이기 때문이었다.

그리고 이것은 그분이 우리에게도 바라시는 것이다. 우리의 죄 많은 본성 안에는 하늘에 속한 사랑의 능력에 대한 믿음보다는 능력과 권리에 대한 믿음이 더 많다. 그러나 그리스도를 닮고 싶은 사람은 또한 이점-그리스도는 선으로 악을 이기려고 애쓰신다-에서도 그분을 따라야 한다. 어떤 사람이 자기를 부당하게 대우할수록, 그는 그 사람을 더욱 사랑하도록 부르심을 받았다고 느낀다. 비록 범죄자가 법에 의해 처벌을 받는 것은 불가피할지라도, 그는 개인적으로 원수 갚는 일에 관여하지 않아야 한다고 확신한다. 자신에 관한 한, 그는 용서하고 사랑한다.

아, 만일 그리스도의 본을 따른다면, 기독교세계와 우리 교회들에 참으로 많은 차이가 생길 텐데! 만일 욕을 당한 각 사람이 "맞대어 욕하지 아니" 한다면(벧전 2:23), 만일 고난을 당하는 각 사람이 "위협하지 아니하"고 "오직 공의로 심판하시는 이에게 부탁"한다면, 진정 그렇게 될 것이다! 동료 그리스도인들이여, 이것이 말 그대로 하나님 아버지가 우리에게 바라시는 것이다. 우리 영혼에 베드로가 전하는 "선을 행함으로 고난을 받고 참으면 이는 하나님 앞에 아름다우니라"는 말씀이 가득 찰 때까지 그 말씀을 읽고 또 읽어보자.

보통 수준으로 그리스도인의 삶을 살면서 우리들 대부분이 구속함을 받은 사람들로서의 우리의 소명을 우리 자신의 능력으로 성취하려고 애쓰는 곳에서는 그와 같이 주님의 형상을 본받는 것이 불가능하다. 그러나 온전히 순종하는 삶을 살면서 주님께서 우리 안에서 모든 것을 역사하실 것이라는 믿음으로 우리가 모든 것을 그분의 손안에 맡기는 곳에서는 그리스도를 본받는 것이 진정 가능하다는 영광스러운 기대가 생긴다. 그리스도와 같이 고난을 받으라는 명령은 다음의 가르침과 관련되어 나왔다. "그리스도도 너희를 위하여 고난을 받으사…우리로 죄에 대하여 죽고 의에 대하여 살게 하려 하심이라"(21, 24절).

사랑하는 동료 그리스도인이여, 그리스도를 닮고 싶지 않은가? 그리고 부당한 대우를 받을 때 그분이 당신의 자리에 있다면 그분 자신이 행하셨을 대로 행하고 싶지 않은가? 범사에, 심지어는 이 일에서 그분을 본받으려는 것은 또한 영광스러운 기대가 아닌가? 우리 자신의 능력으로는 그렇게 하는 것이 너무 어렵다. 하지만 그분의 능력으로는 가능한 일이다. 그분이 당신에게 원하시는 모습이 되도록 매일 당신 자신을 그분께 내맡겨라. 주님은 하늘에서 사시면서 자신의 발자국을 따라 행하려고 애쓰는 각 사람의 능력과 생명이 되심을 믿어라. 당신은 죄에 대해서 죽고 의에 대해서는 사는 것이 무엇인지 이해할 수 있도록 당신 자신을 내맡김으로 고통당하시고 십자가에 못 박히신 그리스도와 하나가 되라. 그러면 죄를 속할 뿐만 아니라 그것의 힘을 타파할 수 있는 예수님의 죽으심 안에 있는 놀라운 능력과, 당신으로 하여금 의에 대해서 살게 할 수 있는 그분의 부활 안에 있는 놀라운 능력을 기쁘게 경험하게 될 것이다. 속죄와 구속을 위한 그 고통을 온전히 신뢰하고 또한 그것만을 신뢰하는 것이 복된 것같이, 당신은 고난 받는 구주의 발자취를 온전히 따르는 것도 똑같이 복된 것이라는 것을 알게 될 것이다. 그리스도는 당신의 보증으로서 귀중하신 분이듯이, 당신의 본으로서도 귀중하신 분이 되실 것이다. 주님이 당신의 고난을 자신의 것으로 짊어지셨기 때문에, 당신은 충실히 그분의 고난을 짊어지게 될 것이다. 부당하게 고난을 받는 것은 그분의 거룩한 고난이 있는 영광스러운 사귐의 일부가 될 것이다. 그것은 그분의 가장 거룩한 모습을 본받는 영광스러운 흔적이자 참된 신앙생활의 가장 복된 열매가 될 것이다.

〈함께 드리는 기도〉

    오, 주 나의 하나님! 제가 주님의 귀하신 말씀을 들었습니다. 만일 누구든지 부당하게 고난을 받으면서도 슬픔을 참고 그것을 끈기 있게 견디면, 이것은 하나님께 아름다운 것이라는 것을 말입니다. 이것은 진정 하나님을 매우 기쁘시게 하는 희생제사입니다. 오직 주님의 은혜가 이룬 사역입니다. 주님의 사랑하는 아들이 받으신 고난의 열매이고 그분이 남기신 본의 열매이며 그분이 죄의 능력을 깨뜨리심으로 주시는 능력의 열매입니다. 오, 나의 하나님 아버지! 저와 주님의 모든 자녀들을 가르쳐 그분의 복되신 형상의 이런 특징들 안에서 오직 주님의 사랑하는 아들을 완전히 본받는 것을 목표로 삼게 하옵소서. 주 하나님, 저는 이제 단번에 저의 모든 명예와 권리를 주님의 손안에 맡기고 결코 다시는 제 자신이 그것들을 돌보지 않겠나이다. 주님께서 그것들을 가장 완전하게 돌봐 주옵소서. 주님의 영광과 권리가 저의 유일한 관심사가 되게 하옵소서!

    특별히 고난 받는 사랑의 승리하는 능력에 대한 믿음으로 저를 채워달라고 주님께 간구합니다. 힘이나 권리보다 인내와 침묵과 고난이 하나님께, 따라서 사람에게 더 소용이 됨을 주님의 고난 받는 양이 어떻게 우리에게 가르치시는지 저로 하여금 온전히 깨닫게 하옵소서. 오, 나의 하나님 아버지! 제가 주 예수님의 발자취를 따르겠나이다. 주님의 성령이 그리고 주님의 사랑과 임재의 빛이 저의 안내자와 힘이 되게 하옵소서. 아멘.

그리스도와 함께 십자가에 못 박히기

내가 그리스도와 함께 십자가에 못 박혔나니
그런즉 이제는 내가 사는 것이 아니요
오직 내 안에 그리스도께서 사시는 것이라…
그러나 내게는 우리 주 예수 그리스도의 십자가 외에
결코 자랑할 것이 없으니 그리스도로 말미암아
세상이 나를 대하여 십자가에 못 박히고
내가 또한 세상을 대하여 그러하니라.
－갈 2:20; 6:14

예수님은 언제나 십자가를 지는 것을 제자도의 시금석으로 말씀하셨다. 우리는 복음서에서 이 말씀이 여러 번 반복되어 나오는 것을 보게 된다. "아무든지 나를 따라오려거든 자기를 부인하고 날마다 제 십자가를 지고 나를 따를 것이니라"(눅 9:23; 또한 마 10:38; 16:24; 막 8:34; 눅 14:27을 보라). 주님이 아직 십자가의 길을 가는 동안에는, 십자가를 지는 것이란 이 표현은 제

자를 부르셨던 그분을 본받는 것을 나타내는 가장 적절한 것이었다. 그러나 이제 그분은 십자가에 못 박히셨으므로, 성령께서는 우리가 그리스도를 본받는 것을 훨씬 더 강하게 나타내는 다른 표현을 주신다. 그것은 믿음을 가진 제자 자신이 그리스도와 함께 십자가에 못 박혔다는 것이다. 십자가는 그리스도의 주된 표시였듯이 그리스도인의 주된 표시이기도 하다. 십자가에 못 박히신 그리스도와 십자가에 못 박힌 그리스도인은 서로에게 속한다. 그리스도를 닮는 것의 주된 요소들 중 하나는 그분과 함께 십자가에 못 박히는 것으로 이루어진다. 그분을 닮고 싶은 사람은 누구든지 그분의 십자가와의 사귐의 비밀을 이해하려고 노력해야 한다.

처음에는 예수님을 본받으려고 하는 그리스도인은 이 진리를 두려워한다. 그는 십자가를 생각하면 연상되는 쓰라린 고통과 죽음을 꺼린다. 그러나 자신의 영적 분별력이 더 명확해질수록, 이 말씀은 자신의 완전한 희망과 기쁨이 된다. 그는 십자가를 자랑한다. 왜냐하면 십자가는 그로 하여금 이미 성취되었고 또 그에게 육신의 권세와 세상의 권세로부터의 해방을 가져다 준 죽음과 승리에서 파트너가 되게 해 주기 때문이다. 이것을 이해하려면, 우리는 성경의 말씀을 주의 깊게 주목해야 한다.

바울은 이렇게 말한다. "내가 그리스도와 함께 십자가에 못 박혔나니 그런즉 이제는 내가 사는 것이 아니요 오직 내 안에 그리스도께서 사시는 것이라." 그리스도에 대한 믿음을 통하여 우리는 그리스도의 생명에 참여하는 자가 된다. 그 생명은 십자가의 죽음을 거친 생명이며, 그 승리를 거둔 죽음의 권세가 언제나 역사하고 있는 생명이다. 내가 그 생명을 받을 때, 동시에 나는 그 끊임없는 에너지로 내 안에서 역사하는 십자가 위에서 당하신 죽음의 충만한 능력을 받게 된다. "내가 그리스도와 함께 십자가에 못 박혔나니 그런즉 이제는 내가 사는 것이 아니요 오직 내 안에 그리스도께서 사시는 것이라." 이제 내가 살아가는 삶은 나 자신의 삶이 아니다. 십자가에 못 박히신 주님의 생명은 십자가의 생명이다. 십자가에 못 박히신 것은 과거에 일어난 사건이다. "우리가 알거니와 우리의 옛 사람이 예수와 함께 십자가에 못 박" 혔다(롬 6:6). "그리스도 예수의 사람들은 육체와 함께 그 정욕과 탐심을 십자가에 못 박았느니라"(갈 5:24). "내게는 우리 주 예수 그리스도의 십자가 외에 결코 자랑할 것이 없으니 그리스도로 말미암아 세상이 나를 대하여 십자가에 못 박히고 내가 또한 세상을 대하여 그러하니라"(갈 6:14). 이 절들은 모두 그리스도 안에서 이루어졌고 또 내가 믿음을 통해 들어가게 되는 것에 대해서 말한다.

이것을 이해하고 이 진리, 곧 나는 그리스도와 함께 십자가에 못 박혔고 또 나는 내 육체를 십자가에 못 박았다는 것을 담대히 말하는 것은 대단히 중요하다. 그와 같이 나는 그리스도께서 이미 이루어 놓으신 일에 어떻게 완전하게 참여하는지를 배운다. 만일 내가 그리스도와 함께 십자가에 못 박혀 죽었다면, 나는 그분의 생명과 승리에 참여하는 사람이 된다. 나는 "옛 사람"(롬 6:6)과 육체를 억누르거나 죽게 하는데 있어서, 그리고 "죄의 몸"(7절)이 죽게 하는데 있어서 그 십자가와 그 죽음의 능력이 나타나도록 하기 위해 내가 취해야 하는 태도를 이해하는 것을 배우게 된다.

아직도 내게는 해야 할 큰 일이 있다. 그러나 그 일은 나 자신을 십자가에 못 박는 일이 아니다. 나는 십자가에 못 박혔고 그래서 옛 사람은 십자가에 못 박혔다고 성경은 말한다(6절). 그러나 내가 해야 할 일은 언제나 옛 사람이 십자가에 못 박힌 것으로 생각하고 또 그렇게 대하는 것이며, 그것이 십자가에서 내려오지 못하도록 하는 것이다. 나는 내가 십자가에 못 박혀 있는 상태를 유지해야 한다. 내 육체를 십자가에 못 박힌 자리에 계속해서 그대로 있게 해야 한다. 이것의 힘을 깨닫기 위해서 나는 한 가지 중요한 차이점을 지적하지 않으면 안 된다. 나는 십자가에 못 박혀 죽었다. 그러나 옛 아담은 십자가에 못 박혔지만 아직 죽지는 않았다.

내가 십자가에 못 박히신 구주께 나 자신을, 그러니까 죄와 육체와 모든 것을 드렸을 때, 그분은 나를 완전히 받아주셨다. 십자가에 못 박히신 그분께 내 악한 본성과 함께 나를 드렸다.

그러나 여기에서 분리가 생겼다. 그분과 교제를 나눌 때 나는 육신의 생명에서 자유롭다. 나 자신은 그분과 함께 죽었다. 나는 내 존재의 가장 깊숙한 중심부에 새 생명을 받았다. 그리스도께서 내 안에 사시는 것이다. 그러나 육체-나는 아직도 그 안에서 존재한다-는, 곧 그분과 함께 십자가에 못 박힌 옛 사람은 저주를 받아 사형 선고를 받은 상태 그대로 남아있지만 아직 죽지는 않았다. 그리고 옛 본성이 완전히 죽는 시간이 올 때까지, 지금 내 주님과 교제하면서 또 그분의 능력 안에서 그것이 십자가에 못 박힌 상태로 있는 것을 보는 것이 나의 소명(calling)이다. 옛 사람의 모든 욕망과 감정은 "십자가에서 내려와서 너 자신과 우리를 구원해 보라"고 외친다. 십자가를 자랑하고 내 마음을 다해 십자가의 지배를 유지하고 선고된 판결을 승인하고 죄의 모든 봉기를 죽이며 죄가 지배하지 못하게 하는 것이 내가 할 일이다.

　이것이 바로 성경이 "너희가 육신대로 살면 반드시 죽을 것이로되 영으로써 몸의 행실을 죽이면 살리니"(롬 8:13), "그러므로 땅에 있는 지체를 죽이라"(골 3:5)고 말했을 때 그것이 의미하는 것이다. 그러므로 나는 내 육신에 선한 것이 거하지 않는다는 것을 계속해서 그리고 기꺼이 인정한다(롬 7:18). 나의 주님은 그리스도 십자가에 못 박히신 이이시며, 나는 그분 안에서 못 박혀 죽었다. 육체는 십자가에 못 박혔고, 비록 아직 죽지는 않았지만 영원히 십자가의 죽음에 넘겨졌다. 그래서 나는 참으로 그리스도와 함께 십자가에 못 박힘으로 이제는 그분과 같이 산다.

우리 주님의 십자가에 못 박히심의 이 사귐의 의미와 능력을 온전히 이해하기 위해서는 그리스도를 따르는 사람들에게 특히 두 가지가 필요하다. 첫째는 자신들이 믿음으로 십자가에 못 박히신 분과 사귐을 가진다는 것을 분명하게 자각하는 것이다. 그들은 회심할 때 그것을 온전히 이해하지 못한 채로 그것에 참여하는 사람들이 되었다. 많은 사람들이 영적 지식이 부족하기 때문에 평생 동안 모르는 상태로 있다. 형제자매 여러분이여, 성령께서 여러분이 십자가에 못 박히신 분과 연합되어 있다는 것을 알려주시기를 위해 기도하라. "내가…십자가에 못 박혔나니." "내게는 우리 주 예수 그리스도의 십자가 외에 결코 자랑할 것이 없으니…세상이 나를 대하여 십자가에 못 박히고." 성경에서 이와 같은 말씀들을 고른 다음 그것들을 붙잡고, 성령께서 그것들을 여러분 안에서 살아 있게 하고 또 효과적으로 만들어 주시기를 기대하고 또 그렇게 되게 해 달라고 요청하는 마음으로 기도하고 묵상하면서 그것들을 여러분 자신의 말씀으로 만들어라. 여러분은 진정 "그리스도와 함께 십자가에 못 박"힌 존재라는 것에 비추어 여러분 자신을 보라.

그러면 당신은 당신을 그리스도가 그 안에 사시는 십자가에 못 박힌 사람으로 살 수 있도록 당신에게 필요한 두 번째 것을 위한 은혜를 깨닫게 될 것이다. 당신은 언제나 육신과 세상을 십자가에 못 박힌 것으로 보고 또 그렇게 대할 수 있을 것이다. 옛 본성은 계속해서 자기를 주장하려고 할 것이며, 당신으로 하여금 항상 이 십자가에 못 박힌 삶을 사는 것은 너무 많은 것을 기대하는 것처럼 느끼도록 만들려고 할 것이다. 당신의 유일한 안전은 그리스도와의 사귐 안에 있다. 바울은 "그리스도와 그의 십자가로 말미암아 내가 세상을 대하여 십자가에 못 박혔다"고 말했다. 그리스도 안에서 십자가에 못 박히는 것은 이루어진 현실이다. 그리스도 안에서 당신은 죽었으나 또한 살게 되었다. 그리스도께서 당신 안에 사시는 것이다. 그분의 십자가의 이 사귐이 당신 안에서 깊어질수록 더 좋아진다. 그것은 그분의 생명과 사랑과 더 깊은 교제를 나누도록 당신을 이끌어 준다. 그리스도와 함께 십자가에 못 박히는 것은 죄의 권세에서 자유롭게 되는 것이다. 즉 구속 받은 자, 승리자가 되는 것이다. 당신 안에서 그리스도를 영화롭게 하고, 당신 안에서 (그리스도를) 드러내며, 당신을 위해 그리스도 안에 있는 모든 것을 바로 당신 자신의 것으로 만들도록 (하나님께서) 성령을 보내주셨다는 것을 기억하라.

다른 많은 사람들이 그러하듯이, 당신은 십자가를 오직 그것이 지닌 구속의 능력 안에서 아는 것으로만 만족하지 말라. 십자가의 영광은 예수 그리스도에게 있을 뿐만 아니라 우리에게도 있다. 그것은 생명에 이르는 길이다. 그러나 매 순간 그것은 우리에게 죄와 사망을 폐하고 우리로 하여금 계속해서 영원한 생명의 능력 가운데 있게 하는 능력이 될 수 있다. 당신의 구세주로부터 이것을 위해 그 십자가의 능력을 사용하는 거룩한 기술을 배워라. 십자가의 능력과 그것의 승리에 대한 믿음을 통해 우리는 날마다 몸의 행위, 즉 육신의 정욕들을 이기게 될 것이다. 이 믿음은 계속해서 자아를 죽게 하면서 십자가를 당신의 모든 영광으로 간주하도록 당신을 가르칠 것이다. 십자가를 생각할 때, 고통스런 죽음을 예상하면서 여전히 십자가에 못 박히러 가는 사람으로서가 아니라 십자가에 못 박히는 것은 과거에 끝이 나서 이제는 이미 그리스도 안에 살고 있고 그래서 지금은 단지 죄의 몸이 없어진 복된 도구로서의 십자가를 지는 사람으로서 그것을 생각하라(롬 6:6). 죄와 세상에 대한 완전한 승리를 보여 주는 표상이 바로 십자가이다.

    무엇보다도, 가장 중요한 것이 아직 남아 있음을 기억하라. 당신으로 하여금 모든 것에서 그분을 닮게 하실 수 있는 분은 바로 살아 계신 사랑의 구주 예수님 자신이다. 그분의 달콤한 우정, 그분의 부드러운 사랑 그리고 그분의 하늘의 능력은 십자가에 못 박히신 이이신 그분을 닮는 것을 복과 기쁨이 되게 해 준다. 그것들은 십자가에 못 박힌 삶을 부활의 기쁨과 능력의 삶이 되게 해 준다. 그분 안에서 그 둘은 불가분하게 연결되어 있다.

그분 안에서 당신은 언제나 다음과 같은 승리의 노래를 부를 수 있는 힘을 지니게 된다. 내게는 우리 주 예수 그리스도의 십자가 외에 결코 자랑할 것이 없으니 그리스도로 말미암아 세상이 나를 대하여 십자가에 못 박히고 내가 또한 세상을 대하여 그러하니라.

〈함께 드리는 기도〉

    귀하신 구세주여, 주님께 겸손히 구하오니 저에게 주님의 십자가의 사귐의 감추어진 영광을 보여 주옵소서. 십자가는 저의 자리, 죽음과 저주의 자리였습니다. 주님은 우리와 같이 되셨고 우리와 함께 십자가에 못 박히셨습니다. 그리하여 지금 십자가는 주님의 자리, 축복과 생명의 자리입니다. 주님께서 저를 부르셔서 주님을 닮게 하시고, 주님과 함께 십자가에 못 박힌 사람으로 십자가가 얼마나 완전하게 죄로부터 저를 자유롭게 했는지를 경험하게 하십니다.

    주님, 저로 하여금 십자가의 충만한 능력을 알게 하옵소서. 오랫동안, 저는 저주로부터 구속하는 십자가의 능력을 알았습니다. 그러나 아주 오래 동안, 구속 받은 사람으로 저는 죄의 능력을 극복하려고 애썼고 또 주님이 순종하신 것처럼 하나님 아버지께 순종하려고도 애썼지만 헛일이었습니다! 저는 죄의 권세를 깨뜨릴 수 없었습니다. 그러나 이제는 알았습니다. 이 능력은 오직 주님의 제자가 자신을 온전히 내맡기고 성령의 인도를 따라 주님의 십자가의 사귐 안으로 들어갈 때만 온다는 것을 말입니다. 거기에서 주님은 그로 하여금 어떻게 십자가가 영원히 죄의 권세를 깨뜨렸으며 그를 자유롭게 했는지를 보게 하셨습니다. 거기에서 십자가에 못 박히신 이이신 주님께서 그 안에 사시며, 또 죄를 몰아내고 정복하시는 일에 진심으로 자기를 헌신하시는 주님 자신의 영을 그에게 주십니다. 오, 나의 주님! 이것을 더 잘 이해하도록 저를 가르쳐 주옵소서. 이 믿음으로 "나는 그리스도와 함께 십자가에 못 박혔습니다"라고 말합니다. 오, 죽기까지 저를 사랑하신 주님! 주님의 십자가가 아니라 주님 자신, 십자가에 못 박히신 이이신 주님이 제가 찾고 의지하는 그분이십니다.

십자가에 못 박히신 주님이시여, 저를 취하여 주옵소서. 저를 확실히 붙잡으시고 순간순간마다 저를 가르쳐 유죄를 선고 받은 것으로서 그리고 오직 십자가에 못 박힐 만한 것으로서 자아에 속한 모든 것을 보게 하옵소서. 순간순간마다 저를 취하여 붙잡아주시고 저를 가르쳐 주님 안에서 거룩하고 복된 삶을 사는데 필요한 모든 것이 제게 있음을 알게 하여 주옵소서. 아멘.

예수님의 자기 부인

믿음이 강한 우리는 마땅히
믿음이 약한 자의 약점을 담당하고
자기를 기쁘게 하지 아니할 것이라
우리 각 사람이 이웃을 기쁘게 하되 선을 이루고
덕을 세우도록 할지니라 그리스도께서도
자기를 기쁘게 하지 아니하셨나니 기록된 바
주를 비방하는 자들의 비방이 내게 미쳤나이다
함과 같으니라…그러므로 그리스도께서 우리를 받아
하나님께 영광을 돌리심과 같이 너희도 서로 받으라.
-롬 15:1-3,7

이에 예수께서 제자들에게 이르시되
누구든지 나를 따라오려거든 자기를 부인하고
자기 십자가를 지고 나를 따를 것이니라.
-마 16:24

그리스도께서도 자기를 기쁘게 하지 않으셨다. 그분은 사람들이 하나님을 비방하고 모욕했던 그 모든 비방을 끈기 있게 참아내심으로 하나님께 영광을 돌리고 인간을 구원하실 수 있었다. 그리스도는 자기를 기쁘게 하지 않으셨다. 이 진리는 하나님과 사람 모두에 관하여 그분의 삶의 열쇠이다. 이 점에 있어서도 그분의 삶은 우리의 규범과 본이다. 단호한(strong) 우리는 우리 자신을 기쁘게 하지 않아야 한다.

자기를 부인하는 것은 자기를 기쁘게 하는 것의 정반대이다. 베드로가 그리스도를 부인했을 때, 그는 이렇게 말했다. " '나는 그 사람을 알지 못하노라' (마 26:72). 나는 그와도, 그의 관심사와도 아무런 상관이 없노라. 나는 그의 동료로 여김 받고 싶지도 않노라." 마찬가지로, 참된 그리스도인은 자기 자신인 옛 사람을 부인한다. 그는 말한다. "나는 이 옛 사람을 알지 못하노라. 나는 그와도, 그의 관심사와도 아무런 상관이 없노라." 그리고 부끄러움과 치욕이 자신에게 닥치거나 그 옛 본성을 기쁘게 하는 일이 생길 때, 그는 간단히 이렇게 말한다. "옛 아담에 대해서는 네 마음대로 하라. 나는 그것을 무시할 것이다. 그리스도의 십자가를 통해 나는 세상과 육체 그리고 자아에 대해 십자가에 못 박혔다. 이 옛 사람의 우의와 관심사에 대해 나는 이방인이다. 나는 그 옛 사람이 내 친구가 되는 것을 거부한다. 나는 그의 모든 주장과 소원을 거부한다. 나는 그를 알지 못한다."

저주와 정죄로부터 구원받은 것만을 생각하는 그리스도인은 이것을 이해할 수 없다. 그는 자기를 부인하는 것이 불가능하다는 것을 알게 된다. 때때로 그렇게 하려고 애쓰지만, 그의 삶은 주로 자신을 기쁘게 하는 것으로 채워진다. 그리스도를 자신의 본으로 받아들인 그리스도인은 그것으로 만족할 수 없다. 그는 자신을 복종시켜 그리스도의 십자가와 가장 완전한 사귐을 구한다. 성령께서 그에게 다음과 같이 말하도록 가르치신다. "내가 그리스도와 함께 십자가에 못 박혔음으로 죄와 자아에 대해서 죽었노라."

그리스도와 교제를 나누면서 그는 정죄 받은 죄인인 옛 사람이 십자가에 못 박힌 것을 본다. 그는 그를 친구로 알고 지내는 것을 부끄럽게 여긴다. 그것은 그의 확고한 결심이며 그것을 위한 능력도 받았다. 그는 더 이상 자신의 옛 본성을 기쁘게 하지 않고 그것을 부인한다. 십자가에 못 박히신 그리스도께서 자신의 생명이 되시기 때문에, 자기 부인은 그의 삶의 법칙이다. 이 자기 부인은 삶의 전 영역에 미친다. 주 예수님이 그리 하셨기 때문에 그분을 온전히 따르기를 바라는 모든 사람도 그래야 한다. 이 자기 부인은 죄가 되는 것과 불법적인 것 그리고 하나님의 법이 용납하지 않는 것과는 아무런 상관이 없고, 합법적이거나 명백히 공정한 것과 관계가 있다. 자기를 부인하는 사람은 언제나 자기 자신의 흥미나 즐거움보다는 하나님의 뜻과 영광 그리고 인간의 구원을 더 중요하게 여겨야 한다.

우리가 우리 이웃을 기쁘게 하는 법을 알기 전에, 먼저 우리 자신의 개인 생활 속에서 자기 부인을 실천해야 한다. 그것이 우리 몸을 다스려야 한다. "사람이 떡으로만 살 것이 아니요 하나님의 입으로부터 나오는 모든 말씀으로 살 것이라"(마 4:4)고 말씀하셨고, 또 아버지 하나님이 자신에게 음식을 주시고 아버지 하나님의 사역이 이루어지기 전까지 아무 것도 먹지 않으셨을 주님의 거룩한 금식은 신자에게 먹고 마시는 일에 대한 자제를 가르친다. 머리 둘 곳이 없으셨던 그분의 거룩한 가난은 신자에게 땅의 것들을 소유하고 사용하고 누리는 것을 규제하라고 가르친다. 그가 언제나 소유함이 없이 소유할 수 있도록 말이다. 나무에 달린 자신의 몸으로 우리의 모든 죄를 담당하신 그분의 거룩한 고난의 본을 따라, 신자는 모든 고난을 끈기 있게 참아내는 것을 배운다. 그는 성령의 전인 몸으로 주 예수님의 죽으심을 떠맡기를 바란다. 그는 사도 바울과 같이 몸을 부인하고 그것을 복종시킨다. 그는 그것의 모든 소원과 욕망을 예수님의 자기 부인이 다스려주기를 원한다. 그는 자기를 기쁘게 하지 않는다.

이 자기 부인은 또한 계속해서 영을 지킨다. 신자는 자신의 지혜와 판단을 하나님의 말씀에 복종시킨다. 자신의 생각을 버리고 하나님의 말씀과 성령의 가르침을 따른다. 그는 사람에 대해서도 동일하게 자기 지혜를 부인하면서 듣고 배울 준비를 한다. 그는 자신이 옳다는 것을 알고 있을 때에도 언제나 다른 사람들 안에서 좋은 것을 발견하고 또 인정하기를 바라면서 온순하고도 겸손히 자신의 견해를 말한다.

게다가 자기 부인은 특별히 마음과 관계가 있다. 모든 감정과 소원이 그 아래에 놓인다. 의지와, 그리고 영혼의 왕 같은 능력은 특히 마음의 지배를 받는다. 그리스도의 삶에는 자기를 기쁘게 하는 것이 없었기 때문에, 그리스도를 따르는 사람도 그것이 자기 삶의 일부가 되게 하거나 자신의 행동에 영향을 주게 해야 한다. 우리는 "자기를 기쁘게 하지 아니할 것이라…그리스도께서도 자기를 기쁘게 하지 아니하셨"(롬 15:1,3)기 때문이다. 자기 부인은 그리스도인의 삶의 법칙이다.

신자가 진정으로 자기를 부인했다면, 그는 자기 부인이 어렵지 않다는 것을 알게 된다. 마음이 나뉜 상태로 자기를 부인하는 삶을 살려고 하는 사람에게 그것은 매우 어렵다. 그러나 자기 자신을 복종시켜 자기를 완전히 부인하는 사람에게-그는 전심으로 죄와 자아의 힘을 무찌를 수 있는 십자가를 받아들였기 때문에-그것은 외관상의 희생이나 상실에 대한 보상 그 이상의 축복을 가져다준다. 그는 더 이상 자기 부인을 대수롭지 않게 여긴다. 왜냐하면 예수님의 형상을 본받게 될 때 그러한 축복이 있기 때문이다.

어떤 사람들은, 자기 부인은 그것이 야기하는 고통의 분량 때문에 하나님께 귀한 것이 아니라고 생각한다. 결코 그렇지 않다. 왜냐하면 이 고통은 여전히 남아 있는 그것을 실천하기 싫어하는 마음에 의해서 야기되기 때문이다. 그러나 예수님을 위한 희생을 아무 것도 아닌 것으로 여기고 또 다른 사람들이 자기 부인에 대해 말할 때 놀라움을 느끼는 그 온순하거나 심지어는 기쁜 마음으로 묵묵히 따르는 데서 자기 부인은 최고의 가치를 지닌다.

사람들이 자기를 부인하기 위해서는 광야로 나아가거나 은둔자가 되어야 한다고 생각하던 때가 있었다. 주님은, 자기 부인을 실천하는 최고의 자리는 우리가 다른 사람들과 일상적인 교제를 나누는 곳이라고 우리에게 보여주셨다. 그래서 바울은 또한 이렇게 말한다.

> 믿음이 강한 우리는 마땅히 믿음이 약한 자의 약점을 담당하고 자기를 기쁘게 하지 아니할 것이라 우리 각 사람이 이웃을 기쁘게 하되 선을 이루고 덕을 세우도록 할지니라 그리스도께서도 자기를 기쁘게 하지 아니하셨나니 기록된 바 주를 비방하는 자들의 비방이 내게 미쳤나이다 함과 같으니라…그러므로 그리스도께서 우리를 받아 하나님께 영광을 돌리심과 같이 너희도 서로 받으라.

다름이 아니라 자신을 기쁘게 하지 않으신 우리 주님의 자기 부인이 우리의 법칙이다. 우리는 그분이 존재하신 대로 존재해야 한다. 우리는 그분이 행하신 대로 행해야 한다.

이 법칙이 널리 퍼질 때 그리스도의 교회 안에 참으로 영광스러운 삶이 있을 것이다! 각 사람은 다른 사람들을 행복하게 하는 것을 자기 인생의 목표로 여긴다. 각 사람은 자기를 부인하고 자신의 것을 구하지 않으며 자신보다 다른 사람들을 더 존중한다. 성내는 것, 자존심에 상처를 받는 것 그리고 냉대를 받거나 무시를 당하는 것에 대한 모든 생각은 사라질 것이다. 그리스도를 따르는 사람으로서 각 사람은 약자들을 품어주고 자기 이웃을 기쁘게 하려고 할 것이다. 참된 자기 부인은 이 점에서, 즉 아무도 자신에 대해 생각하지 않고 다른 사람들 안에서 그리고 다른 사람들을 위해 사는 것에서 보여 질 것이다.

"누구든지 나를 따라오려거든 자기를 부인하고 자기 십자가를 지고 나를 따를 것이니라." 이 말씀은 우리에게 자기 부인을 위한 의지뿐만 아니라 능력도 준다. 단지 그리스도를 통해 하늘에 이르기만을 바라지 않고 그분을 위해 그분을 구하는 사람은 그분을 따를 것이다. 그러면 자신의 마음속에 자아가 소유하고 있던 자리를 예수님이 재빨리 차지하시게 될 것이다. 예수님만이 그와 같은 삶의 중심이 되신다. 완전하게 복종함으로 그분을 따르면 이 놀라운 축복, 곧 그리스도께서 자신의 성령을 통해 그분 자신이 그의 생명이 되신다는 축복으로 보답을 받게 된다. 그리스도의 자기 부인의 영(spirit)은 그의 마음의 가장 큰 기쁨이며 하나님과의 가장 깊은 교제의 수단이다. 자기 부인은 더 이상 혼자 힘으로 완전에 이르기 위해서 그가 그저 하는 일이 아니다. 그것은 단지 그 주요 특징이 자신을 계속 억제하여 얻게 되는 소극적인 승리가 아니다. 그리스도께서 자아의 자리를 차지하셨고, 그분의 사랑과 온화함 그리고 친절이 다른 사람에게 흘러간다. 그러므로 자아와 결별하게 된다. 다음의 말씀보다 더 복되거나 당연한 명령은 없다. "그리스도께서 자기를 기쁘게 하지 아니하셨나니 우리도 자기를 기쁘게 하지 아니할 것이라." "누구든지 나를 따라오려거든 자기를 부인하고 자기 십자가를 지고 나를 따를 것이니라."

〈함께 드리는 기도〉

　　사랑의 주님, 주님께서 자신을 기쁘게 하지 않으셨듯이, 저도 제 자신을 기쁘게 하지 않으면서 주님을 따르라고 이처럼 새롭게 부르시니 감사합니다. 이제는 더 이상 두려움으로 그 말씀을 듣지 않게 하시니 감사합니다. 제게는 더 이상 주님의 계명들이 무거운 것이 아닙니다. 주님의 멍에는 쉽고 주님의 짐은 가볍나이다(마 11:30). 저의 본으로서 이 땅에서의 주님의 삶을 보면, 장차 제가 하늘에 있는 주님의 삶으로부터 무엇을 받게 될지 분명하게 알 수 있습니다. 제가 그것을 항상 이해한 것은 아닙니다. 주님을 안지가 아주 오래되었지만, 감히 자기 부인에 대해서는 생각하지도 못했습니다. 그러나 자기 십자가를 지고 주님과 함께 십자가에서 못 박히며 옛 사람이 십자가에 못 박힌 것을 보는 것이 무엇인지를 배운 사람에게는 육체를 부인하는 것이 더 이상 끔찍한 것이 아닙니다. 오, 나의 주님! 십자가에 못 박히고 저주를 받은 범죄자의 친구가 되는 것을 부끄러워하지 않을 사람이 누가 있겠습니까?

　　주님이 저의 생명이시라는 것과, 주님께서는 "소원을 두고 행하게 하시"(빌 2:13)기 위해 자신에게 완전히 맡겨진 생명을 전적으로 돌보시는 것을 알기에, 자기 부인의 길에서 저에게 사랑과 지혜를 주실 것을 믿고 주님의 발자국을 기쁘게 따라갑니다. 송축받으실 주님, 우리는 이 은혜를 받을 만한 가치가 없습니다. 그러나 주님께서 그 은혜를 받도록 우리를 선택하셨기에 우리는 기꺼이 우리 자신을 기쁘게 하지 않고, 주님이 우리에게 가르쳐 주신 대로 우리 이웃을 기쁘게 하려고 하겠나이다. 그것을 이룰 수 있도록 성령께서 우리 안에서 강하게 역사하여 주옵소서. 아멘.

예수님의 자기희생

그리스도께서 너희를 사랑하신 것 같이
너희도 사랑 가운데서 행하라 그는 우리를 위하여
자신을 버리사 향기로운 제물과 희생제물로
하나님께 드리셨느니라.
-엡 5:2

그가 우리를 위하여 목숨을 버리셨으니
우리가 이로써 사랑을 알고 우리도 형제들을 위하여
목숨을 버리는 것이 마땅하니라.
-요일 3:16

자기희생과 자기 부인 사이에는 어떤 연관성이 있는가? 자기희생은 자기 부인이 나오는 뿌리이다. 자기희생은 자기 부인 가운데 검증을 받는다. 자기희생은 이렇게 그것의 복종 전체를 새롭게 할 때마다 강화되고 각오를 하게 된다. 예수 그리스도께서도 그와 같으셨다. 주님의 화육(incarnation)은 자기희생이었다.

자기를 부인하며 사셨던 그분의 삶이 그것의 증거이다. 그분은 그러한 자기 부인의 삶을 통해 십자가에서 죽으시는 자기희생의 숭고한 행위를 준비하신 것이다. 그러므로 그리스도인에게도 그것이 있다. 그리스도인의 회심은 어느 정도 자기희생이다. 무지와 연약함 때문에 매우 부분적인 희생이긴 하지만 말이다. 그러한 자기복종의 처음 행위로부터 매일 자기 부인을 실천하는 의무가 생겨난다. 그리스도인은 그렇게 하려고 노력하는 동안 자신의 연약함을 보게 되고 그 새롭고 온전한 자기희생을 위해 자신을 준비하게 되는데, 그 자기희생 가운데서 그는 더 계속적인 자기 부인을 위한 힘을 처음으로 발견하게 된다.

자기희생은 참된 사랑에 매우 필수적이다. 사랑의 참된 본질과 복은 자기를 잊어버리는 데 있고, 또 사랑하는 사람 안에서 행복을 찾는 데 있다. 사랑하는 사람 안에 부족한 것이나 필요한 것이 있는 곳에서 사랑은 본질적으로 다른 사람의 행복을 위해 자기를 희생하고 자기를 사랑하는 사람과 하나가 되며 어떤 희생을 치르더라도 그로 하여금 자기의 복을 공유하는 사람이 되도록 한다.

이것이 영원이 드러낼 비밀들 중 하나인지 아닌지, 즉 다른 방법으로는 하나님의 사랑이 결코 그렇게 충만하게 드러나게 될 수 없었기 때문에 죄가 허용되었는지 아닌지 누가 말할 수 있을까? 하나님의 사랑의 최고 영광은 그리스도의 자기희생 가운데 나타났다. 이 점에서 자신의 주님을 닮는 것은 그리스도인의 최고 영광이다. 온전한 자기희생 없이는 새 계명, 곧 사랑의 계명은 성취될 수 없다. 온전한 자기희생 없이는 우리는 예수님이 사랑하신 것 같이 사랑할 수 없다. 사도 바울은 이렇게 말했다. "너희는 하나님을 본받는 자가 되고 그리스도께서 너희를 사랑하신 것 같이 너희도 사랑 가운데서 행하라 그는 우리를 위하여 자신을…드리셨느니라"(엡 5:1-2). 당신의 모든 행위와 대화가 그리스도의 본을 따라 사랑 가운데 있게 하라.

그분의 희생제물을 하나님이 보시기에 받으실 만한 것, 곧 향기로운 제물로 만든 것은 바로 이 사랑이었다. 그분의 사랑이 자기희생 가운데 나타났듯이, 당신의 사랑도 다른 사람들의 안녕을 위해 매일 자기를 희생하는 가운데 그분의 사랑과 일치한다는 것을 행동으로 보여주라. 그와 같이 그것도 하나님이 보시기에 받으실 만한 것이 될 것이다. "우리도 형제들을 위하여 목숨을 버리는 것이 마땅하니라."

심지어 가정생활의 일상사에서, 남편과 아내 사이의 대화에서 그리고 주인과 종의 관계에서도 그리스도의 자기희생은 우리 행동의 법칙이어야 한다. "남편들아 아내 사랑하기를 그리스도께서 교회를 사랑하시고 그 교회를 위하여 자신을 주심 같이 하라"(엡 5:25).

그리고 특히 우리의 본문 말씀을 주목하라. "그리스도께서 너희를 사랑하시고 우리를 위하여 자신을 버리사 향기로운 제물과 희생제물로 하나님께 드리셨느니라." 우리는 여기에서 자기희생에는 두 가지 면이 있다는 것을 보게 된다. 그리스도의 자기희생에는 인간을 향한 면뿐만 아니라 하나님을 향한 면이 있었다. 그분이 희생제물로 자신을 드린 것은 우리를 위한 것이었지만 동시에 하나님께 드려진 것이었다. 때때로 하나가 다른 하나보다 더 두드러져 보일지라도, 우리의 모든 자기희생에는 이 두 가지 면이 조화를 이루어야 한다.

우리가 온전한 자기희생을 위한 능력을 발견하는 것은 오직 우리가 하나님께 우리 자신을 제물로 바칠 때이다. 하나님이 우리가 어째서 우리의 것이 아니라 자신의 것이라고 주장하시는지 성령께서 우리에게 알려주신다. 우리는 진정으로 하나님이 피 값으로 사신 그분의 소유이고, 우리는 참으로 놀라운 사랑을 받고 사는 사람들이며, 그분께 온전히 복종할 때 놀라운 축복을 받게 된다는 것을 깨달을 때, 신자는 자신을 완전한 번제로 드리게 된다. 그는 봉헌 제단에 자신을 올려놓고 하나님께 향기로운 제물, 곧 하나님께 바쳐지고 하나님이 받으시는 향기로운 제물이 되는 것이 자신의 최고 기쁨이라는 것을 알게 된다. 그런 다음 어째서 하나님께서 삶과 행동으로 이 온전한 자기희생을 보이기를 원하시는지 아는 것이 자신의 으뜸이자 가장 진지한 소원이 된다.

하나님께서 그에게 그리스도의 본을 보여주신다. 예수님은 자신을 우리를 위한 희생제물로 드리셨을 때 하나님께 "향기로운 제물"이셨다. 하나님을 섬기는데 자신을 온전히 드리는 모든 그리스도인에게, 그분은 아들에게 명예를 주셨던 것처럼 동일한 명예를 주신다. 하나님은 그를 다른 사람들을 축복해 주는 도구로 사용하신다. 그러므로 요한은 "누구든지 하나님을 사랑하노라 하고 그 형제를 미워하면 이는 거짓말하는 자니 보는 바 그 형제를 사랑하지 아니하는 자는 보지 못하는 바 하나님을 사랑할 수 없느니라"(요일 4:20)고 말했다. 하나님을 섬기는데 당신 자신을 바친 자기희생 때문에 당신은 또한 동료들을 섬기지 않을 수 없다. 당신은 온전히 하나님의 소유가 됨과 동시에 온전히 다른 사람들의 소유도 되는 것이다.

다른 사람들을 위해 자기를 희생할 수 있는 힘을 주고 더욱이 그것을 기쁨으로 만드는 것은 하나님께 대한 이러한 복종이다. 믿음이 처음에 "너희가 여기 내 형제 중에 지극히 작은 자 하나에게 한 것이 곧 내게 한 것이니라"(마 25:40)는 약속을 인정했을 때, 나는 하나님께 대한 희생과 사람들을 위한 희생 사이의 아주 멋진 조화를 이해한다. 내가 동료들과 나누는 교제는 많은 사람들이 불평하듯이 하나님과의 중단 없는 교제에 방해가 되기는커녕 오히려 끊임없이 나 자신을 하나님께 드리는 기회가 된다.

이것은 참으로 복된 부르심이다! "그리스도께서 너희를 사랑하신 것 같이 너희도 사랑 가운데서 행하라 그는 우리를 위하여 자신을 버리사 향기로운 제물과 희생제물로 하나님께 드리셨느니라." 그러므로 교회만이 그것의 운명을 성취할 수 있고, 교회는 그리스도께서 수행하신 자기를 희생하는 사랑의 사역을 계속하기 위해서 따로 세움을 받았다는 것을 입증할 수 있으며 그리스도의 남은 고난을 채울 수 있다.

그러나 하나님은 정말로 우리가 다른 사람들을 위해 우리 자신을 아주 온전히 부인하기를 기대하고 계시는가? 그것은 너무나 많은 것을 요구하시는 것이 아닌가? 정말로 자신을 그렇게 온전히 희생할 수 있는 사람이 있는가? 그리스도인이여, 하나님은 진정 그것을 기대하신다! 다름 아닌 이것만이 하나님의 아들의 형상을 본받는 것인데, 하나님께서는 당신이 그렇게 하도록 영원으로부터 정해 놓으셨다. 이것이 예수님이 자신의 영광과 축복을 받으신 길이며, 제자는 그 길을 통하지 않고는 자기 주님의 기쁨을 얻을 수 없다. 바로 예수님의 사랑과 자기희생을 본받도록 우리가 부르심을 받았다. "그리스도께서 너희를 사랑하신 것 같이 너희도 사랑 가운데서 행하라."

신자가 이 진리를 깨닫고 인정하는 것은 대단한 일이다. 하나님의 백성이, 더욱이 하나님의 종들이 그것을 제대로 이해하지 못하기 때문에 교회가 약해지는 것이다. 그것이 교회가 약해지는 큰 이유들 중 하나이다. 이 문제에 있어서 교회는 정말로 두 번째 종교개혁이 필요하다. 몇 세기 전에 일어났던 위대한 종교개혁에서 그리스도의 대속의 죽음과 의의 능력이 빛으로 나타나 불안한 심령들의 마음에 큰 위로와 기쁨을 주었다. 그러나 우리는 우리의 법칙으로서의 그리스도의 본의 깃발을 높이 들고, 또 그리스도의 부활이 우리로 하여금 우리 주님의 생명과 모습을 나누어 갖는 사람들로 만들어줌으로써 그것의 능력의 진리를 회복할 두 번째 종교 개혁이 필요하다. 그리스도인들은 자신들의 화해를 위한 보증이신 그리스도와의 온전한 연합을 믿어야 할 뿐만 아니라 자신들의 본과 생명이 되시는 자신들의 머리이신 그리스도와의 온전한 연합도 믿어야 한다. 그들은 정말로 이 세상에서 그리스도를 나타내야 하고 사람들이 자신들의 삶을 통해 그 머리이신 그리스도께서 육체로 계실 때 어떻게 사셨는지 볼 수 있도록 해야 한다. 도처에 있는 모든 하나님의 자녀들이 가르침을 받아 자신들의 거룩한 부르심을 깨닫도록 진심으로 기도하자.

이미 그것을 갈망하고 있는 당신이여, 그리스도와 같은 자기희생을 하려 할 때 하나님께 몸을 내맡기는 것을 두려워하지 말라. 당신은 회심을 할 때 이미 하나님께 당신 자신을 드렸다. 그 이후로 수없이 자기포기를 할 때마다, 당신은 다시금 그분께 당신 자신을 드렸다. 그러나 경험을 통해서 부족한 점이 여전히 많다는 것을 배웠다. 아마도 당신은, 자기희생은 얼마나 완전해야 하고 또 얼마나 완전할 수 있는지 결코 알지 못했을 것이다. 자, 이제는 그리스도 안에서 당신의 본을 보라. 그리고 그리스도께서 십자가에서 자기를 희생하셨을 때 하나님 아버지께서 당신에게 무엇을 기대하시는지를 보라. 자, 이제는 그리스도 안에서-왜냐하면 그분은 당신의 머리이시며 생명이시기 때문이다-그분이 당신으로 하여금 어떤 존재가 되고 또 무엇을 행하게 하실 수 있는지를 보라. 그분을 믿어라. 그분은 자신이 이 세상에 계실 때 당신의 본으로서 자신의 삶과 죽음으로 이루신 것을 이제는 하늘에서 당신 안에서 이루실 것이라는 것을 말이다. 그리스도께서 제물과 희생제물로 인간을 위해 하나님께 바쳐진 것처럼, 온전히 그리고 전부 하나님께 제물과 희생제물이 되기를 바라면서 그리스도 안에 계신 하나님 아버지께 당신 자신을 드려라.

그리스도께서 당신 안에서 이것을 행하시고 또 유지하시기를 기대하라. 하나님과의 당신의 관계가 분명하고 확실하게 하라. 그리스도와 같이 당신도 그분께 온전히 드려지게 하라. 그러면 그리스도께서 우리를 사랑하신 것 같이 사랑 가운데서 행하는 것이 더 이상 불가능하지 않을 것이다. 그 때 형제들과 그리고 세상과 당신이 맺는 모든 관계는 하나님 앞에서 당신이 얼마나 온전히 당신 자신을 "향기로운 제물과 희생제물로 하나님께" 드렸는지를 입증하는 가장 영광스러운 기회가 될 것이다.

〈함께 드리는 기도〉

오, 나의 하나님! 제가 무엇이관대 저를 택하셔서 주님의 아들 예수 그리스도의 자기를 희생하는 사랑 가운데 그분의 형상을 본받게 하시나이까? 여기에 주님의 신적 완전하심과 영광이 있습니다. 주님은 자기 생명을 사랑하지 않으시고 우리를 위해 죽으심으로 기꺼이 그것을 주님께 드리신 것입니다. 저도 주님과 같이 되게 하여 주옵소서. 사랑으로 행함으로 저 역시 하나님께 제 자신을 온전히 드렸다는 것을 입증하게 하옵소서.

오, 나의 하나님! 주님의 목적은 저의 목적입니다. 이 엄숙한 순간에 주님께 제 자신을 바친 것을 다시금 확인합니다. 제 능력이 아니라 저를 위해 자신을 바치신 주님의 능력으로 행하게 하옵소서. 저의 본이신 그리스도께서는 또한 제 생명이시기 때문에 감히 이렇게 기도합니다. 하나님 아버지, 그리스도 안에서 저도 그리스도와 같이 다른 사람들을 위해 제 자신을 주님께 드립니다.

하나님 아버지, 세상에 주님의 사랑을 전하기 위해 주님께서 저를 어떻게 사용하실지 가르쳐 주옵소서. 주님께서는 주님의 사랑으로 저를 가득 채우심으로 그렇게 하실 것입니다. 하나님 아버지, 그리스도께서 우리를 사랑하신 것 같이 저도 사랑으로 행할 수 있도록 그렇게 해 주옵소서. 저로 하여금 매일 성령의 능력을 지닌 사람으로 살게 하옵소서. 만나는 모든 사람들을 사랑하게 하옵소서. 어떠한 상황에서든지 제게 있는 사랑이 아니라 주님께 있는 사랑으로 사랑하게 하옵소서. 아멘.

이 세상에 속하지 않는 삶

그들은 세상에 있사옵고…세상이 그들을 미워하였사오니
이는 내가 세상에 속하지 아니함 같이
그들도 세상에 속하지 아니함으로 인함이니이다…
내가 세상에 속하지 아니함 같이
그들도 세상에 속하지 아니하였사옵나이다.
-요 17:11,14,16

주께서 그러하심과 같이 우리도 이 세상에서 그러하니라.
-요일 4:17

만일 예수님이 세상에 속하지 않으셨다면, 왜 그분은 세상에 계셨는가? 만일 그분과 세상 사이에 공감이 없었다면, 왜 그분은 자신이 본래 속해 있던 그 높고 거룩하고 복된 세상에 머물러 계시지 않으시고 이 세상에서 사셨는가? 그 대답은 아버지 하나님이 그분을 세상에 보내셨다는 것이다. 우리는 "세상에"와 "세상에 속하지 아니함"이라는 이 두 표현에서 주님으로서의 그분의 사역의 온전한 비밀과 신인(God-man)으로서의 그분의 영광의 온전한 비밀을 발견한다.

예수님은 인간의 본성을 입고 세상에 계셨다. 왜냐하면 하나님은 이 본성이 이 세상의 신(god)에게 속하지 않고 그분에게 속했다는 것과, 이 본성은 신적 생명을 받기에 또 이 신적 생명 가운데서 그것의 최고의 영광에 도달하기에 가장 적합하다는 것을 보이기 원하셨기 때문이다.

예수님은 세상에 계시면서 사람들과 교제를 나누시는 가운데 그들과 사랑의 관계를 맺으셨고 그들에게 자신을 보이고 알리시며 그들을 아버지 하나님께로 돌아오게 하셨다.

예수님은 세상에 계시면서 세상을 다스리는 권세 있는 자들(powers)과 싸우는 가운데 순종을 배우셨고 인간의 본성을 개선하고 거룩하게 하셨다.

예수님은 세상에 속하지 않고 하늘에 속하신 채로 사람들이 잃어버린 하나님 안에 있는 생명을 나타내고 다가놓으셨다. 그들이 그것을 보고 갈망하도록 말이다.

예수님은 세상에 속하지 않으신 채로 세상의 죄와 하나님으로부터의 세상의 이탈을, 또 하나님을 알고 기쁘시게 하는 것에 대한 세상의 무능함을 증언하셨다.

예수님은 세상에 속하지 않으신 채로 근원과 본성이 전적으로 하늘에 속하고, 세상이 바람직하거나 필수적이라고 주장하는 모든 것에 전적으로 좌우되지 않으며, 세상에서 지배하는 원리들과 법칙들과 정반대되는 원리들과 법칙들을 가진 나라(kingdom)를 건설하셨다.

예수님은 세상에 속하지 않으신 채로 자신에게 속하는 모든 사람을 구속하시고 그들을 자신이 계시하신 그 새롭고도 하늘에 속한 나라로 데려가신다.

예수님은 세상에 계셨지만 세상에 속하지 않으셨다. 이 두 어구에서 우리는 구주의 인격과 사역의 큰 신비를 알게 된다. 그분은 세상에 속하지 않으신 채로 자신의 신적 거룩함의 능력으로 그것을 판정하고 극복하셨다. 그럼에도 불구하고 그분은 세상에 계셨고, 자신의 인간성과 사랑을 통해서 구원받을 모든 사람들을 찾아 구원하고 계셨다. 세상으로부터의 가장 완전한 분리, 그러면서도 세상에 있는 사람들과의 가장 친밀한 사귐, 이 두 양 극단이 예수님 안에서 만난다. 그분은 자신의 인격으로 그것들을 조화시키셨다. 그리고 설사 이 두 성질이 상당히 서로 일치하지 않는 것처럼 보일지라도, 그것들은 다른 사람의 삶 속에서 연합하여 완전한 조화를 이룰 수 있다는 것을 자신의 삶으로 보여주는 것이 그리스도인의 소명이다. 각 신자에게는 이 세상의 모습을 통해서 나타나는 천국의 삶이 있어야 한다.

이 두 진리들 중 하나를 취하여 그것만을 발전시키는 것은 어려운 일이 아니다. 그와 같이 "세상에 속하지 아니함"을 자신들의 좌우명으로 받아들인 사람들이 있다. 사람들이 하나님을 섬기기 위해서 외딴 조용한 곳이나 사막으로 가야 한다고 생각했던 아주 이른 시기부터, 몇몇 사람들이 세상에 있는 모든 사람들을 판정하는데 있어서 자신들의 경건의 진지함을 엄숙하게 보이려고 하는 우리 시대까지, 이것이 단 하나의 참된 기독교라고 생각한 사람들이 있었다. 죄와는 분리가 되었지만 죄인들과 나누는 교제는 없었다. 죄인은 자신이 부드러운 하늘의 사랑의 분위기에 감싸여 있다고 느낄 수 없었다. 그것은 일방적인 신앙이었으며 따라서 불완전한 신앙이었다.

다른 한편으로 "세상에"를 강조하면서 특별히 "그리하려면 너희가 세상 밖으로 나가야 할 것이라"(고전 5:10)는 사도 바울의 말을 근거로 드는 사람들이 있다. 그들은, 기독교는 우리로 하여금 즐길 수 있는 모든 것을 즐기는 데 비우호적이지 않게 하거나 부적합하게 하지 않는다는 것을 보여줌으로써 자신들은 세상 사람들을 설득하여 하나님을 섬기도록 할 것이라고 생각한다. 종종 그들은 정말로 세상 사람들을 아주 종교적으로 만드는데 성공하기도 했지만, 그들이 치른 대가는 아주 컸을 뿐만 아니라 기독교는 아주 세속적이 되고 말았다.

예수님을 따르는 사람은 이 두 가지를 결부시켜야 한다. 만일 그가 자신이 세상에 속하지 않는다는 것을 분명하게 보이지 않는다면, 또 하늘에 속한 삶의 더 큰 복을 입증하지 못한다면, 어떻게 그가 세상 사람들에게 죄를 납득시키거나 더 고귀한 삶이 있다고 세상에 입증하거나 또는 세상이 아직 소유하지 못한 것을 바라도록 가르칠 수 있단 말인가? 진지함과 거룩 그리고 세상의 영과의 분리가 그의 특징이 되어야 한다. 그의 하늘에 속한 영은 그가 이 세상에 속하지 않은 나라에 속해 있다는 것을 분명히 나타내야 한다. 현세적이지 않고 내세적이며 하늘에 속한 영이 그 안에서 살아 움직여야 한다.

그래도 그는 이 세상에 있는 사람으로 살아야 한다. 하나님께서 세상에 속한 사람들 가운데 특별히 그를 두셨다. 그들의 마음을 얻고 그들에게 영향을 주며 그들에게 자신 안에 계신 성령님을 전하기 위해서다. 자신의 삶을 광범위하게 살핀다면 틀림없이 그는 (이러한) 자신의 사명을 수행할 수 있게 된다. 그는 세상의 지혜가 가르치듯이 기독교의 엄연한 실체들을 양보하고 따르며 부드럽게 함으로써 성취하지 못할 것이다. 그렇다. 그는 세상에 있지만 세상에 속하지 않는 방법을 유일하게 가르치실 수 있는 주님의 발자취를 따름으로써만 성취할 것이다. 섬기고 고난당하는 사랑의 삶에 의해서만, 다시 말하면 그러한 사랑의 삶을 살면서 하나님의 영광이 자기 존재의 목적이라고 분명하게 고백하고 또 성령으로 충만한 가운데 하늘에 속한 생명의 온정과 사랑으로 사람들과 직접 접촉할 때만 그리스도인은 세상에 복이 될 수 있다.

오, 우리의 일상생활 가운데서 세상에 있지만 세상에 속하지 않는 것을 결합시키는 법에 대한 하늘의 비밀을 우리에게 가르칠 이 누구인가? "내가 세상에 속하지 아니함 같이 그들도 세상에 속하지 아니하였사옵나이다"라고 말씀하셨던 주님이 그것을 하실 수 있다. 그 "…같이…도"란 말은 우리가 알고 있는 것보다 더 깊은 의미와 능력을 가지고 있다. 만일 성령께서 우리에게 그것을 설명해 주신다면, 우리는 주님이 세상에 계셨던 것 같이 세상에 있는 것이 무엇을 의미하는지 이해하게 될 것이다. 그 "…같이…도"는 그것의 근원과 힘이 생명 연합(life-union)에 있다. 그 안에서 우리는 사람이 더 온전히 세상에 속하지 않을수록, 더 적절히 세상에 있게 된다는 신령한 비밀을 깨닫게 될 것이다. 교회가 세상의 영과 원리로부터 자유로울수록, 교회는 세상에 더 많은 영향을 끼치게 될 것이다.

세상의 삶은 자기를 기쁘게 하고 자기를 높이는 삶이다. 하늘의 삶은 거룩하고 자기를 부인하는 사랑이다. 자신들과 세상을 분리하려고 애쓰는 많은 그리스도인들의 삶이 지닌 약점은 그들이 세상의 영에 너무 많이 사로잡혀 있다는 것이다. 그들은 그 밖의 다른 것들을 구하는 것 그 이상으로 자기 행복과 완전을 구한다. 예수 그리스도는 세상에 속하지 않으셨을 뿐만 아니라 그분에게는 세상의 영이 없었다. 이런 이유로, 그분은 죄인들을 사랑하고 그들을 설득하여 구원하실 수 있었다.

그리스도께서 세상에 속하지 않으신 것 같이 신자도 세상에 거의 속하지 않는다. 주님은 "내가 세상에 속하지 아니함 같이 그들도 세상에 속하지 아니하였사옵나이다"라고 말씀하셨다. 새로운 본성을 지니고 있는 신자는 하늘에서 태어나고, 그래서 자신 안에 하늘의 삶과 사랑을 가지고 있다. 주님의 초자연적인 하늘의 도우심으로 말미암아 그는 세상에 속함이 없이 세상에 있을 수 있게 된다. 자신의 내면생활이 그리스도를 닮는다는 것을 온전히 믿는 제자는 이것이 참되다는 것을 경험하게 될 것이다. 그는 "그리스도와 같이, 나도 세상에 속하지 않았다. 왜냐하면 나는 그리스도 안에 있기 때문이다"라는 확신을 기르고 또 그 확신을 말한다. 그는 그리스도와의 친밀한 연합 안에서만 세상과의 분리를 지속할 수 있다는 것을 이해한다. 그리스도가 그 안에 사시는 한에서, 그는 하늘의 삶을 영위할 수 있다. 한편으로, 자신의 부르심에 응답하는 유일한 길은 세상에 대해 십자가에 못 박히고 세상 권력에서 발을 빼는 것이며, 다른 한편으로 그가 세상 속으로 들어가 세상을 축복할 수 있도록 그리스도 안에서 사는 것이라는 것을 그는 안다. 그는 하늘에서 살면서 땅에서 행하는 것이다.

그리스도인들이여, 여기서 예수 그리스도를 참되게 본받는 것을 보라. "그러므로 너희는 그들 중에서 나와서 따로 있고… 주의 말씀이니라"(고후 6:17-18). 그 다음에 약속이 성취되었다.

"내가 그들 가운데 거하며 두루 행하여"(16절). 따라서 아버지 하나님이 그리스도를 보내신 것 같이, 그리스도께서도 여러분의 하나님 아버지를 영화롭게 하고 또 그분의 사랑을 알리도록 그분이 정해 놓으신 곳으로서의 세상에 있게 하기 위해서 여러분을 보내신다. 진실로 현세적이 아닌, 하늘의 영은 이 땅을 떠나 하늘로 가려고 할 때가 아니라 흔쾌히 여기 이 땅에서 하늘의 삶을 살려고 할 때 나타난다.

"세상에 속하지 아니함"은 세상과의 분리와 세상을 거스르는 증언일 뿐만 아니라, 그것은 또한 다른 세상, 곧 우리가 속해 있는 하늘의 영과 사랑 그리고 능력에 대한 생생한 표현인데, 하늘은 이 세상을 자신의 축복을 함께 나누는 곳으로 만드는 신적 사역을 수행한다.

〈함께 드리는 기도〉

　오, 위대하신 대제사장이신 예수님, 세상에 속하지 않는 사람들이자 여전히 그 안에 머물러야 하는 사람들인 우리를 위해 뛰어나신 제사장의 능력으로 아버지 하나님께 기도하신 주님이시여! 주님의 효력 있는 중보가 이제 우리를 위해 효험 있게 하여 주옵소서.

　세상이 여전히 우리 마음속으로 들어옵니다. 세상의 이기적인 영이 아직도 우리 안에 너무 많이 있습니다. 불신 때문에 새로운 본성이 항상 능력을 충분히 발휘하는 것은 아닙니다. 주님, 주님께 간구합니다. 주님의 전능하신 중보의 열매로서, "내가 세상에 속하지 아니함 같이 그들도 세상에 속하지 아니하였사옵나이다"라는 이 말씀이 우리 안에서 온전하게 이루어지게 하옵소서. 세상을 거스르는 우리의 유일한 능력은 우리가 주님을 닮는 것입니다.

　주님, 우리는 주님과 함께 있을 때만 주님을 닮아갈 수 있습니다. 우리는 주님 안에 거할 때만 주님과 같이 행할 수 있습니다. 복되신 주님, 우리는 주님 안에만 거하기 위해 우리 자신을 복종시킵니다. 주님께 온전히 드려지는 삶이란 주님이 온전히 소유하시는 삶이라는 것을 압니다. 우리 안에 거하시는 성령께서 주님과 우리를 친밀하게 하나로 연합시키셔서 우리로 하여금 언제나 세상에 속하지 않은 사람들로 살게 하여 주옵소서. 그리고 주님의 성령으로 하여금 세상에서의 주님의 사역을 우리에게 알리게 하사 "세상에 속하지 아니한" 사람들을 위한 "세상에" 참으로 복된 삶이 있다는 것을 모든 사람에게 전하는 것이 깊은 겸손과 열렬한 사랑이 담긴 우리의 기쁨이 되게 하옵소서. 우리가 세상에 속하지 않는다는 증거가 주님과 같이 우리가 세상에 있는 사람들을 위해 우리 자신들을 희생하는 부드러움과 열정이 되게 하옵소서. 아멘.

예수님의 천국 사명

*아버지께서 나를 세상에 보내신 것 같이
나도 그들을 세상에 보내었고.
-요 17:18*

*아버지께서 나를 보내신 것 같이
나도 너희를 보내노라.
-요 20:21*

주 예수님은 이 세상에서 사실 때 자신이 수행해야 할 아버지 하나님으로부터 받은 사명이 있다는 깊은 의식을 가지고 계셨다. 그분은 빈번히 "아버지께서 나를 보내셨다"는 말씀을 하셨다. 자신의 사명이 무엇인지 잘 알고 계셨던 것이다. 주님은 아버지 하나님이 자신을 선택하시고 그 사명을 수행할 한 가지 목적과 함께 세상으로 보내셨다는 것을 알고 계셨다. 그분은 아버지 하나님이 자신이 그것을 수행하는데 필요한 모든 것을 자신에게 주시리라는 것을 알고 계셨다. 자신을 보내신 아버지 하나님에 대한 믿음이 그분이 행하신 모든 것을 위한 동기와 능력이었다.

세상사에서 대사가 자신의 사명이 무엇인지 분명하게 안다면, 그것은 큰 도움이 된다. 그와 같이 그는 자신의 사명 성취만을 염려하고 이 한 가지 일을 행하는데 자신을 온전히 바친다. 마찬가지로, 그리스도인이 자신에게는 사명이 있고 그것의 본질이 무엇이며 자신이 그것을 어떻게 이루어야 하는지 알아야 하는 것은 중요하다.

우리의 천국 사명은 우리가 우리 주님을 본받는 가장 영광스런 부분들 중 하나다. 주님은 자신의 인생의 가장 엄숙한 순간에 "아버지께서 나를 보내신 것 같이 나도 너희를 보내노라"고 분명하게 말씀하셨다. 그분은 아버지 하나님께 대제사장의 기도를 드리셨다. 제자들이 보존되고 또 그들을 거룩하게 해 달라고 요청하는 기도를 드리신 것이다. 그분은 부활하신 후에 제자들에게 성령을 받으라고 말씀하셨다. 우리가 우리 사명이 그리스도의 사명과 얼마나 완벽하게 부합되는가를, 실제로 그 사명들이 어떻게 동일한가를 깨닫는 것보다 우리 사명을 알고 깨닫는 것을 도울 수 있는 것은 아무 것도 없다.

우리 사명은 그것의 목적에 있어서 주님의 사명과 같다. 왜 아버지 하나님은 아들을 보내셨는가? 죄인들을 구원하시려고 하는 자신의 사랑과 뜻을 알리시기 위해서였다. 예수님은 말과 교훈을 통해서 뿐만 아니라 자신의 인격과 의향 그리고 행동을 통해서 이것을 하셔야 했다. 예수님은 아버지 하나님의 거룩한 사랑을 보여주셔야 했다. 이렇게 예수님은 이 세상 사람들이 하늘에 계신 보이지 않으시는 하나님 아버지가 어떤 분이신지 알도록 아버지 하나님을 보여주셔야 했다.

주님은 자신의 사명을 성취하신 후에 하늘로 올라가셨고 세상에 보이지 않으시는 분인 아버지 하나님처럼 되셨다. 그리고 이제 그분은 제자들에게 자신의 사명을 맡기셨는데, 그분은 이미 그 전에 그들에게 그것을 성취하는 법을 보여주셨다. 그들은 그와 같이 보이지 않으시는 이인 그분을 보여주어야 한다. 사람들이 자신들을 보면서 그분이 어떤 분이신지 판단할 수 있도록 말이다. 모든 그리스도인은 그와 같이 그리스도의 형상이 되어야 한다. 다시 말하면, 그들은 자신의 인격(person)과 행위로 그리스도께 동기를 제공했던 죄인들에 대한 동일한 사랑과 그들의 구원을 위한 바람을 보여주어야 하는 것이다. 자신들을 보면서 세상이 그리스도가 어떤 분이신지를 알도록 말이다. 오, 나의 영혼아! 충분한 시간을 들여 이 하늘의 의도를 깨달아라. 우리의 사명은 그것의 목적에 있어서 그리스도의 사명과 같다. 이 세상의 모습으로 하늘의 거룩한 사랑을 보여주는 것 말이다.

우리의 사명은 그것의 기원에 있어서도 그리스도의 사명과 같다. 이 사역을 위해 그리스도를 택하고 그분을 그러한 영예와 신뢰에 어울리는 분으로 여긴 것은 아버지 하나님의 사랑이었다. 그리스도께서도 이 사역을 위해 우리를 택하셨다. 구속함을 받은 모든 사람은 자신이 주님을 찾은 것이 아니라 주님께서 자신을 찾으시고 택하셨다는 것을 안다. 주님은 이 하늘의 사명을 염두에 두고 계셨다. "너희가 나를 택한 것이 아니요 내가 너희를 택하여 세웠나니 이는 너희로 가서 열매를 맺게 하고"(요 15:16).

신자여, 당신이 누구이든지, 그리고 당신이 어디에 살든지, 당신과 당신의 환경을 알고 계신 주님께서는 당신을 필요로 하시며, 당신이 활약하는 영역에서 자신의 대표자가 되도록 당신을 선택하셨다. 이것에 당신의 마음을 고정시켜라. 주님은 당신이 당신 주변에 있는 사람들에게 자신의 보이지 않는 영광의 그 형상을 입고 또 보여주도록 자신의 마음을 당신에게 고정시키시고 구원하셨다. 오, 주님의 사명이 아버지 하나님의 사랑 안에 그것의 기원을 가지고 있는 것 같이, 그분의 영원한 사랑 안에 있는 당신의 천국 사명의 기원을 생각하라. 진실로, 당신의 사명은 정확히 그분의 사명과 같다.

우리의 사명은 또한 그것을 준비하는데 있어서도 그리스도의 사명과 같다. 모든 대사는 대사로서의 자신의 임무를 수행하는데 필요한 모든 것을 공급받기를 기대한다. "나를 보내신 이가 나와 함께 하시도다…나를 혼자 두지 아니하셨느니라"(요 8:29). 그 말씀은 하나님 아버지께서 아들을 보내셨을 때 어떻게 그분과 언제나 함께 계셨는지를 우리에게 말해준다. 아버지 하나님은 그분의 능력과 위로였다. 그리스도의 교회가 사명을 수행할 때도 마찬가지이다. 주님은 교회의 능력과 위로인 것이다. "그러므로 너희는 가서 모든 민족을 … 가르쳐라"(마 28:19)는 명령에는 "너희와 항상 함께 있으리라"(20절)는 약속의 말씀이 있다. 그리스도인은 준비가 되지 않았기 때문에 망설일 필요가 전혀 없다. 주님께서는 자신이 (제자들에게) 수행할 수 있는 능력을 주지 않으신 것은 어떤 것도 요구하지 않으신다. 모든 신자는 그것을 믿어도 좋을 것이다. 아버지 하나님께서 아들의 모든 사역을 위해 그분을 준비시키기 위해서 그분에게 자신의 성령을 주셨듯이, 주 예수님은 자신의 백성이 준비할 필요가 있는 모든 것을 그들에게 주실 것이다. 끊임없이 그리스도를 보여주고 그분의 본과 닮음의 아름다운 빛을 나타내며 그리스도 자신과 같이 주변의 모든 사람에게 사랑과 생명과 축복의 토대가 되는 은혜는 자신의 하늘의 부르심을 진심으로 그리고 확신하는 태도로 받아들이는 모든 이에게 주어진다. 이 점-보내시는 분(the Sender)이 보냄을 받은 사람들에게 필요한 모든 것을 돌보신다는 것-에서도 우리의 사명은 그분의 사명과 같다.

우리의 사명은 그것이 요구하는 헌신에서도 그분의 사명과 같다. 주 예수님은 온전히 그리고 전적으로 자신의 사역을 수행하시기 위해 자신을 바치셨다. 그분은 그것만을 위해서 사셨다. "때가 아직 낮이매 나를 보내신 이의 일을 우리가 하여야 하리라 밤이 오리니 그 때는 아무도 일할 수 없느니라"(요 9:4). 아버지 하나님이 주신 사명은 그분이 이 세상에 존재하는 유일한 이유였다. 그분은 오직 이것, 곧 하늘의 아버지는 영광스럽고 복되신 하나님이시라는 것을 인류에게 보여주시기 위해 사셨다.

예수님이 그러하셨듯이, 우리도 그래야 한다. 그리스도께서 주신 사명은 우리가 이 세상에 존재하는 유일한 이유이다. 그렇지 않다면, 그분이 우리를 데려가실 것이다. 대부분의 신자들은 이것을 믿지 않는다. 그들에게 있어서 그리스도께서 주신 사명을 성취하는 것은 기껏해야 다른 일들과 병행해서 행해져야 할 어떤 것이다. 그것을 위해 시간과 힘을 내려고 하지 않는다. 그렇지만 그리스도의 사명을 성취하는 것이 내가 이 세상에 존재하는 유일한 이유라는 것은 어김없는 사실이다. 내가 이것을 으뜸으로 믿을 때, 그리고 내 주님이 자신의 사명에서 그렇게 하셨듯이, 나 자신을 그것에 온전히 바칠 때, 바로 그 때 나는 실제로 그분을 기쁘시게 하면서 잘 살 것이다. 이 천국 사명은 아주 크고 영광스러워서 그것에 대한 전적인 헌신이 없이는 그것을 성취할 수 없다. 이러한 헌신이 없다면, 우리는 그것을 위해 우리 자신을 준비시키는 능력을 지닐 수 없다. 이러한 헌신이 없다면,

우리에게는 주님의 놀라운 도우심과 그분의 모든 복된 약속들의 성취를 기대할 자유가 없다. 예수님께도 그러하셨듯이, 우리의 천국 사명은 그야말로 온전한 헌신을 요구한다. 나는 이것을 위해 준비가 되어 있는가? 그렇다면 나는 진정 "아버지께서 나를 보내신 것 같이 나도 너희를 보내노라"는 예수님이 하신 말씀의 거룩한 영광이 나의 경험에 나타나게 될 열쇠를 가지고 있는 것이다.

오, 믿음의 형제자매들이여! 이 천국 사명은 진정 우리가 살아가는 유일한 목적으로서 우리가 우리 자신을 전적으로 바칠 만한 가치가 있는 것이다.

〈함께 드리는 기도〉

오, 주 예수님! 주님은 천국의 삶이 어떠한지 우리에게 보여주시기 위해 하늘에서 땅으로 내려오셨습니다. 주님은 하늘에 속하시기에 이것을 하실 수 있었습니다. 주님께서는 주님과 함께 천국의 삶의 형상과 영(Spirit)을 이 땅에 가져오셨습니다. 그러므로 주님께서는 하늘의 그 영광을 구성하는 것, 곧 보이지 않으시는 아버지 하나님의 뜻과 사랑을 아주 영광스럽게 보여주셨습니다.

주님, 주님께서는 지금은 하늘에 계신 보이지 않으시는 분이며, 주님의 하늘 영광 안에서 주님을 구원의 주로 보여주도록 우리를 보내십니다. 주님께서는 우리가 사람들을 사랑함으로 그들이 우리에게서 어떻게 주님께서 하늘에서 그들을 사랑하시는지 알게 하도록 요구하십니다.

복되신 주님, 우리의 심장이 이렇게 외칩니다. 주님께서는 어떻게 그러한 소명을 주시고 우리를 보내실 수 있습니까? 주님께서는 어떻게 사랑이 없는 우리에게 그것을 기대하실 수 있습니까? 땅에 속한 우리가 어떻게 천국의 삶이 어떠한지 보여줄 수 있겠습니까?

귀하신 구세주시여, 주님께서는 주님이 주시는 것 그 이상을 요구하지 않으신다는 것을 알기에 우리 영혼은 주님을 송축합니다. 천국의 생명이신 주님께서 주님의 제자들 안에 사십니다. 주님의 거룩하신 이름이 송축을 받으시옵소서. 그들에게는 주님께서 보내신 그들의 생명의 호흡이신 하늘로부터 오신 성령이 계십니다. 그분은 영혼의 하늘의 생명이십니다. 자신을 성령의 인도하심에 맡기는 사람은 누구나 자신의 사명을 감당할 수 있습니다. 성령의 기쁨과 능력 안에서 우리는 주님의 형상을 입은 사람들이 될 수 있습니다. 우리는 사람들에게 주님을 닮는 것이 어떤 것인지 다소 보여줄 수 있습니다.

주님, 저와 주님의 모든 백성을 가르쳐 주님이 세상에 속하지 않으셨던 것처럼, 우리도 세상에 속하지 않는다는 것을 깨닫게 하옵소서. 그러므로 아버지 하나님이 주님을 보내셨듯이, 주님께서도 우리를 보내셔서 우리도 주님과 같이 사랑과 순결 그리고 복으로 가득 찬 그 다른 세상에 속해 있다는 것을 우리 삶으로 입증해 보이게 하십시오. 아멘.

하나님의 선택

하나님이 미리 아신 자들을 또한
그 아들의 형상을 본받게 하기 위하여 미리 정하셨으니
이는 그로 많은 형제 중에서 맏아들이 되게 하려 하심이니라.
-롬 8:29

성경은 개인적인 선택에 관해 우리에게 가르친다. 성경 각 절들을 통해서 이것을 가르칠 뿐만 아니라, 하나님의 영원한 계획에 따라 지금 이 세상에서 그것이 이루어지고 있는 인간의 전 역사를 통해서도 가르친다. 우리는 계속해서 하나님 나라의 온 미래가 몇몇 성실한 사람들이 하나님의 직무(place)를 충실하게 수행하는 것에 달려 있음을 보게 된다. 하나님의 목적을 달성하는 유일한 보장은 하나님이 개인을 미리 정하시는 것이다. 예정을 통해서만 세상의 역사와 하나님 나라의 역사가 각 신자의 역사와 마찬가지로 그것의 확실한 토대를 가진다.

 이것을 볼 수 없는 그리스도인들이 있다. 그들은 인간의 책임을 방해하지나 않을까 염려하여 신적 예정의 교리를 거부한다. 왜냐하면 그것이 인간에게서 의지와 행위의 자유를 빼앗는 것처럼 보이기 때문이다. 성경은 이러한 염려를 공유하지 않는다. 성경은 어떤 곳에서는 선택이 없는 것처럼 인간의 자유 의지에 대해서 말한다. 다른 곳에서는 자유 의지가 없는 것처럼 선택에 대해서 말한다. 따라서 우리가 이 두 진리를 이해할 수 없거나 그것들을 조화시킬 수 없을 때에도 우리는 그것들을 함께 굳게 지켜야 한다고 성경은 우리에게 가르친다. 영원에 비추어 보면, 그 신비는 풀릴 것이다. 믿음으로 두 가지 모두를 붙잡는 사람은 그것들이 거의 모순되지 않는다는 것을 금방 경험하게 될 것이다. 그는 하나님의 영원한 목적에 대한 자신의 믿음이 강해질수록, 행함에 대한 자신의 용기도 더욱 북돋우어질 것이라는 것을 알게 될 것이다. 다른 한편으로, 그가 사역을 하고 복을 받을수록, 모든 것은 하나님께 속한다는 것이 더욱 분명해질 것이다.

 이런 이유로, 신자가 자신의 선택을 굳게 하는 것은 대단히 중요하다. 성경은 "너희가 이것을 행한즉 언제든지 실족하지 아니하리라"(벧후 1:10)고 확신을 준다. 내가 하나님께 택함을 받앞다는 것을 믿고 또 어떻게 이 선택이 나의 소명의 모든 면과 관계가 있는지 깨달을수록, 하나님 자신이 내 안에서 자신의 사역을 완성하실 것이라는 나의 확신이 더욱 강해질 것이다. 그러므로 내가 하나님이 정말로 기대하시는 모든 것이 되는 것이 가능하다. 성경이 내게 부과하는 모든 의무에 대해, 내가 성취되기를 바라는 모든 약속에 대해, 나는 하나님의 목적들 안에서 나의 기대들이 근거하는 견고한 기반과 그것들을 이끌어주는 참된 기준을 발견하게 될 것이다. 이 세상에서의 나의 삶은 하나님 아버지가 설계하신 하늘의 생명 계획을 그대로 본뜬 것이며, 또한 내가 이 세상에 있어야 하는 모습 그대로라는 것을 나는 이해하게 될 것이다.

그리스도인이여, 당신의 소명과 선택을 굳게 하라! 당신이 택함을 받았다는 것과 또 당신이 부르심을 받았다는 것을 당신 자신에게 분명히 하라. "너희가 이것을 행한즉 언제든지 실족하지 아니하리라"(벧후 1:10). 하나님의 변함없는 목적을 토대로 그분과 나누는 평온한 사귐은 당신 영혼에 요지부동의 확고함을 제공해주며 그것이 흔들리지 않도록 지켜준다.

그리스도 안에서 우리에 대한 하나님의 목적과 관련하여 가장 복된 말씀 중 하나는 이것이다. "하나님이…그 아들의 형상을 본받게 하기 위하여 미리 정하셨으니." 인간 예수 그리스도는 하나님의 선택이시며, 그분 안에서 선택은 그것의 시작과 끝을 가지고 있다. 그분 안에서 우리가 택하심을 받았다(엡 1:4를 보라).

　예수 그리스도와의 연합을 위하여 그리고 그분의 영광을 위하여 우리가 택하심을 받았다. 선택 안에서 그저 자신의 구원의 확실성만을 구하거나, 더욱이 두려움과 의심으로부터 안위만을 구하는 신자는 그것의 진정한 영광을 거의 알지 못한다. 선택의 목적은 그리스도 안에서 우리를 위해 준비된 모든 부유함을 품으며 우리들 삶의 모든 순간과 필요에 미친다. 하나님은 "그리스도 안에서…우리로 사랑 안에서 그 앞에 거룩하고 흠이 없게 하시려고"(4절) 우리를 택하셨다. 선택의 교리가 그것의 충만한 축복을 가져다주는 것은 오직 선택과 성화의 관계가 교회 안에서 적절하게 이해될 때이다(살후 2:13; 벧전 1:2를 보라). 그것은 신자에게, 자신 안에서 모든 것을 행하시는 분은 하나님이시라는 것과, 그는 심지어는 가장 사소한 일에서조차도 그분이 자기 백성들에게 기대하시는 모든 것을 성취하기 위해서 하나님의 변함없는 목적에 의지해야 한다고 가르친다. 이러한 견지에서 보면, "그리스도 안에서…우리로 사랑 안에서 그 앞에 거룩하고 흠이 없게 하시려고"라는 말씀은 그리스도의 모습을 자기 자신이 되어야 할 모습의 원칙으로 받아들이기 시작한 모든 사람들에게 힘을 준다.

　그리스도인이여, 만일 당신이 참으로 그리스도와 같이 되기를 원한다면, 이것이 참으로 당신에 대한 하나님의 뜻이라는 생각에 당신의 마음을 집중하라. 구속의 전체가 당신이 그렇게 되도록 계획되었다는 것과, 하나님의 목적은 당신의 바람이 틀림없이 성취된다는 보증이라는 것을 기억하라. 거기에, 그러니까 당신의 이름이 생명책에 기록되어 있는 곳에 또한 "하나님이… 그 아들의 형상을 본받게 하기 위하여 미리 정하셨으니"라는 말씀이 나란히 있다. 그 영원한 목적, 곧 인간 예수 그리스도 안에 하나님의 완전하신 모양을 계시하시는 것의 첫 번째 부분을 이미 합력하여 이루신 하나님(the Deity)의 모든 능력들이 두 번째 부분을 이루기 위해서, 즉 각각의 하나님의 자녀들 안에 그 모양을 이루기 위해서 함께 관여한다. 그리스도의 사역에는 이 일에 있어서의 하나님의 목적을 달성하는 것을 가능하게 하는 가장 완전한 공급이 있다. 살아 있는 믿음을 통해 굳게 유지되는 그리스도와의 우리의 연합은 가장 강력한 힘이 될 것이다. 우리는 하나님이 확실하게 정해 놓으신 것으로서 그것을 신뢰할 수 있으며, 만일 우리가 그것에 우리 자신을 맡긴다면 틀림없이 연합이 이루어질 것이다. 하나님은 자신의 아들의 형상을 본받도록 우리를 선택하지 않으셨던가?

이러한 사실을 분명하게 자각하게 되면 참으로 강력한 영향을 받게 된다는 것은 쉽게 이해될 수 있다. 그러한 자각을 통해 우리는 하나님의 영원한 뜻에 우리 자신을 맡기는 것을 배우게 된다. 그 결과 그것은 신적 능력과 함께 우리 안에서 그것의 목적을 성취할 것이다. 그것은 이 일을 달성하는데 우리 자신의 노력이 얼마나 쓸모없고 무력한지 우리에게 보여준다. 하나님께 속하는 모든 것은 또한 그분을 통해서만 가능하다. 그분은 처음이 되시고 중간이 되시며 나중도 되신다. 놀랍게도, 담대히 하나님만을 자랑하고 또 하나님 자신이 자신의 복된 뜻이 담긴 목적의 모든 부분을 구성하는 모든 약속과 명령을 성취하실 것을 기대할 때, 우리의 믿음이 강해진다.

그러면 이렇게 그리스도를 닮는 것은 무엇에 있는가? 아들됨(sonship)에 있다. 우리가 본받아야 하는 것은 하나님의 아들의 형상이다. 그리스도를 닮는 삶의 다른 모든 특징들은 그것들의 시작이자 끝으로서의 이것으로 귀착된다. 하나님이 우리를 "예정하사 예수 그리스도로 말미암아 자기의 아들들이 되게 하셨"다(엡 1:5). 그리스도께서 사시고 아버지 하나님을 섬기시며 아버지 하나님을 기쁘시게 한 것은 아들로서다. 내가 살고 하나님 아버지를 섬기며 하나님 아버지를 기쁘시게 할 수 있는 것은 오직 아들로서다. 내 마음 속에 계신 그분의 아들의 영과 함께 말이다. 나는 이 진리를 충분히 그리고 분명하게 자각하면서 매일 행해야 한다. 그리스도와 같이, 나는 지고하신 하나님의 아들, 곧 위로부터 태어난 그분의 사랑받는 아들이다. 하나님 아버지는 아들인 나의 모든 필요를 채워주시는데 관여하신다. 아들로서 나는 의지하고 신뢰하면서, 사랑하고 순종하면서 그리고 기뻐하고 희망을 품으면서 산다. 어떠한 희생을 치르고 또 모든 명령에 순종하는 것이 가능하게 되는 것은 내가 아들로서 하나님 아버지와 함께 살아갈 때이다.

신자여, 이 진리를 이해하기 위해 시간을 내어 기도하고, 그것이 당신의 영혼 안에서 그것의 충만한 능력을 발휘하게 하라. 성령으로 하여금 당신의 내면 가장 깊은 곳에 하나님이 당신을 "그 아들의 형상을 본받게 하기 위하여 미리 정하셨"다는 것을 새기시게 하라. 하나님 아버지의 목적은 "그로 많은 형제 중에서 맏아들이 되"도록 아들을 영화롭게 하시는 것이다. 또한 이것이 당신의 모든 삶에서 당신의 목적, 곧 당신의 맏형이신 예수님의 형상을 나타내는 것이 되게 하라. 다른 그리스도인들이 그분에게만 향하고 그분만을 찬양하며 그분을 더 가까이 따르려고 애쓰도록 말이다.

"내 몸에서 그리스도가 존귀하게 되"(빌 1:20)는 것이 당신의 삶의 확고하고 유일한 목적, 곧 당신의 믿음의 기도의 주된 목표가 되게 하라. 이것은 당신에게 그리스도를 닮는 삶을 사는데 필요한 모든 것을 구하고 기대할 수 있는 새로운 확신을 줄 것이다. 당신이 그리스도를 본받는 것은 아들을 영화롭게 하는데 있어서 하나님 아버지의 영원한 목적과, 그것의 영원한 성취를 연결시키는 연결고리들 중 하나일 것이다. 따라서 당신이 그리스도를 본받는 것은 그러한 거룩하고 하늘에 속하고 신적인 사역이 되기에 그것은 오직 하나님을 통해서만 가능할 수 있다는 것을 당신은 깨닫게 된다. 당신은 하나님으로부터 가장 확실하게 그것을 받을 수 있고 또 받을 것이다. 하나님의 목적이 선포한 것을 하나님의 능력이 성취할 것이다. 하나님의 사랑이 정하고 명한 것을 하나님의 사랑이 가장 확실하게 이룰 것이다. 하나님의 영원한 목적에 대한 생생한 믿음은 우리로 하여금 그리스도를 닮는 삶을 살도록 촉구하고 돕는데 있어서 가장 강력한 능력들 중 하나가 될 것이다.

〈함께 드리는 기도〉

    오, 무한하신 하나님! 제가 주님께 겸손히 경배합니다. 주님께서 아들을 세상에 보내신 것 같이, 그분이 저를 세상에 보내시기 위해 택하셨다는 것을 알게 된 것이 얼마나 큰 힘이 되는지 모릅니다. 주님께서 저를 훨씬 더 높은 데로 이끄셔서 그분이 세상에 계셨던 것과 같이 존재하라는 이 사명은 영원으로부터 주님이 선포하신 것임을 보여주셨습니다. 오, 하나님! 제 영혼이 주님 앞에 납작 엎드려 경배합니다.

    주님의 자녀가 주님의 목적을 이루기 위해 주님께 나아와 담대하게 응답을 구합니다. 주님의 뜻은 어떤 장애물보다도 더 강합니다. 주님을 믿는 믿음은 부끄러움을 당하지 않을 것입니다. 주님, 주님을 경건하게 경배하고 예배하면서, 그러나 어린애 같은 확신과 희망을 가지고서 이렇게 기도합니다. 주님의 아들의 형상을 본받고자 하는 제 소원을 들어 주옵소서. 하나님 아버지, 예수님을 닮는 것이 주님께 바라는 제 소원입니다. 예수님과 같이, 저로 하여금 주님의 거룩한 자녀가 되게 하여 주옵소서.

    오, 나의 하나님 아버지! 주님의 아들의 형상을 본받는 것이 저의 가장 큰 바람입니다. 이 소원을 주님의 기억 속에 써넣어주시고 제 기억 속에도 써넣어 주옵소서. 그것을 위해 기도하오니 들어 주옵소서.

    하나님 아버지, 주님께서는 이것을 위해 저를 택하셨습니다. 주님의 영광과 그분의 영광을 위해 제 기도에 응답해 주실 것을 믿습니다. 아멘.

하나님의 뜻을 행하기

> 내가 하늘에서 내려온 것은 내 뜻을 행하려 함이 아니요
> 나를 보내신 이의 뜻을 행하려 함이니라.
> -요 6:38

하나님의 뜻은 그분의 신적 완전함을 가장 잘 나타내며, 우리는 그 뜻 안에서 그분의 신적 능력의 최고 에너지를 충만하게 지니게 된다. 피조물이 자신의 존재와 아름다움을 지니게 된 것은 모두 하나님의 뜻 덕분이다. 그것은 하나님의 뜻의 표현이다. 모든 자연계에서 하나님의 뜻이 행해졌다. 천사들은 하늘에서 하나님의 뜻을 행할 때 자신들의 최고의 축복을 발견한다. 이것을 위해 인간은 자유의지를 지닌 존재로 지음을 받았다. 그가 선택할 능력을 가지고 자발적으로 하나님의 뜻을 행하도록 하기 위해서였다. 그러나 인간은 마귀의 속임에 빠져 하나님의 뜻을 행하기보다는 자신의 뜻을 행하는 큰 죄를 저지르고 말았다. 그렇다. 하나님의 뜻보다는 자신의 뜻을 행하고 만 것이다! 여기에 죄의 뿌리와 비참함이 있다.

예수 그리스도는 우리에게 하나님의 뜻을 행하는 복을 다시 가져다주시기 위해 인간이 되셨다. 구속의 주된 목적은 우리와 우리의 의지를 죄의 능력으로부터 자유롭게 하고, 또 하나님의 뜻대로 살면서 그것을 행하도록 다시금 우리를 이끄는 것이었다. 예수 그리스도는 이 세상에서 사실 때 오직 하나님의 뜻만을 위해 산다는 것이 무엇인지를 우리에게 보여주셨다. 자신의 죽음과 부활 안에서 그분은 우리를 위해 자신과 같이 하나님의 뜻대로 살고 또 그것을 행할 수 있는 능력을 얻으셨다.

"내가 하나님의 뜻을 행하러 왔나이다"(히 10:9). 그리스도께서 태어나시기 오래 전에 성령으로 말미암아 자신의 예언자들 중 한 사람을 통해 하신 이 말씀은 이 세상에서의 그분의 삶을 이해하는 열쇠이다. 목공소가 있던 나사렛에서, 세례 요한과 함께 요단강에서, 사탄과 함께 광야에서, 많은 사람들과 함께 있는 곳에서, 사실 때와 죽으실 때, 그분을 고무하고 이끌어주고 기쁘시게 한 것은 바로 이것이었다. 아버지 하나님의 영광스런 뜻이 그분 안에서 그리고 그분에 의해서 성취되는 것이었다.

우리는 그것을 위해 주님이 아무런 희생도 치르지 않으셨다고 생각하지 않아야 한다. 그분은 자신의 뜻을 거부하셨음을 우리에게 알려주시기 위해 "내 뜻이 아니라 나를 보내신 이의 뜻"이라는 말씀을 되풀이하셨다. 자신의 뜻을 버리는 일이 겟세마네에서 절정에 이르렀지만, 그러나 그것은 단지 자신의 전 생애를 아버지 하나님이 받으실만한 제물로 드리셨다는 것에 대한 최고의 표현에 지나지 않다. 사람이 하나님의 뜻과 다른 뜻을 갖는 것이 죄는 아니다. 죄가 발생하는 것은 자신의 뜻이 창조자의 뜻과 정반대되는 것으로 보임에도 그것을 고수할 때이다. 한 인간으로서 예수님에게는 인간적인 뜻, 인간의 본성에 속해 있는 자연적인 욕구들(desires)이 있었다. 비록 죄악의 욕망들은 아닐지라도 말이다. 한 인간으로서 그분은 하나님의 뜻이 무엇인지를 항상 미리 아신 것은 아니었다. 그분은 기다려야 했고, 하나님의 가르침을 받아야 했으며, 때로는 그 뜻이 무엇인지를 배워야 했다. 그러나 아버지 하나님의 뜻을 알게 되면, 그분은 언제나 자신의 인간적인 뜻을 포기하고 아버지 하나님의 뜻을 행할 준비가 되어 있었다. 주님의 자기희생이 완전하고 가치가 있게 된 것은 바로 이 순종 때문이었다. 그분은 오직 하나님의 뜻 안에서 그리고 하나님의 뜻을 위해 살기 위하여 한 인간으로서 자기 자신을 완전히 복종시키셨다. 심지어는 겟세마네와 갈보리에서 희생을 당하시기까지, 주님은 언제나 그 뜻만을 행할 준비가 되어 있었다.

우리에게 전가될 뿐만 아니라 성령을 통해 전해지는 것은 육신을 입으신 주 예수님이 행하신 이 순종의 삶이다. 우리 주 예수님은 자신의 죽음을 통해 우리의 자기본위(self-will)와 불순종을 대속하셨다. 주님이 그것들을 대속하신 것은 자신의 완전한 순종 가운데서 그것들에 대한 정복을 통해서다. 따라서 그분은 하나님 앞에서 우리의 자기본위의 죄를 멸하실 뿐만 아니라 우리 안에 있는 그것의 힘을 깨뜨리셨다. 주님은 자신의 부활 안에서 모든 자기본위를 정복하고 깨뜨린 생명을 죽은 자들로부터 가져오셨다. 그러므로 예수님의 죽으심과 부활의 능력을 알고 있는 신자는 하나님의 뜻에 자기 자신을 온전히 드릴 수 있는 능력을 가지고 있다. 그리스도를 따르라는 부르심은 다름 아닌 "나의 원(will)대로 마시옵고 아버지의 원대로 하옵소서"(막 14:36)라는 주님의 말씀을 자신의 진지한 맹세로 받아들이고 말하는 것이라는 것을 그는 알고 있다.

이것을 이루려면, 우리는 무엇보다도 먼저 주님과 같은 태도를 취해야 한다. 하나님의 뜻을 하나의 큰 전체, 곧 당신이 이 세상에서 살아가는 동안 삶의 목적으로 삼는 유일한 것으로 받아들여라. 해와 달, 풀과 꽃을 보고, 그것들 각각이 오직 하나님의 뜻만을 행하고 있기 때문에 지니고 있는 영광을 보라. 그러나 그것들은 하나님의 뜻을 알지 못하면서 그것을 행한다. 당신은 훨씬 더 영광스럽게 그것을 할 수 있다. 왜냐하면 당신은 그것을 알고 자발적으로 행하기 때문이다. 당신의 마음이 자신의 자녀들과 당신 자신에 관한 하나님의 뜻에 대한 영광스런 생각으로 가득 차게 하라. 그 뜻이 당신 안에서 행해져야 하는 것이 한 가지 목적이라고 말하라. 예수님과 같이, 당신에게도 그분의 아름답고 복된 뜻이 행해져야 하고 또 행해질 것이라는 것이 확정된 것이라고 선언하면서, 자주 그리고 분명하게 하나님 아버지께 당신 자신을 맡겨라. 조용히 묵상할 때마다 기뻐하고 신뢰하는 마음으로 자주 이렇게 말해보라. "하나님을 찬양하라! 나는 오직 하나님의 뜻만을 행하기 위해 사노라."

두려움 때문에 이것을 그만두는 일이 없게 하라. 이 뜻이 너무 어려워서 우리는 할 수 없다고 생각하지 말라. 하나님의 뜻은 그저 우리가 그것을 멀리서 보고 마지못해 따르려고 하기 때문에 어려운 것처럼 보인다. 하나님의 뜻이 본질상 모든 것을 얼마나 아름답게 만드는지를 그냥 다시 보라. 하나님이 당신을 어린아이처럼 사랑하고 축복하시기 때문에 그분을 불신하는 것이 옳은지 스스로에게 물어보라. 하나님의 뜻은 그분의 사랑의 뜻이다. 당신은 어떻게 당신 자신을 그것에 복종시키는 것을 두려워할 수 있을까?

두려움은 당신이 그 뜻에 순종하는 것을 방해할 수도 있을 것이다. 그러나 그렇게 되지 않도록 하라. 인간의 삶은 어떻게 되어야 하고 또 어떻게 되어야 좋은지를 보여주시기 위해서 하나님의 아들이 이 세상에 오셨다. 그분의 부활 생명을 통해 우리는 그분이 사셨던 대로 살 수 있는 능력을 얻는다. 예수 그리스도는 자신의 성령을 통해 우리로 하여금 육체를 따라 행하지 않고 하나님의 뜻에 따라 행할 수 있게 하신다.

"오, 하나님! 내가 하나님의 뜻을 행하러 왔나이다." 심지어는 주 예수님이 이 땅에 오시기 전에 구약의 한 신자는 그리스도를 위해서 뿐만 아니라 자신이 성령을 통해서 이것을 말할 수 있었다. 그리스도께서는 그것을 받으시고 새로운 생명력으로 그것을 채우셨다. 그리고 이제 그분은 이 세상에 계신 이래로 자신의 구속 받은 사람들이 훨씬 더 진심으로 그리고 온전히 그렇게 하기를 기대하신다. 우리도 그렇게 하도록 하자. 먼저 각각의 경우들에서 우리가 하나님의 뜻을 행하는 일에 성공하는지 알아본 다음에, 온전한 헌신의 상태에 도달해 "제가 주님의 뜻을 행하기 위해 왔습니다"라고 말할 수 있기를 바라지 말아야 한다. 진정, 그렇지 않아야 한다. 그것은 바른 방식이 아니다.

먼저 하나님의 뜻을 전체적으로 인정하자. 다시 말하면, 그것의 복과 영광뿐만 아니라 그것이 우리에게 주장할 권리를 인정하자. 우리 자신을 하나님의 뜻에 복종시키자. 이것을 우리 강령-그리스도와 같이, 나는 오직 하나님 아버지의 뜻만을 행하기 위해서 세상에 있다-의 첫 번째 정관들 중 하나로 숙고하자. 이 복종은 모든 명령과 모든 섭리를, 우리가 이미 우리 자신을 드린 그 뜻의 일부로 기쁘게 받아들이라고 우리에게 가르친다. 이 복종은 우리에게 하나님의 확실한 인도와 능력을 기다릴 수 있는 용기를 줄 것이다. 왜냐하면 오직 하나님의 뜻만을 위해 사는 사람은 자신의 판단을 위해 하나님을 의존할 것이기 때문이다. 이러한 복종을 통해 우리는 우리가 아주 연약한 존재라는 사실을 철저히 자각하게 될 것이다. 또한 하나님의 사랑하시는 아들 예수 그리스도와 더 깊이 있는 교제를 나누고 그분의 모습을 닮게 되며, 그분이 우리를 위해 준비하신 모든 복과 사랑에 참여하는 사람이 된다. 하나님의 뜻을 사랑하고 지키며 행하는 것보다 우리가 그리스도와의 연합 안에서 하나님께 더 가까이 나아갈 방법은 아무 것도 없다.

하나님의 자녀여, 그리스도를 본받는 것의 첫 번째 특징들 중 하나는 순종, 곧 하나님의 모든 뜻에 대한 완전하고 절대적인 순종이다. 그것이 당신의 삶에서 가장 두드러진 특징이 되게 하라. 하나님의 거룩한 말씀의 모든 명령들을 하나하나 자진해서 그리고 진심으로 지킴으로 시작하라. 하나님의 말씀이 직접적으로 그것을 명하지 않을 때조차도, 당신의 양심이 당신이 옳다고 말하는 모든 것에 계속해서 아주 온화하게 복종하라. 이렇게 하면, 당신은 더 높은 수준의 능력을 발휘하게 될 것이다. 당신이 계명들을 아는 한에서, 그것들에 대한 진심 어린 순종과, 양심이 어디에서 말하든 그것에 대한 즉각적인 순종은 당신을 하나님의 말씀의 의미와 적용 속으로 더 깊이 이끌어주실 성령의 신령한 가르침을 준비하는 것이다. 당신은 개인적으로 당신 자신에 대한 하나님의 뜻에 관해 보다 더 직접적이고 영적인 통찰력을 얻게 될 것이다. 하나님은 바로 자신에게 순종하는 사람들에게 성령을 주시는데, 하나님의 복된 뜻은 성령을 통해 계속해서 우리의 길을 더 밝게 비추는 빛이 된다. "사람이 하나님의 뜻을 행하려 하면 (그는)…알리라"(요 7:17). 하나님의 뜻은 복되도다! 하나님의 뜻에 대한 순종은 복되도다! 오, 우리가 이것들을 우리의 가장 귀한 보배로 여기고 또 간직할 수 있다면!

그리고 만일 오직 하나님의 뜻만을 위해 사는 것이 여전히 너무 어렵게 보인다면, 그리스도께서 어디에서 자신의 능력을 발견했는지를 기억하라. 예수님이 하나님의 뜻을 행하기를 기뻐하신 것은 그것이 바로 아버지 하나님의 뜻이었기 때문이다. "이 계명은 내 아버지에게서 받았노라"(요 10:18). 이것 때문에 주님은 자신의 목숨을 바칠 수 있었다. 그리스도와 우리의 연합은, 그리고 그분을 닮는 삶을 살라는 우리의 소명은 끊임없이 우리를 그분의 생명과 능력의 비밀로서의 그분의 아들의 신분(Sonship)으로 향하게 한다. 매일 "나는 하나님 아버지가 사랑하시는 자녀다"라고 말하는 것과, 각 계명을 하나님 아버지의 뜻으로서 여기는 것이 우리의 주된 소원이 되게 하자. 우리가 그리스도와 같이 아들의 신분에 대한 분명한 의식을 갖게 되면, 결국에는 그리스도와 같이 순종하는 삶을 살아가게 될 것이다.

〈함께 드리는 기도〉

    오, 나의 하나님! 주님의 아들이 인간이 되셔서 우리가 하나님의 뜻을 어떻게 행해야 하는지 가르쳐주신 이 놀라운 선물을 주시니 감사합니다. 우리도 하나님의 영광스럽고 완전한 뜻과 완전한 조화를 이루는 삶의 축복을 맛보도록 예수님과 함께 그분처럼 그렇게 되라는 영광스런 부르심에 감사합니다. 그 모든 뜻을 행하고 감당할 수 있도록 그리스도 안에서 능력을 주시니 감사합니다. 이 또한 장자이신 예수님과 같이 될 수 있게 하시니 감사합니다.

    오, 나의 하나님 아버지! 어린아이처럼 기쁨으로 신뢰하고 사랑하면서 저의 소명을 받아들이기 위해 지금 다시 왔습니다. 주님, 온전히 그리고 오직 주님의 뜻을 행하기 위해 살기 원합니다. 주님의 말씀 안에 거하면서 성령을 기다리기 원합니다. 주님이 매일 저에게 주님의 뜻을 더 분명하게 알게 해주실 것이라는 확고한 확신 가운데, 주님의 아들 예수 그리스도와 같이 기도로 주님과 교제하면서 살고자 합니다.

    오, 나의 하나님 아버지! 저의 소원이 주님의 눈으로 보실 때 받으실만한 것이 되게 하옵소서. 저의 마음의 생각 속에 그것이 영원히 있게 하옵소서. 계속해서 참으로 기뻐하면서, 저의 원대로 마시옵고 아버지의 원대로 하옵소서라고 말할 수 있는 은혜를 주옵소서. 제가 여기 이 세상에 있는 것은 오직 나의 하나님의 뜻만을 행하기 위함입니다. 아멘.

불쌍히 여기는 마음

예수께서 제자들을 불러 이르시되
내가 무리를 불쌍히 여기노라.
—마 15:32

내가 너를 불쌍히 여김과 같이 너도 네 동료를
불쌍히 여김이 마땅하지 아니하냐 하고.
—마 18:33

마태에 따르면, 우리 주님은 세 가지 서로 다른 경우에 무리를 불쌍히 여기셨다. 주님의 전 생애는, 그분은 죄인을 불쌍히 여기셨고 또 불행과 슬픔을 보시고는 마음이 움직였다는 것을 보여준다. 이 점에서 주님은 불쌍히 여기시는 우리의 하나님, 그러니까 "목을 안고 입을 맞추"(눅 15:20)며 탕자에게 불쌍히 여기는 마음을 품었던 아버지를 참되게 나타내셨다.

주 예수님의 이러한 불쌍히 여기시는 마음을 볼 때, 우리는 그분이 어떻게 자신이 행하러 오신 하나님의 뜻을 하나의 의무나 구속(obligation)으로 여기지 않으셨는지를 이해할 수 있다. 대신에 주님은 자신 안에 거하는 그 신적인 뜻을, 자신의 모든 감정과 동기를 고무하고 또 다스리는 자신의 뜻으로 가지고 계셨다. 그분은 "내가 하늘에서 내려온 것은 내 뜻을 행하려 함이 아니요 나를 보내신 이의 뜻을 행하려 함이니라"(요 6:38)고 말씀하신 다음, 곧바로 이렇게 덧붙이셨다.

> 나를 보내신 이의 뜻은 내게 주신 자 중에 내가 하나도 잃어버리지 아니하고 마지막 날에 다시 살리는 이것이니라 내 아버지의 뜻은 아들을 보고 믿는 자마다 영생을 얻는 이것이니 마지막 날에 내가 이를 다시 살리리라 하시니라.(요 6:39-40)

주 예수님에게 있어서 하나님의 뜻은 아버지 하나님이 금하셨거나 (하라고) 명하신 어떤 일들에 있지 않았다. 결코 그렇지 않았다. 그분은 참으로 하나님의 뜻의 핵심을 형성하는 것, 곧 하나님이 잃어버린 죄인들에게 영원한 생명을 주시는 것을 다루셨다.

하나님 자신이 사랑이시기 때문에, 그분의 뜻은 죄인들을 구원하는데 사랑이 충분한 여지를 가져야 한다는 것이다. 주 예수님은 하나님의 이 뜻을 나타내고 또 성취하시기 위해 이 세상에 오셨다. 그분은 이것을 하실 때 종이 낯선 사람의 뜻에 복종하듯이 하신 것이 아니다. 자신의 영적인 삶과 모든 성향 가운데서 그분은 죄인들을 구원하시려는 아버지 하나님의 애정 어린 뜻이 자신의 것이라는 것을 증명해보이셨다. 골고다에서 그분의 죽으심과 모든 불행한 사람들의 필요를 품으신 그분의 불쌍히 여기심 그리고 그들과 가지신 그분의 다정한 사귐은 아버지 하나님의 뜻이 참으로 그분 자신의 뜻이 되었다는 증거이다. 모든 면에서 그분에게 있어서 삶은 아버지 하나님의 뜻을 행하는 기회로서의 삶 외에는 아무런 가치가 없다는 것을 보여주었다.

그리스도를 본받고자 여러분 자신을 바친 그리스도의 귀한 제자들이여! 우리 주님께 있던 아버지 하나님의 뜻이 여러분에게도 있게 하라. 아버지 하나님이 아들을 세상에 보내셔서 사명을 수행하게 하실 때 그분의 뜻은 잃어버린 죄인들을 구원하시는데 신적 긍휼을 나타내는 것이었고 또 그것의 승리였다. 아마도 예수님은 이 불쌍히 여기는 마음을 가지고 계시다는 것과 또 그것을 보여주시는 것 외의 다른 방법으로는 이 뜻을 성취하지 못하셨을 것이다. 하나님의 뜻, 곧 멸망당하는 사람들의 구원이 예수님을 위한 것이었듯이, 그것은 우리를 위한 것이기도 하다.

우리 하나님의 불쌍히 여기심을 가지는 것과 그것을 마음에 품는 것 그리고 그것을 우리 삶으로 보여주는 것 외에는 우리가 그 뜻을 성취하기란 불가능하다. 하나님의 뜻을 구하는 것은 하나님이 금하시는 것들을 물리치고 또 하나님이 명하시는 것들을 행해야 하는 것만이 아니다. 그것은 또한 특히 우리 자신을 복종시켜 하나님이 죄인들에 대해 가지고 계시는 동일한 마음과 성향을 갖고 또 우리가 오직 이것을 위해 사는데서 우리의 즐거움과 기쁨을 찾는데 있어야 한다. 우리 주위에 있는 불쌍하고 죽어가는 죄인들에게 개인적으로 우리 자신을 헌신함으로, 그리고 불쌍히 여기는 사랑으로 그들을 도와줌으로, 우리는 하나님의 뜻이 우리의 뜻이라는 것을 보여줄 수 있다. 우리 아버지로서 불쌍히 여기시는 하나님과 함께, 아주 빈번하게 불쌍히 여기는 마음을 품으셨던 그리스도와 함께, 모든 그리스도인의 삶은 불쌍히 여기는 사랑의 삶이 되어야 한다는 그 명령보다 더 올바를 수 있는 것은 없다.

불쌍히 여김은 필요 또는 불행을 보고 일깨움 받는 사랑의 정신이다. 하늘에 속한 이 덕의 실천을 위한 사례들이 아주 많으며, 불행과 죄로 가득한 세상에는 진정 필요가 있다! 그러므로 모든 그리스도인은 기도와 실천을 통해 복되신 주님을 닮는 것에 대한 가장 귀한 표시들 중 하나로서 불쌍히 여기는 마음을 길러야 한다. 영원한 사랑은 죽어가는 세상에 그 자체를 주기를 간절히 바란다. 그리고 잃어버린 자들을 구원하는데서 자기의 만족을 찾기를 간절히 바란다. 그것은 하나님의 사랑으로 가득 채워서 죽어가는 사람들이 마시고 영원히 살 수 있도록 그들 가운데 보낼 배들을 찾는다. 영원한 사랑은 우리 마음이 죄인들이 지니고서 사는 모든 필요를 보고 다정한 불쌍히 여김으로 채워지기를 요구하며, 하나님의 불쌍히 여기심을 나누어주는 자가 되는 것을, 오로지 죄인들을 축복하고 구원하기 위해 사는 것을 자기의 최고의 복으로 여길 마음으로 채워지기를 요구한다. 오, 나의 형제여! 당신을 긍휼히 여겼던 그 영원한 불쌍히 여김은 자비를 얻은 사람으로서 당신에게, 와서 그것으로 당신을 채우라고 요구한다. 그것은 당신 주변에 있는 모든 사람들에 대한 불쌍히 여기는 마음으로 당신을 준비시킬 것이다. 당신이 하나님의 불쌍히 여기시는 사랑의 증인이 될 수 있도록 말이다.

우리에게는 우리 주변에 있는 모든 사람들에게 불쌍히 여기는 마음을 보여줄 수 있는 기회가 아주 많다. 현세적인 필요를 지니고 있는 사람들이 참으로 많다! 이 세상에는 가난한 사람들과 병든 사람들, 미망인들과 고아들, 허약하고 낙심한 영혼들이 있는데, 그들에게는 그저 불쌍히 여기는 마음을 지닌 사람이 가져다 줄 수 있는 먹을거리가 필요하다. 그들은 그리스도인들 가운데 살아가면서, 때때로 단지 자신들의 구원에 관해서만 관심을 갖는 사람들보다 세상 사람들에게 불쌍히 여기는 마음이 더 많은 것처럼 보인다고 불평한다. 오, 형제여! 불쌍히 여기는 마음을 달라고 진심으로 기도하고, 언제나 사랑을 실천할 기회를 엿보며, 하나님의 불쌍히 여기시는 마음을 나타내는 도구로 쓰임 받을 준비를 하라. 예수님이 이 세상에 계실 때 많은 사람들의 마음을 얻을 수 있었던 것은 바로 그분의 불쌍히 여기시는 마음 때문이었다. 마찬가지로, 무엇보다도 영혼들을 당신과 주님께로 오게 하는 것은 바로 불쌍히 여기는 애정이다.

그리고 사방에 우리를 에워싸고 있는 영적으로 불행한 사람들이 참으로 많다! 불행한 부자가 있는가 하면, 어리석고 생각이 모자라는 젊은이가 있다. 더욱이 불행한 주정뱅이나 희망이 없는 불행한 사람도 있다. 또는 아마도 이러한 사람들에 속하지는 않지만, 그저 자신들을 에워싸고 있는 세상의 어리석음에 완전히 사로잡힌 사람들도 있다. 세상 사람들은 이 모든 사람들에 대해 아주 빈번하게 애정 없는 냉담한 말이나 무자비하게 판단하는 말 또는 나태한(slothful) 절망의 말들을 한다. 불쌍히 여기는 마음은 찾아보기 힘들다. 불쌍히 여김은 가장 깊은 불행을, 하나님이 그 마음을 준비하시는 자리로 여기며, 그 불행에 의해 이끌린다. 불쌍히 여김은 결코 지치는 일이 없다. 그것은 결코 희망을 포기하지 않는다. 불쌍히 여김은 거부당하지 않을 것이다. 왜냐하면 그것을 생기게 하는 것은 바로 그리스도의 자기 부인의 사랑이기 때문이다.

그리스도인은 자신의 불쌍히 여김을 자신의 영역에 한정하지 않는다. 그는 넓은 마음을 가지고 있다. 주님께서는 그에게 이교 세상 전체를 그의 일터로 보여주셨다. 그는 이교도의 상황을 알려고 노력한다. 그는 그들의 짐을 자신의 마음으로 가져간다. 그는 정말로 불쌍히 여기는 마음을 품고 그들을 도울 작정을 한다. 이교 신앙이 가까이 있든 멀리 있든, 그가 어떠한 상태에서 불쌍히 여김을 증언하든 또는 그것에 대해 듣기만 하든, 그의 불쌍히 여기는 사랑은 오직 죽어가는 사람들을 구원하시려는 하나님의 뜻을 이루기 위해 존재한다.

이제 이것, '그리스도의 불쌍히 여기시는 마음을 본받자'를 우리의 표어로 삼자. 강도 만난 낯선 사람을 "불쌍히 여겨"(눅 10:33) 도움을 준, 불쌍히 여기는 사마리아인의 비유를 들려주신 후에, 주님은 "가서 너도 이와 같이 하라"(37절)고 말씀하셨다. 예수님 자신이 그 불쌍히 여기시는 사마리아인으로 자신이 구원하신 우리 모두에게 이렇게 말씀하신다. "가서 너도 이와 같이 하라." "내가 너희에게 행한 것 같이 너희도 행하게 하려 하여 본을 보였노라"(요 13:15). 오, 주님의 불쌍히 여기심에 모든 것을 빚지고 있고, 우리 자신을 그분을 따르는 사람들이라고 고백하며, 그분의 발자국을 따라 걸으면서 그분의 형상을 지니고 있는 우리여! 그분의 불쌍히 여기심을 세상에 알리자. 우리는 그것을 할 수 있다! 예수님은 우리 안에서 살고 계시며, 그분의 성령은 우리 안에서 역사하신다. 많은 기도와 확실한 믿음을 가지고서 그분의 본을, 우리가 될 수 있는 것에 대한 확실한 약속으로 기대하자. 만일 그분이 우리에게 자신의 불쌍히 여기심을 보여주실 뿐만 아니라 우리를 통해 세상에 자신의 불쌍히 여기심을 보여주실 만큼 우리가 그것에 대한 준비가 되어 있다는 것을 보신다면, 그분은 무척이나 기뻐하실 것이다. 그리고 우리도 불쌍히 여기심과 큰 자비가 가득한 그리스도와 같은 마음을 갖는 말할 수 없는 기쁨을 얻게 될 것이다.

〈함께 드리는 기도〉

　오, 나의 주님! 저의 소명은 너무나 고귀합니다. 주님의 불쌍히 여기시는 사랑 안에서 제가 주님의 삶을 따르고 본받고 재현해야 합니다. 제가 모든 육체적이고 영적인 불행을 보고 돕게 되는 불쌍히 여김 안에서, 모든 죄인이 제가 사람들을 축복하기를 간절히 바란다고 느끼게 되는 친절하고 부드러운 사랑 안에서, 세상은 주님의 불쌍히 여기심이 어떤 것인지 깨닫게 됩니다.
　가장 자비로우신 주 하나님, 제가 세상에 불쌍히 여김을 충분하게 보이지 못한 것을 용서해 주옵소서! 전능하신 구속의 주님이시여, 주님의 불쌍히 여기심이 저를 구원할 뿐만 아니라 저를 붙잡고 제 안에 거하게 하여 주옵소서! 불쌍히 여김이 진정 제 인생의 호흡과 기쁨이 되도록 말입니다. 저를 향한 주님의 불쌍히 여기심이 제 안에서 다른 사람들에 대한 불쌍히 여김의 살아 있는 근원이 되게 하여 주옵소서.
　주 예수님, 주님께서는 한 가지 조건, 즉 저의 삶을 지키고 거룩하게 하기 위해서 저의 삶과 저의 노력들을 내려놓고 주님으로 하여금 제 안에서 사시면서 제 생명이 되시게 하는 조건으로만 이것을 주실 수 있다는 것을 압니다. 자비로우신 주님, 주님께 저를 드립니다! 저에 대한 권한이 주님께 있습니다. 오직 주님께만 말입니다. 아멘.

하나님과 예수님의 하나 되심

> 나는 세상에 더 있지 아니하오나 그들은 세상에 있사옵고
> 나는 아버지께로 가옵나니 거룩하신 아버지여
> 내게 주신 아버지의 이름으로 그들을 보전하사
> 우리와 같이 그들도 하나가 되게 하옵소서…
> 아버지여, 아버지께서 내 안에, 내가 아버지 안에
> 있는 것 같이 그들도 다 하나가 되어 우리 안에
> 있게 하사 세상으로 아버지께서 나를 보내신 것을
> 믿게 하옵소서 내게 주신 영광을 내가 그들에게
> 주었사오니 이는 우리가 하나가 된 것 같이 그들도
> 하나가 되게 하려 함이니이다 곧 내가 그들 안에 있고
> 아버지께서 내 안에 계시어 그들로 온전함을 이루어
> 하나가 되게 하려 함은 아버지께서 나를 보내신 것과
> 또 나를 사랑하심 같이 그들도 사랑하신 것을
> 세상으로 알게 하려 함이로소이다.
> -요 17:11, 21-23

요한복음 17장의 이 대제사장의 기도에는 말로 형용할 수 없는 보물이 있다! 거기에는 예수님의 마음이 드러나 있고, 그래서 우리는 그분의 사랑이 우리에게 무엇을 바라는지를 알게 된다.

거기에는 하늘이 우리에게 열려 있고, 우리는 우리의 중보자로서 주님이 계속해서 아버지 하나님으로부터 우리를 위해 무엇을 구하시고 또 무엇을 얻으시는지를 알게 된다.

이 기도에서 가장 중요한 것은 신자들의 상호적인 연합이다. 주님이 장차 믿음을 갖게 될 모든 신자들을 위해 기도하실 때, 이것이 주된 간구였다. 그분은 그들의 연합을 위해 세 번이나 거듭해서 기도하셨다.

주님은 자신이 왜 이 연합을 그토록 강하게 바라시는지를 우리에게 분명하게 말씀하신다. 그것은 아버지 하나님이 그분을 세상에 보내셨다는 것을 세상에 알리는 단 하나의 유력한 증거이다. 세상은 무지한데도 이기심이 죄의 저주라는 것을 알고 있다. 하나님의 자녀들이 자신들은 거듭났고 행복하고 예수님의 이름으로 놀라운 일들을 행하고, 또는 성경이 가르치는 것이 진리라는 것을 증명할 수 있다고 말해도, 그것은 거의 도움이 되지 않는다. 세상 사람들은 교회가 이기심을 버리는 것을 볼 때 비로소 그리스도의 신적 사명을 인정하게 될 것이다. 왜냐하면 주님이 그와 같은 놀라운 일을 행하셨기 때문이다. 즉 참으로 그리고 진정으로 서로를 사랑하는 사람들의 공동체를 만드셨기 때문이다.

주님은 이 연합을 아버지 하나님과 자신의 하나 됨을 반영하는 것으로 세 번이나 말씀하셨다. 그분은 이 연합이 하나님의 완전, 곧 아버지 하나님과 그분의 아들 예수님은 각각의 위격

(persons)이시지만 그럼에도 성령의 활기찬 교제 안에서 완전히 하나이시라는 것을 알고 계신다. 그리고 그분은 이것보다 더 고귀한 어떤 것을 상상하실 수 없다. 즉 주님과 그분의 아버지 하나님이 하나이신 것 같이, 그분의 신자들도 그분과 함께 그리고 그분 안에서 서로 하나가 되어야 하는 것이다.

주 예수님의 중보는 상당히 효력이 있다. 그것은 아주 효과적이다. 주님은 자신이 구하시는 것을 아버지 하나님으로부터 받으신다. 그러나 우리가 마음의 문을 열고 하늘에서 내려오는 그 복을 받을 준비를 하지 않는다면, 그것은 결코 우리의 것이 될 수 없다. 신자들 중에 하나님 아버지와 그분의 아들 예수님이 하나이신 것 같이 그렇게 하나가 되기를 바라는 사람들은 과연 얼마나 되는가! 그들은 이기심과 불완전한 사랑의 생활에 너무 익숙해진 나머지 그러한 완전한 사랑을 바라지도 않는다. 그들은 자신들이 하늘에서 만날 때까지 그 연합을 미룬다. 그럼에도 주님이 "세상으로 알게 하려 함이로소이다"라고 두 번이나 말씀하셨을 때, 그분은 이 세상에서의 삶에 대해 생각하고 계셨다.

"우리가 하나가 된 것 같이 그들도 하나가 되게 하려 함이니이다." 교회는 이 기도를 올바르게 이해하고 존중하기 위해 깨어있어야 한다. 이 연합은 생명과 사랑의 연합이다. 어떤 사람들은 그것을, 외적으로 나뉘어져 있을 때조차도 모든 신자들을 묶어주는 감추어진 생명-연합을 언급하는 것으로 설명한다. 그러나 주님은 그런 의미로 말씀하지 않으셨다. 그분은 세상이 볼 수 있는 어떤 것, 하나님 아버지와 그분의 아들 하나님 사이의 연합을 닮은 어떤 것에 대해서 말씀하신다. 삶의 감추어진 통일성은 사랑의 가시적인 통일성과 교제에서 분명하게 나타나야 한다. 신자들이 자신들이 참여하는 보다 작은 다른 모임들에서 자신들 주변에 있는 하나님의 자녀들과 사랑으로 온전히 하나가 되어 살아갈 수 있을 때만, 연합이 온전하게 이루어질 것이다. 우리에 대한 그리스도의 사랑과 그리스도에 대한 아버지 하나님의 사랑과 같이, 오직 그들이 서로 사랑하며 사는 삶이 자신들의 단순한 의무라는 것을 깨닫게 될 때만, 그리고 성령께서 자신들 안에서 그것을 이루시게 해 달라고 하나님께 부르짖기 시작할 때만, 연합을 이루는 변화가 가능할 것이다. 진정으로 하나님의 뜻을 행하는 모든 사람이 하나님이 사랑이신 것 같이 자신들을 바쳐 사랑 안에 거할 때까지, 성령의 불이 그룹에서 그룹으로, 교회에서 교회로 번져갈 것이다.

그러면 그 날을 기다리고 또 앞당기기를 바라는 동안에 우리는 지금 무엇을 해야 하는가? "나와 같이 너희도"라는 주님의 말씀을 진지하게 받아들이는 모든 사람으로 하여금 그들이 속한 교우들의 모임과 함께 시작하게 하라. 그리고 그 모임에서 그들이 먼저 시작하게 하라. 약하거나 병약할지라도, 그를 둘러싸고 있는 그리스도의 몸의 지체들이 다루기 힘들거나 짜증나게 할지라도, 그로 하여금 그들과 함께 친밀한 사귐과 사랑 안에서 생활하게 하라. 그들이 그것을 원하든 원하지 않든, 그를 받아들이든 거부하든, 그로 하여금 그리스도와 같은 사랑으로 그들을 사랑하게 하라. 그렇다. 그리스도께서 사랑하시는 것과 같이 그들을 사랑하는 것이 그들의 삶의 목적이 되어야 한다. 이 사랑은 최소한 몇몇 사람들의 공감을 얻을 것이며, 또 그들 안에 사랑과 완전한 연합의 삶을 추구하고자 하는 소원을 불러일으킬 것이다.

그러나 지금까지는 보통 정도의 기독교 생활에 만족해하던 신자는 그러한 노력을 기울이면서 자신이 이 기준에 이르지 못했음을 깨닫게 될 것이다! 그는 개인적이고 전적인 헌신만이 소용이 있다는 것을 곧 알게 될 것이다. 그리스도의 사랑과 같은 사랑을 소유하려면, 우리는 진실로 그리스도의 삶과 같은 삶을 소유해야 한다. 우리는 주님의 삶으로 살아야 한다. 우리는 이 교훈, 즉 온전한 의미에서 그리스도는 생명을 위해 과감히 자신을 신뢰하는 사람들의 생명이 되신다는 것을 다시 배워야 한다. 온전히 신뢰할 수 없는 사람들은 온전히 사랑할 수 없다.

신자여! 그러한 삶에 이르는 단순한 방법에 한 번 더 귀를 기울여라. 무엇보다도 먼저, 당신에게는 바로 그리스도를 닮는 삶을 살고 또 그리스도와 같이 사랑하라는 소명이 있다는 것을 인정하라. 당신에게는 가장 작은 일에 있어서조차도 이 소명을 이룰 수 있는 능력이 없다는 것을 고백하라. 만일 당신이 그리스도께 당신 자신을 전적으로 드리려면, 그분이 당신으로 하여금 이 부르심을 성취하도록 준비시키기 위해 당신을 기다리고 계신다는 사실에 귀를 기울여라. 당신 자신의 능력으로는 어떤 일도 완전하게 할 수 없다는 것을 알고, 당신 자신을 주님께 드림으로 "너희 안에서…자기의 기쁘신 뜻을 위하여 너희에게 소원을 두고 행하게 하"(빌 2:13)실 수 있게 하라를 당신의 진술이 되게 하라. 그런 다음 그분을 확실하게 믿어라. 그분은 자신의 부단한 중보의 능력으로 당신을 완전하게 구원하실 수 있고 또 당신 안에서 자신이 당신을 위해 아버지 하나님께 간구하신 것을 행하실 수 있다. 그렇다. 아버지 하나님께 "내가 그들 안에 있고 아버지께서 내 안에 계시어 그들로 온전함을 이루어 하나가 되게 하려 함은 아버지께서 나를 보내신 것을…세상으로 알게 하려 함이로소이다"라고 말씀하신 주님을 믿어라. 주님은 하늘의 능력으로 당신 안에 자신의 생명을 분명히 나타내실 것이다. 당신이 그분의 생명으로 살아가는 한에서, 당신은 그분의 사랑으로 사랑하게 될 것이다.

사랑하는 그리스도인들이여! 하나님 아버지와 그리스도의 하나 되심은 우리의 모범이다. 즉 하나님 아버지와 그리스도가 하나이시라면, 우리도 하나가 되어야 한다. 서로 사랑하고 서로를 섬기고 서로 참아주고 서로 도와주며 서로를 위해 살자. 우리의 사랑은 아주 작지만, 우리는 그리스도의 사랑으로 사랑할 수 있도록 우리에게 그분의 사랑을 달라고 진정으로 기도할 것이다. 하나님의 사랑이 "성령으로 말미암아…우리 마음에 부은 바" (롬 5:5) 됨으로 우리가 하나가 될 때, 세상은 하나님 아버지가 그리스도를 세상에 보내신 것과, 그리스도께서 우리에게 하늘의 참된 생명과 사랑을 주셨다는 것을 알게 될 것이다.

〈함께 드리는 기도〉

거룩하신 하나님 아버지, 이제 우리는 다시 사서서 끊임없이 중보를 하시는 주 예수님이 계속해서 아버지 하나님께 나아가 어떤 간구를 하시는지 압니다. 그것은 자신의 제자들의 완전한 연합을 위한 것입니다. 하나님 아버지, 우리에게도 이러한 복을 달라고 주님께 부르짖습니다. 가슴 아프게도, 오늘날 교회가 말할 수 없이 분열돼 있습니다! 우리가 애통해 하는 것은 언어나 나라의 분열이 아닙니다. 우리를 몹시도 슬프게 하는 것은 교리나 가르침의 차이도 아닙니다. 주님, 주님의 교회가 영과 사랑으로 이루어지는 그 연합을 결여하고 있어서 자신이 하늘로부터 왔다는 것을 세상에 알리지 못하기 때문입니다.

오, 주님! 우리는 여전히 때때로 주님의 자녀들 가운데서 보게 되는 냉랭함, 이기심, 불신 그리고 비꼼을 주님 앞에 고백하기를 원합니다. 우리에게는 주님이 우리를 부르신 그 뜨겁고 완전한 사랑이 부족함을 심히 부끄러워하며 주님 앞에 고백합니다. 오, 우리를 용서하여 주시고 또 불쌍히 여겨 주옵소서.

주 하나님, 주님의 백성에게 오시옵소서. 우리는 한분이신 성령님으로 말미암아 한분이신 주님 안에서 우리의 하나 됨을 알고 볼 수 있습니다. 성령께서 주님을 믿는 모든 백성 안에서 강력히 역사하게 하옵소서. 하나님의 자녀들이 서로 만나는 모든 모임에서 예수님의 사랑 안에 있는 친밀한 연합이 얼마나 절대적으로 필요한지 느끼게 하옵소서. 그리고 저의 마음도 자아로부터 해방되어 주님의 자녀들과의 사귐 안에서 어떻게 하나님 아버지이신 주님과 주님의 아들이 하나이신 것처럼, 우리도 하나인지를 깨닫게 하옵소서. 아멘.

예수님이 하나님을 의지하심

그러므로 예수께서 그들에게 이르시되
내가 진실로 진실로 너희에게 이르노니 아들이 아버지께서
하시는 일을 보지 않고는 아무 것도 스스로 할 수 없나니
아버지께서 행하시는 그것을 아들도 그와 같이 행하느니라
아버지께서 아들을 사랑하사 자기가 행하시는 것을
다 아들에게 보이시고 또 그보다 더 큰 일을 보이사
너희로 놀랍게 여기게 하시리라.
-요 5:19-20

나는 선한 목자라 나는 내 양을 알고 양도 나를 아는 것이
아버지께서 나를 아시고 내가 아버지를 아는 것 같으니
나는 양을 위하여 목숨을 버리노라.
-요 10:14-15

예수님과 우리의 관계는 아버지 하나님과 그분의 관계와 완전히 부합한다. 그러므로 예수님이 아버지 하나님과의 교제에 대해 하시는 말씀은 또한 우리에게도 참되다. 요한복음 5장에 나오는 예수님의 말씀은 지상에 있든 하늘에 있든 모든 아버지

들과 아들들 사이의 자연스러운 관계를 묘사하듯이 독생자 예수님께 뿐만 아니라, 그분 안에서 그리고 그분과 같이 하나님의 아들이라고 불리는 모든 사람에게도 해당된다.

이 실례(illustration)의 단순한 진리와 힘을 생각할 가장 좋은 방법은 목공소에서 육신의 아버지로부터 자신의 일을 배우시는 예수님을 생각하는 것이다. 무엇보다도 먼저, 당신이 주목할 것은 전적인 의지이다. "아들이 아버지께서 하시는 일을 보지 않고는 아무 것도 스스로 할 수 없나니"(요 5:19). 곧이어 아버지 하나님을 닮고자 하는 절대 순종을 보고 당신은 감명을 받을 것이다. "아버지께서 행하시는 그것을 아들도 그와 같이 행하느니라"(19절). 그 다음에 당신은 아버지 하나님이 아무 것도 숨기지 않으시고 자신의 비밀을 그분에게 알려주시는 다정한 친밀함을 보게 된다. "아버지께서 아들을 사랑하사 자기가 행하시는 것을 다 아들에게 보이시고"(20절). 그리고 예수님 편에서의 이 의지적 순종과 아버지 하나님 편에서의 애정 어린 가르침에는 더 큰 일들에 대한 계속 증대되는 진보의 증거가 있음도 보게 된다. 점차로 하나님의 아들 예수님은 아버지 하나님이 하실 수 있는 모든 것을 하실 수 있게 될 것이다. "또 그보다 더 큰 일을 보이사 너희로 놀랍게 여기게 하시리라"(20절).

이 묘사는 아버지 하나님과 거룩한 인간성을 입으신 그분의 아들 예수님 사이의 관계를 나타낸다. 만일 그분의 인간성이 실제적이고 참된 것이라면, 그리고 만일 우리가 어떻게 그리스도가 진정으로 우리의 본이 되시는지를 이해하고자 한다면, 우리는 여기에서 우리의 복되신 주님이 자신의 내면생활의 비밀들을 우리에게 보여주신다는 것을 완전히 믿어야 한다. 그분이 하시는 말씀은 완전히 진리이다. 삶의 모든 순간에 하나님의 아들 예수님이 아버지 하나님을 의지하셨다는 것은 절대적으로 그리고 확실히 사실이다. "아들이 아버지께서 하시는 일을 보지 않고는 아무 것도 스스로 할 수 없나니"(19절). 예수님은 아버지 하나님의 명령을 기다리는 것을 굴욕으로 여기지 않으셨다. 오히려 그분은 자신이 아버지 하나님의 아들(Child)로서 그분에 의해 안내를 받고 또 인도함 받는 것을 자신의 최고의 복으로 여기셨다. 따라서 예수님은 아주 철저히 순종하는 가운데 아버지 하나님이 보여주신 것만을 말하고 행하셨다. "아버지께서 행하시는 그것을 아들도 그와 같이 행하느니라"(19절).

그것에 대한 증거는 이것이다. 예수님은 항상 아주 조심스럽게 성경 말씀을 따르고자 하셨다는 것이다. 그분은 고난을 당하실 때 성경 말씀을 이루시기 위해 그 모든 것을 견디셨다. 이를 위해 그분은 밤새도록 기도하셨다. 그렇게 계속해서 기도하시면서 아버지 하나님께 자신의 생각을 말씀하신 후 응답을 기다리셨고, 그러므로 아버지 하나님의 뜻을 알게 되었다. 비록 아이가 잘 알지 못하거나 종이 자유롭지 못해도 그들은 아버지나 주인이 말한 것을 지키지 못할까 걱정하지 않았다. 주 예수님이 하늘 아버지의 가르침과 인도를 따랐듯이, 그들도 아버지나 주인의 가르침과 인도를 따르면 되었기 때문이다. 그로 인해 아버지 하나님은 계속해서 아무 것도 숨기지 않으셨다. 예수님은 전적으로 의지하고 또 언제나 자발적으로 배우려고 하셨기 때문에 그것에 대한 보답으로 아버지 하나님의 모든 비밀을 가장 완전하게 알게 되셨다. "아버지께서 아들을 사랑하사 자기가 행하시는 것을 다 아들에게 보이시고 또 그보다 더 큰 일을 보이사 너희로 놀랍게 여기게 하시리라"(20절). 아버지 하나님은 예수님을 위한 영광스러운 인생계획을 세우셨는데, 이는 예수님 안에서 신적인 생명이 인간의 실존 상태로 보여 지도록 하기 위해서였다. 이 계획은 마침내 모든 것이 영광스럽게 이루어질 때까지 서서히 하나님의 아들 예수님께 나타나게 되었다.

하나님의 자녀여! 하나님은 독생자 예수님을 위해서 뿐만 아니라 자신의 자녀들 한 사람 한 사람을 위해서도 인생계획을 세우셨다. 이 인생계획은 우리가 하나님 아버지께 얼마나 전적으로 의지하면서 사는가에 따라 우리들 삶 속에서 그것의 성취도가 결정될 것이다. 우리가 하나님의 아들 예수님의 이러한 전적인 의지-그분은 오직 아버지 하나님이 행하시는 것을 자신이 보시는 것만을 행하심-와 그분의 절대적인 순종-하나님의 아들 예수님도 아버지 하나님이 행하시는 그것을 행하심-에 근접할수록, "아버지께서 아들을 사랑하사 자기가 행하시는 것을 다 아들에게 보이시고 또 그보다 더 큰 일을 보이사 너희로 놀랍게 여기게 하시리라"(20절)는 그 약속이 훨씬 더 많이 우리에게 이루어질 것이다. 그리스도와 같이! 이 말은 예수님이 아버지 하나님을 전적으로 의지하면서 복된 삶을 사셨던 것 같이 그분의 그러한 삶을 본받도록 우리에게 요구한다. 우리 각 사람은 그렇게 살도록 초대를 받은 것이다.

그와 같이 하나님 아버지를 의지하면서 사는데 있어서 무엇보다도 필요한 것은, 그분은 우리에게 자신의 뜻을 알리실 것이라는 확고한 믿음이다. 많은 사람들이 이러한 믿음을 가지고 있지 못하다고 나는 생각한다. 그들은 주 하나님이 예수님께 그렇게 하셨듯이 자신들을 완전히 돌보시기 때문에 수고를 아끼지 않고 자신들을 가르치시며 자신의 뜻을 자신들에게 알리신다는 것을 믿지 못한다는 것이다.

그리스도인이여! 당신은 당신이 아는 것 그 이상으로 하나님 아버지께 귀한 존재다. 당신은 하나님이 당신을 위해 지불하신 대가만큼, 곧 그분의 아들의 보혈만큼 가치가 있는 것이다. 그러므로 하나님은 당신과 관계있는 가장 작은 일에도 최고의 가치를 두시며, 심지어는 가장 사소한 일에서도 당신을 인도하실 것이다. 그분은 당신이 생각할 수 있는 것 그 이상으로 당신과 친밀하고 변함없는 교제를 나누기를 바라신다. 그분은 자신의 영광을 위해 당신을 사용하실 수 있으며, 당신이 이해할 수 있는 것 그 이상으로 당신을 크게 사용하실 수 있다. 하나님 아버지는 자신의 자녀를 사랑하시며 그에게 자신이 하시는 것을 보여주신다. 그분은 예수님 안에서 그것을 입증해 보이셨고 우리 안에서도 그렇게 하실 것이다. 우리는 전심으로 그분의 가르침을 기대해야 한다. 하나님은 자신의 성령을 통해 부드럽게 이것을 주신다. 우리가 있는 곳에서 우리를 떠나게 하지 않으시고도 하나님 아버지께서는 우리로 하여금 그리스도의 형상을 본받게 하심으로 모든 사람들에게 축복과 기쁨이 되게 하실 수 있다. 하나님 아버지의 불쌍히 여기시는 사랑을 믿지 못해 범사에 하나님의 인도하심에 대한 기대를 하지 않은 일이 있어서는 결코 안 될 것이다.

기꺼이 (하나님께) 나아가도록 해야지 마지못해서 돌이키는 일이 없도록 하라. 이것이 두 번째 큰 장애물이다. 독립에 대한 욕망은 에덴동산에 있던 유혹이었고, 또한 모든 인간의 마음에 있는 유혹이다. 아무 것도 아닌 존재(nothing)가 되고, 아무 것도 알지 못하고, 아무 것도 바라지 않기란 사실상 어려운 것 같다. 그렇지만 그것은 정말로 축복이다. 이러한 의지를 통해 우리는 하나님과의 가장 복된 교제를 나누게 된다. 그것은 예수님께 사실이었듯이 우리에게도 그렇다. "아버지께서 아들을 사랑하사 자기가 행하시는 것을 다 아들에게 보이시고." 이렇게 의지함으로 우리는 모든 걱정과 책임을 벗어버리게 된다. 우리는 단지 명령에 순종하기만 하면 된다. 그것은 진정한 힘과 의지력을 제공해준다. 왜냐하면 우리는 그분이 우리 안에서 "자기의 기쁘신 뜻을 위하여…소원을 두고 행하게 하시"(빌 2:13)기 위해 역사하신다는 것을 알기 때문이다. 그것은 우리에게 우리의 일은 성공할 것이라는 복된 확신을 준다. 왜냐하면 우리는 오직 하나님만 그것을 떠맡으시게 했기 때문이다.

나의 형제들이여! 만일 여러분이 지금까지 이러한 의식적인 의존과 절대적인 순종의 삶에 대해 거의 알지 못했다면, 오늘 시작하라. 이것과 관련하여 주님을 여러분의 본으로 삼으라. 여러분 안에서 사시고 또 여러분 안에서 다시금 그분이 이 세상에 계실 때의 모습이 되시는 것이 그분의 거룩한 뜻이다. 그분은 여러분이 묵묵히 순종하기를 간절히 바라신다. 주님은 당신 안에서 그것을 성취하실 것이다. 독생자 예수님의 본을 따라 오늘 여러분 자신을 하나님 아버지께 드리고는 스스로 아무 것도 하지 말고 오직 하나님 아버지가 여러분에게 보여주시는 것을 하라. 여러분이 장차 될 모습의 본과 약속으로서의 예수님을 바라보라. 여러분을 위해 자신을 낮추시고 또 의지하는 삶이 얼마나 복된 삶이 될 수 있는지 보여주신 예수님을 경배하라.

거룩한 의지! 이것은 진정 우리를 그러한 하나님께 어울리게 하는 의향이다. 그것은 하나님께 속한 영광을 그분께 돌린다. 그것은 우리 영혼을 계속해서 평안과 안식 가운데 지켜준다. 왜냐하면 그것은 하나님으로 하여금 모든 것을 돌보시게 하기 때문이다. 그것은 계속해서 우리 마음을 평온하게 유지시켜주며, 하나님 아버지의 가르침을 받고 또 사용하도록 준비시킨다. 그리고 그것의 영광스러운 보답으로 거룩한 사귐을 더 깊이 경험하게 되며, 하나님 아버지께서 그것을 영화롭게 하시는 그분의 뜻과 사역을 계속해서 그리고 점차로 더 깨닫게 된다. 하나님의 아들 예수님이 지상에서 사실 때 그분의 삶의 방식이었던 거룩한 의지는 진정 내 영혼이 바라는 것이다.

거룩한 의지! 예수님이 그토록 아버지 하나님을 의지하기를 좋아하셨던 것은 자신이 하나님의 아들(a Son)이시라는 것을 아셨기 때문이다. 그리스도를 닮는 것에 관한 모든 가르침 가운데, 그 중심과 골자는 이것이다. 나는 나의 하나님 아버지와 함께 아들(a son)로서 살아야 한다는 것이다. 만일 하나님 아버지가 나에게 모든 것이 되신다는 것을 깨닫는 아들로서 내가 이 관계 안에 확실하게 서 있다면, 하나님 아버지로 말미암아 살고 또 그분을 위해 사는, 하나님의 아들 예수 그리스도를 닮는 삶은 결국 자연스럽고도 자발적인 것이 될 것이다.

〈함께 드리는 기도〉

　오, 나의 하나님 아버지! 주님의 아들 예수님의 형상을 오래 바라보면 볼수록, 저의 본성이 심히 황폐함을 깨닫게 됩니다. 그리고 죄로 인해 제가 얼마나 주님에게서 멀어졌는지도 깨닫게 됩니다. 주님을 의지하고, 또 주님처럼 그토록 지혜롭고 선하시며, 그토록 부유하고 강하신 하나님 안에서 모든 것을 신뢰하는 것보다 더 귀한 복은 있을 수 없습니다. 그럼에도 그것이 가장 어려운 것이 되었습니다. 우리는 모든 영광의 하나님보다도 우리 자신의 어리석음을 의지하려고 합니다. 오, 가장 복되신 주님! 주님의 자녀들조차도 종종 자신들의 생각과 의지를 포기하는 것과, 아주 작은 일에 이르기까지 주님을 절대적으로 의지하는 것이 단 하나의 참된 복이라는 것을 믿는 것이 참으로 힘들다고 생각합니다.

　주 하나님, 저에게 그러한 의지를 가르쳐 주옵소서라고 겸손히 기도하면서 주님께 나아옵니다. 자신의 피로 저에게 영원한 복을 사주신 예수님이 복이 어디에 있는지 자신의 삶으로 저에게 보여주셨습니다. 그리고 저는 예수님이 지금 그 복 가운데 저를 인도하시고 또 지키실 것을 알고 있습니다.

　오, 나의 하나님 아버지! 주님의 아들 예수님 안에서 저를 주님께 드리오니 예수님을 닮게 하여 주옵소서. 그분과 같이 아무 것도 스스로 하지 않고 하나님 아버지께서 저에게 보여주시는 것만을 행하게 하여 주옵소서. 예수님을 닮도록 그리고 그분을 위해서 저를 취하여 훈련을 받게 하시고 주님의 일을 저에게 보여 주옵소서.

　오, 나의 하나님! 예수 그리스도께 아버지가 되시는 것처럼, 저에게도 아버지가 되어 주시고 예수님이 아들이신 것처럼 저로 하여금 주님의 아들이 되게 하여 주옵소서. 아멘.

예수님의 사랑

새 계명을 너희에게 주노니 서로 사랑하라
내가 너희를 사랑한 것 같이 너희도 서로 사랑하라.
−요 13:34

내 계명은 곧 내가 너희를 사랑한 것 같이
너희도 서로 사랑하라 하는 이것이니라.
−요 15:12

우리의 죄와 연약함을 깨닫게 하는 것은 율법의 계명이 아니다. 오히려 그것은 더 나은 약속들 위에 세워진 새 언약에 따른 새 계명이다. 그것은 예수님이 주시지 않은 것은 아무 것도 요구하지 않으시는 계명이며, 이제는 주시겠다고 말씀하시는 계명이다. 그것은, 예수님이 우리 안에서 역사하지 않으시는 것은 그분이 우리에게서 아무 것도 기대하지 않으신다는 확신이다. 그분은 이렇게 말씀하신다. "내가 너희를 사랑한 것 같이 그리고 내가 성령을 통해 그 사랑을 너희 위에 부어주는 매순간, 서로 사랑하라. 너희 사랑의 분량이 어느 정도인지, 어떤 능력을 가지고 있는지 그리고 어떻게 작용하는지는 너희를 위한 내 사랑을 보면 알게 될 것이다."

"내가 너희를 사랑한 것 같이." 이 말씀은 우리가 서로를 사랑해야 하는 사랑의 정도를 말해준다. 참된 사랑은 한도를 모른다. 그것은 자신을 전부 준다. 그것은 그것을 보여주는 시간과 분량을 고려할지는 모르지만, 사랑 자체는 언제나 전적이고 완전하다. 신적 사랑의 가장 위대한 영광은 이것이다. 즉 우리에게는 사랑 안에서 한 존재(One Being)로 머무시는 두 인격(persons)이신 하나님 아버지와 그분의 아들 예수님이 계신데, 두 분은 서로에게 자기 자신을 내어주신다는 것이다. 이것이 하나님의 형상이신 예수님의 사랑의 영광인데, 그분은 아버지 하나님이 자신을 사랑하시는 것 같이 우리를 사랑하신다. 그리고 이것이 형제애의 영광인데, 그것은 바로 하나님과 그리스도께서 사랑하시는 것 같이 사랑하는 것이다.

그리스도를 닮기를 바라는 사람은 서슴지 않고 이것을 자신의 삶의 법칙으로 받아들여야 한다. 종종 대단히 모욕적이거나 불친절한 사람들을 사랑하는 것이 얼마나 어려운지, 얼마나 불가능한지 그분은 알고 계신다. 그는 자신의 사랑이 시험받을지도 모르는 상황 가운데 있는 사람들을 만나러 가기 전에 조용히 주님 앞으로 나아간다. 그리고는 자신의 눈을 자신의 죄와 무가치함에 집중시키고 자신이 주님께 얼마만큼의 은혜를 입고 있는지 묻는다. 그는 십자가 앞으로 나아가 주님께서 자신을 얼마나 사랑하시는지를 헤아리려고 한다. 그는 자신의 머리이자 형님(Brother)이신 하늘에 계신 그분의 측량할 수 없는 사랑의 빛이 자신의 영혼에 비추게 한다. 그 신적 사랑은 오직 하나의 법칙-사랑은 자기 자신을 구하지 않고 자신을 온전히 준다-을 가지고 있다고 생각하는 것을 배울 때까지 말이다. 그리고 그는 자신을 주님의 제단에 제물로 바치면서 이렇게 말한다. "주님이 저를 사랑하신 것 같이 저도 형제를 사랑하겠습니다. 주님과의 연합 덕분에 그리고 예수님 안에서 그들과의 연합 덕분에, 제가 주님이 그들을 사랑하신 것 같이 그들을 사랑해야 한다는 것은 의심의 여지가 있을 수 없습니다." 오, 그리스도인들이 자신들의 심장의 모든 추론에 대해서는 귀를 닫고, 자신들을 사랑하시는 그분이 본으로 보여주신 법칙에만 자신들의 눈을 돌린다면! 그러면 그들은 그분의 계명을 받아들이고 그것에 순종하는 것 외에 자신들이 할 수 있는 것은 아무 것도 없다는 것을 깨닫게 될 것이다.

우리의 사랑은 그분의 사랑만을 인정해도 좋을 것이다. 왜냐하면 그분의 사랑은 우리들 사랑의 힘이기 때문이다. 그리스도의 사랑은 단지 개념이나 감정이 아니다. 그것은 실제적인 신적 생명력이다. 그리스도인이 이것을 이해하지 못하는 한에서, 그것은 그 사람 안에서 충분한 능력을 발휘할 수 없다. 그러나 그리스도의 사랑은 바로 그리스도 자신과 그분의 사랑을 그분이 사랑하시는 사람들에게 나누어 주는 것과, 그는 자신의 생명이 그것의 영양분을 얻는 근원으로 이 사랑에 뿌리를 내리고 있다는 것을 그의 믿음이 깨닫게 될 때, 그는 주님이 자신을 통해 그분의 사랑이 흘러가게 하라고 분명하게 요구하신다는 것을 이해할 수 있게 된다. 그는 그리스도께서 주시는 능력으로 살아야 한다. 그리스도의 사랑은 그를 강제하여 그로 하여금 그분이 사랑하셨던 것과 같이 사랑할 수 있게 한다.

  그리스도인은 또한 그리스도의 이 사랑으로부터 형제들에 대한 자신의 사랑의 사역은 어떠해야 하는지를 배우게 된다. 우리는 이미 애정 어린 섬김, 자기 부인, 온유함과 같은 사랑의 많은 표현들을 말할 기회를 가졌다. 사랑은 이 모든 것의 근본이다. 그것은 제자에게 자신이 속한 작은 모임에서 진정 자신을 오직 다른 사람들을 사랑하고 돕기 위해 사시는 분이신 그리스도와 같이 되라고 부름 받은 것으로 여기도록 가르친다. 바울은 빌립보 교인들을 위해 다음과 같이 기도했다. "내가 기도하노라 너희 사랑을 지식과 모든 총명으로 점점 더 풍성하게 하사"(빌 1:9). 사랑은 그것이 할 수 있는 일을 즉시 이해하지 못한다. 자신의 사랑이 지식으로 풍성해지기를 기도하고 또 진정으로 그리스도의 본을 자신의 삶의 법칙으로 받아들이는 신자는 자신이 할 수 있는 위대하고 영광스러운 일이 있다는 것을 배우게 될 것이다. 하나님의 교회는, 그리고 세상의 모든 자녀들뿐만 아니라 하나님의 모든 자녀들은 사랑, 곧 그리스도의 사랑의 표현을 절실히 필요로 한다. "내가 너희를 사랑한 것 같이 너희도 서로 사랑하라"는 주님의 말씀을 진정으로 순종해야 할 계명으로 받아들이는 그리스도인은 자신이 접촉하는 모든 사람들을 위한 복과 생명을 위한 능력을 가지고 다닌다. 사랑은 그리스도의 놀라운 삶을 전부 설명해 줄 뿐만 아니라 그분의 죽으심의 경이도 설명해 준다. 하나님의 자녀안에 있는 신적 사랑은 여전히 대단히 놀라운 일을 행할 것이다.

"보라 아버지께서 어떠한 사랑을 우리에게 베푸사"(요일 3:1). "보라 그를 얼마나 사랑하셨는가"(요 11:36). 이 두 말씀은 하나님 아버지의 사랑과 그분의 아들 예수님의 사랑의 표제이다. 그것들은 여전히 모든 그리스도인들의 삶의 핵심어가 되어야 한다. 그것들은 그리스도인들이 살아 있는 믿음을 가지고 참되게 헌신하는 가운데 자신이 사랑하신 것 같이 사랑하라는 그리스도의 계명을 삶의 법칙으로 받아들이는 곳에서는 그렇게 될 것이다. 일찍이 아브라함이 부르심을 받을 때부터, 하나님이 우리를 위해 계신 것 같이 우리도 다른 사람들을 위해 존재해야 한다는 이 원리는 하나님 나라에 살아 있는 씨앗으로 심겨졌다. "내가…네게 복을 주어…너는 복이 될지라"(창 12:2). 만일 "내가 너희를 사랑하노라"는 말씀이 하나님이 우리를 위해 계신다는 것에 대한 최고의 표현이라면, "내가 너희를 사랑한 것 같이 너희도 서로 사랑하라"는 말씀은 하나님의 자녀들이 존재해야 하는 것에 대한 첫 번째이면서 최고의 표현이어야 한다. 교회 생활에서와 같이, 설교에서도 그리스도 같이 사랑하는 사랑은 참된 제자도의 표시이다 라는 이 진리를 이해해야 한다.

사랑하는 그리스도인들이여, 그리스도 예수께서는 여러분 주변에 있는 사람들 가운데서 여러분이 사랑의 샘이 되기를 간절히 바라고 계신다. 하늘의 사랑이 당신을 기꺼이 점유할 것이다. 그러므로 당신 안에서 그리고 당신을 통해서 그것은 지상에서 그것의 복된 사역을 수행할 것이다. 그것의 법칙을 따르라. 무조건적으로 그것에 당신을 바쳐보라. 그것이 당신에게 예수님이 사랑하신 것 같이 사랑하는 것을 가르칠 수 있다는 확신을 가지고 그것을 존중하라. 주 예수님을 본받는 것이 당신의 기독교적 행위(Christian walk)의 주된 특징이어야 하듯이, 사랑은 그 본받음의 주된 특징이 되어야 한다. 비록 당신이 당장에 그것을 달성하지 못한다고 해서 낙담하지는 말라. "내가 너희를 사랑한 것 같이 너희도 서로 사랑하라"는 주님의 명령을 굳게 붙잡아라. 그렇게 되는 데는 시간이 걸린다. 은밀히 시간을 내어 그 사랑의 형상을 물끄러미 바라보라. 기도와 묵상하는 시간을 내어 그것에 대한 소원에 불을 붙여 타오르게 하라. 그들이 누구든지 그리고 무슨 일이 일어나든지, 시간을 내어 "나는 그들을 사랑해야 한다"라는 일념으로 여러분 주위에 있는 모든 사람들을 바라보라. 그와 같이 사랑하는 가능성에 대한 모든 두려움이 "내가 너희를 사랑한 것 같이 사랑하라고 내가 너희에게 명령하지 않았는가?"라는 말씀과 만나도록 시간을 내어 여러분의 주님과 여러분의 연합을 생각하라. 그리스도인이여, 시간을 내어 당신의 애정 어린 본이신 예수님과 사랑의 교제를 나눠라. 그러면 당신은 그분이 사랑하신 것 같이 사랑하라는 이 명령을 기쁘게 이행할 수 있을 것이다.

〈함께 드리는 기도〉

주 예수님, 주님은 놀랍도록 저를 사랑해 주셨습니다. 이제 주님은 저에게 주님이 사랑하시는 것 같이 사랑하라고 명하십니다. 주님 발 앞에 엎드려 기쁜 마음으로 주님의 명령을 받아들입니다. 그리고 이제 모든 사람에게 주님의 사랑을 나타내기 위해 주님의 능력을 힘입어 세상으로 나아갑니다.

오, 나의 주님! 주님의 능력 안에서만 그것이 가능하오니 저에게 주님의 사랑을 보여 주옵소서. 성령을 통해 제 마음에 주님의 사랑을 온전히 부어 주옵소서. 매 순간 제가 하나님의 사랑 받는 자녀라는 것을 경험하면서 살게 하옵소서.

주님, 저로 하여금 제 자신의 사랑이 아니라 주님의 사랑으로 사랑할 수 있음을 깨닫게 하옵소서. 주님께서 제 안에 살고 계십니다. 주님의 성령이 제 안에 거하시며 역사하십니다. 제가 다른 사람들을 사랑할 수 있는 사랑이 주님으로부터 제 안으로 흘러들어옵니다. 주님은 제가 저의 부르심을 이해하고 받아들이라고, 또 제 자신을 복종시켜 주님이 사셨던 대로 살라고 요구하십니다. 주님께서는 제가 이기적이고 사랑 없던 옛 본성을 십자가에 못 박힌 것으로 여기고 믿음으로 주님이 명하시는대로 행할 준비를 하기 원하십니다.

주님, 그렇게 하겠습니다. 주님의 능력 안에서 주님이 저를 사랑하신 것 같이 사랑하는 삶을 살기 원합니다. 아멘.

예수님의 기도

새벽 아직도 밝기 전에 예수께서 일어나 나가
한적한 곳으로 가사 거기서 기도하시더니.
−막 1:35

이르시되 너희는 따로 한적한 곳에 가서
잠깐 쉬어라 하시니.
−막 6:31

은밀한 기도생활에서도 내 구주 예수님은 나의 본이시다. 그분은 계속해서 사람들로부터 물러나서 아버지 하나님과 교제를 나누지 않고서는 자신의 영혼 속에 하늘의 생명을 유지할 수가 없었다. 마찬가지로, 내 안에 있는 하늘의 생명도 사람들로부터 온전히 물러날 필요가 있다. 다시 말하면, 홀로 있을 시간이 필요할 뿐만 아니라, 생명의 토대이신 하늘에 계신 하나님 아버지와의 사귐을 위한 충분한 시간이 필요한 것이다.

그토록 제자들의 주의를 끌었던 사건은 그분의 공적 사역이 시작될 때 일어났고, 그들은 그것을 기록했다(막 1:21-38을 보라). 가버나움에서 종일 기사(wonders)를 행하시는 사역을 하셨음에도, 저녁이 되자 무리의 수가 훨씬 더 많아졌다. 온 동네 사람들이 문 앞에 모여들었다. 병자들은 고침을 받았고 귀신들은 쫓겨났다. 잠을 자러가기에는 늦은 시간이었다. 사람들 사이에서는 편안히 쉬거나 은밀한 기도를 하기가 힘들었다. 그리하여 제자들이 아침에 일찍 일어났을 때, 그들은 예수님이 보이지 않으신다는 것을 알게 되었다. 고요한 밤에 그분은 홀로 광야의 한적한 곳을 찾아 가셨다. 그들이 거기에서 예수님을 찾았을 때, 그분은 여전히 기도하고 계셨다.

왜 구주께서는 그러한 기도시간이 필요하셨던 것일까? 그분은 아주 분주한 가운데에서는 하나님께 자신의 영혼을 조용히 올려드리는 복을 알지 못하셨던 것일까? 아버지 하나님이 그분 안에 거하지 않으셨던가? 그분은 자신의 심장 깊은 곳에서 아버지 하나님과 온전한 교제를 누리지 않으셨던가? 물론, 그렇게 하셨다. 그 감추어진 삶은 진정 그분의 삶의 일부분이었다. 그러나 인간성의 법칙에 지배를 받는 그 삶은 원천이신 하나님(Fountain)으로부터 계속해서 기운을 되찾고 또 소생할 필요가 있었다. 그것은 의지하는 삶이었다. 그 삶은 강하고 참되었기 때문에 하나님 아버지와의 직접적이고 계속적인 교제를 상실할 수 없었는데, 아버지 하나님과 함께 그리고 아버지 하나님 안에서 그 삶은 그것의 존재와 복을 가졌다.

진정 모든 그리스도인들이 배워야할 교훈이다! 사람들과 너무 많은 교제를 나누게 되면, 우리의 영적 삶은 분산되고 위험에 처하게 된다. 그것은 우리로 하여금 가시적이고 일시적인 것의 영향을 받게 만든다. 하나님과의 은밀하고 직접적인 교제의 상실을 벌충할 수 있는 것은 아무 것도 없다. 하나님을 섬기고 또 사랑을 섬기는 일조차도 힘이 든다. 우리 안에서 나오는 능력이 없이는 우리는 다른 사람들을 축복할 수 없으며, 이것은 위로부터 회복되어야 한다. 만나의 법칙, 곧 하늘에서 내려온 것도 땅 위에서 오래도록 좋은 상태를 지속할 수 없고 하늘로부터 매일 새로이 회복되어야 한다는 것은 여전히 사실이다. 예수 그리스도는 우리 각자에게 이 진리를 가르치신다. 나는 매일 나의 하나님 아버지와 은밀한 교제를 가질 필요가 있다는 것이다. 내 삶은 하늘에 감추어진 삶, 곧 하나님 안에 감추어진 삶인 그리스도의 삶과 같다. 그것은 날마다 하늘로부터 양식을 공급받을 필요가 있다. 이 세상에서 하늘의 삶을 살 수 있는 힘은 오직 하늘에서만 올 수 있다.

그런데 주님은 그토록 오랫동안 어떤 기도를 하셨을까? 만일 그분이 기도하시는 것을 들을 수 있었다면, 내가 어떻게 기도해야 하는지를 배울 수 있었을 텐데! 하나님을 찬양하라! 성경에는 그분이 하신 기도들이 기록되어 있기 때문이다. 그러므로 그 기도들을 통해 우리는 그분의 거룩한 본을 따르는 것을 배울 수 있다. 요한복음 17장에 나오는 대제사장의 기도에서 우리는 예수님이 하늘의 깊은 고요 속에서와 같이 아주 잔잔하게 아버지 하나님께 말씀하시는 것을 듣게 된다. 그리고 몇 시간 뒤 겟세마네 기도에서 고뇌와 깊은 어둠 가운데서 하나님께 간구하시는 것을 듣게 된다. 우리는 이 두 기도에서 모든 것, 곧 아버지 하나님과 그분의 아들 예수님 사이의 기도의 사귐 속에 가장 높고도 가장 깊은 것이 있음을 발견하게 된다.

이 두 기도에서 우리는 예수님이 어떻게 하나님께 말씀하시는지를 보게 된다. 매 순간 예수님은 하나님을 아버지라고 부르셨다! "오, 나의 아버지!" 이 말씀 속에 모든 기도의 비밀이 담겨 있다. 주님은 자신이 아버지 하나님의 아들(a Son)이시며 그분이 자신을 사랑하신다는 것을 알고 계셨다. 이 말씀과 함께 그분은 충만하게 빛나는 아버지 하나님의 면전에 서셨다. 이것은 그분에게 기도의 가장 큰 필요이자 가장 큰 축복, 곧 아버지 하나님의 사랑을 충만하게 누리는 것이었다. 그와 같이 나에게도 그 말씀이 있게 하자. 믿음의 거룩한 침묵과 경배가 내 기도의 원리 부분이 되게 하라. 하나님이 자신을 나에게 보여주시고 자신의 성령을 통해 내게 그분이 하나님 아버지로서 나를 내려다보신다-그리고 내가 그분을 아주 기쁘시게 한다-는 사랑스런 확신을 주실 때까지 그 가운데서 나는 기다린다.

영혼이 고요한 가운데 "아빠, 하나님"이라고 말하는 것의 의미를 충분히 의식할 시간이 없는 사람은 기도의 최고 부분을 놓치는 것이다. 우리가 하나님의 자녀들이라는 것과, 하나님 아버지가 가까이 오셔서 우리를 기뻐하신다는 성령의 증언이 이루어지고 강화되는 것은 바로 기도할 때이다. 성경은 우리에게 이렇게 말한다.

> 사랑하는 자들아 만일 우리 마음이 우리를 책망할 것이 없으면 하나님 앞에서 담대함을 얻고 무엇이든지 구하는 바를 그에게서 받나니 이는 우리가 그의 계명을 지키고 그 앞에서 기뻐하시는 것을 행함이라. (요일 3:21-22)

예수님의 기도에서 나는 그분이 원하시는 것이 무엇인지를 보게 된다. 바로 아버지 하나님이 영광을 받으시도록 하는 것이다. 그분은 이렇게 기도하셨다. "내가…아버지를…영화롭게 하였사오니"(요 17:4). "아들을 영화롭게 하사 아들로 아버지를 영화롭게 하게 하옵소서"(1절). 그것은 분명 모든 기도의 정신(spirit)인 오로지 아버지 하나님의 뜻과 영광을 위해서 살기 위해 그분 자신을 완전히 복종시키는 것이었다. 예수님의 간구에는 단 하나의 목적이 있었다. 하나님이 영광을 받으시도록 하는 것이었다. 이 점에서도 그분은 나의 본이시다. 내가 하는 모든 기도 속에 다음과 같은 복종의 정신을 갖도록 애써야 하겠다. "하나님 아버지, 주님의 자녀를 축복하시옵소서. 그리고 제가 주님을 영화롭게 하도록 제 안에서 주님의 은혜를 영화롭게 하옵소서." 우주 안에 있는 모든 것은 하나님의 영광을 나타내야만 한다. 이런 생각을 품은 그리스도인은, 그리고 자신이 기도에 투철하게 될 때까지 그것을 적절히 사용하여 그것을 나타내는 그리스도인은 기도하는 가운데 능력을 얻게 될 것이다. 심지어 우리 주님은 하늘에서의 자신의 사역에 대해서도 이렇게 말씀하셨다. "너희가 내 이름으로 무엇을 구하든지 내가 행하리니 이는 아버지로 하여금 아들로 말미암아 영광을 받으시게 하려 함이라"(요 14:13). 오, 나의 영혼아! 네 구주 예수님으로부터 배워라. 기도로 너의 소원을 쏟아 놓기 전에, 하나님이 네 안에서 영광을 받으시도록 하라는 한 가지 목적을 가지고 먼저 너 자신을 전부 번제로 드려라.

그 때에 당신에게는 기도할 수 있는 확고한 토대가 있는 것이다. 당신은 하나님이 영광을 받으시도록 그리스도의 본의 한 부분에서, 곧 그리스도의 형상의 각 특징에서 당신이 그리스도를 닮게 해달라고 하나님께 간구할 온전한 자유뿐만 아니라 강한 소원을 느낄 것이다. 계속해서 새롭게 기도할 때만, 당신은 어떻게 영혼이 자신을 복종시켜 기도 가운데 자기에게 영광이 될 일을 행하실 하나님을 기다릴 수 있는지를 이해할 것이다. 예수님은 아버지 하나님의 영광을 위해 자신을 온전히 복종시키셨기 때문에, 충분히 우리의 중재자가 되실 만하다. 예수님은 자신의 대제사장적 기도에서 자기 사람들을 위해 그러한 큰 축복을 간구하실 수 있었다. 예수님처럼 기도할 때 하나님의 영광만을 구하는 것을 배우라. 그러면 당신은 참된 중보자, 곧 자신의 필요를 가지고 은혜의 보좌 앞에 나아갈 수 있을 뿐만 아니라 다른 사람들을 위해 역사하는 힘이 많은 "의인의 간구"(약 5:16)하는 기도를 할 수 있는 사람이 될 것이다. 구원의 주께서 우리 입 속에 주님이 가르치신 기도(the Lord's Prayer)로 두신 말씀인 "(아버지의) 뜻이…이루어지이다"(마 6:10)를 그분은 우리 입에서 다시 취하여 겟세마네에서 자기 자신의 것으로 만드셨다. 왜냐하면 그분은 "범사에 형제들과 같이 되"셨기 때문이다(히 2:17). 그와 같이 우리는 주님의 속죄와 중보의 능력 안에서 그것들을 다시 받아서 그분이 기도하셨던 것처럼 그것들로 다시 기도할 수 있을 것이다. 당신도 그리스도와 같이 교회의 연합과 번영이, 그리고 죄인들의 구원이 아주 많이 결정되는 그 제사장적 중보 기도를 할 수 있을 것이다.

모든 기도에서 하나님의 영광을 주된 목적으로 삼는 사람은 또한 만일 하나님이 그를 겟세마네의 기도에로 부르신다면 그것을 위한 힘을 얻게 될 것이다. 그리스도께서는 우리를 위해 자신을 주셨기 때문에, 그분의 모든 기도는 중보였고 자기희생의 정신이 담겨 있었다. 그분이 간구하여 받으신 모든 것은 우리의 관심사들이다. 뿐만 아니라 사람을 위해 당신 자신을 전부 하나님께 드려라. 그리고 예수님과 같이 우리도 일상생활의 모든 기도 가운데서 우리 자신을 전부 하나님께 산 제물로 드리는 것은 눈물과 고통을 요하는 의지를 굴복시키는 특별한 행위에로 우리가 부름을 받게 될 영혼 투쟁의 그 개개의 시간들을 준비하는 것이다. 그러나 전자를 배운 사람은 확실히 후자를 위한 힘을 얻게 될 것이다.

오, 나의 형제들이여! 만일 여러분과 내가 예수님과 같이 되기를 바란다면, 우리는 특별히 광야에서 홀로 기도하셨던 그분을 깊이 생각해야 한다. 거기에 그분의 놀라운 삶의 비밀이 있다. 예수님이 행하시고 사람에게 말씀하신 것은 자신이 먼저 아버지 하나님과 말과 삶으로 나누셨던 것이다. 아버지 하나님과의 사귐 가운데 성령의 기름 부음을 받음으로 매일 새롭게 되었다. 예수님의 행동과 대화에서 그분을 닮기를 바라는 사람은 예수님을 따라서 한적한 곳으로 가는 것으로 시작해야 한다. 비록 밤에 잠을 자지 못하거나 사업을 희생하거나 친구들과의 교제를 희생하더라도, 시간을 내어 하나님 아버지와 함께 홀로 있는 시간을 가져야 한다. 보통의 기도시간 이외에도 때때로 신자는 주체할 수 없을 정도로 거룩한 곳으로 가서 하나님이 자신의 일부라는 사실이 한 번 더 자신에게 알려질 때까지 거기를 떠나지 않겠다고 이끌림을 받는다는 느낌이 들 것이다. 문이 닫힌 우리의 골방에서 또는 광야의 한적한 곳에서 우리는 매일 하나님을 발견해야 하고 그분과의 우리의 사귐은 새로워져야 한다. 만일 그리스도께 아버지 하나님과의 사귐이 필요했다면, 두말할 것 없이 우리에게는 훨씬 더 필요하다! 그리스도께 아버지 하나님과의 사귐이 있었던 것처럼, 그 사귐이 우리에게도 있을 것이다.

예수님께 아버지 하나님과의 사귐이 있었다는 것은 예수님의 세례에 대한 기록을 보면 분명해 진다.

> 백성이 다 세례를 받을새 예수도 세례를 받으시고 기도하실 때에 하늘이 열리며 성령이 비둘기 같은 형체로 그의 위에 강림하시더니 하늘로부터 소리가 나기를 너는 내 사랑하는 아들이라 내가 너를 기뻐하노라 하시니라. (눅 3:21-22)

그렇다. 이것은 우리에게 기도의 축복, 곧 하늘의 열림, 성령의 세례, 하나님 아버지의 음성 그리고 그분의 사랑과 좋은 즐거움에 대한 복된 확신이 될 것이다. 기도의 축복이 예수님께 있었던 것 같이 우리에게도 있을 것이다. 그것은 모두 기도에 대한 응답으로 위로부터 올 것이다.

그리스도와 같이 은밀히 기도하는 것은 사람들 앞에서 그리스도를 닮는 삶을 사는 비결일 것이다. 자, 이제 우리 모두 일어나서 마음껏 우리의 놀라운 특권을 사용하자. 그리스도와 같이 용감하게 하나님 아버지의 임재 속으로 다가가자. 그리고 그리스도와 같이 기도로 하나님과 함께 하는 자유를 누리자.

〈함께 드리는 기도〉

오, 나의 복되신 주님! 범사에 주님을 닮도록 주님이 저를 부르셨기에 제가 주님을 따랐습니다. 주님이 가시는 곳은 어디든지 주님의 인도를 받도록 날마다 주님의 발자국들을 찾습니다. (드디어) 오늘 그것들을 찾았고 밤이슬에 젖은 그 발자국들을 따라 가니 광야에 이르게 되었습니다. 거기에서 주님이 아버지 하나님 앞에서 몇 시간이나 무릎을 꿇고 계신 것을 봅니다. 또한 주님의 기도소리를 듣습니다. 거기에서 주님께서는 아버지 하나님의 영광을 위해 모든 것을 포기하시고 그분께 모든 것을 구하고 기대하며 받습니다. 주님께 간구하오니, 이 놀라운 비전, 곧 아버지 하나님과 교제를 나누시기 위해 날이 새기 전에 오래 동안 깨어 자신의 삶과 사역을 위해 필요했던 모든 것을 기도로 구하여 얻으신 내 구주의 모습이 제 영혼 깊은 곳에도 새겨지게 하여 주옵소서.

오, 나의 주님! 제가 누구이기에 주님께 귀를 기울이도록 하십니까? 더욱이 제가 누구이기에 주님이 기도하신대로 기도하라고 하시나이까? 귀하신 구주여, 제 마음 깊은 곳에서 주님께 간구합니다. 제 안에서도 은밀한 기도에 대한 강한 필요를 깨닫게 하옵소서. 주님과 같이 저에게도 하늘에 계신 하나님 아버지와의 아주 은밀한 교제가 없다면, 신적 삶은 온전하게 성장할 수 없다는 것을 더 깊이 깨닫게 하옵소서. 그러므로 제 영혼이 진정으로 하나님의 얼굴의 빛 안에 거하게 될 것입니다. 이 확신으로 인해 제 영혼이 매일 새로이 하늘의 사랑의 시냇가에서 세례를 받을 때까지 나는 가만히 있지 않을 것이라는 그와 같은 불타는 소원이 제 안에서 일게 하여 주옵소서. 오, 저의 본이시며 중재자이신 예수님! 주님과 같이 기도할 수 있도록 저를 가르쳐 주옵소서. 아멘.

예수님이 성경을 사용하심

또 이르시되 내가 너희와 함께 있을 때에 너희에게 말한 바
곧 모세의 율법과 선지자의 글과 시편에 나를 가리켜
기록된 모든 것이 이루어져야 하리라 한 말이 이것이라.
―눅 24:44

    주 예수님이 인간으로 이 땅에 오셔서 이루신 것은 모두 성경에 근거한다. 그분은 성경을 사용하여 그렇게 하셨다. 예수님은 성경에서 자신이 걸어가야 할 길, 자신의 사역을 할 수 있게 할 양식과 힘 그리고 자신이 모든 적을 이길 수 있는 무기를 발견하셨다. 성경은 그분의 전 생애와 수난 기간 내내 진정 그분에게 없어서는 안 될 것이었다. 예수님의 삶은 처음부터 끝까지 자신에 대해 성경에 기록된 것을 이루는 것이었다.

굳이 그것에 대한 증거를 제시할 필요는 없을 것이다. 예수님은 광야에서 시험을 받으실 때 "기록되었으되"(마 4:4)라고 말씀하심으로 사탄을 물리치셨다. 예수님은 바리새인들과 논쟁을 벌이실 때도 "성경이 무어라 말하는지," "읽지 못하였느냐," "너희가…읽어 보지도 못하였느냐"(예를 들면, 막 12:3,5 막 12:10, 26; 눅 6:3을 보라), "기록된 바…하지 아니하였느냐"(막 11:17; 요 10:34를 보라)라고 물으시면서 계속해서 말씀에 호소하셨다. "성경이 어떻게 이루어지겠느냐"(마 26:54). 그분은 제자들과 교제를 나누실 때에도 언제나 성경으로부터 자신의 고난과 부활의 필요성과 확실성을 입증하셨다. 그리고 예수님이 자신의 마지막 고난을 당하시는 동안 아버지 하나님과 교제하시면서 자신이 버림받은 것에 대해 불평하고 곧이어 아버지 하나님의 손에 자신의 영을 맡기신 것은 바로 성경 말씀 안에서다. 이 모든 것은 매우 깊은 의미를 지니고 있다. 예수님 자신이 살아 있는 말씀이셨다. 그분은 측량할 수 없는 성령(the Spirit)을 가지고 계셨다. 그분은 기록된 말씀이 없어도 행하실 수 있는 분이셨다. 그럼에도 불구하고 예수님에게 그것은 전부였다는 것을 우리는 잘 알고 있다. 그러므로 그분은 그 누구보다도 인간의 육체 안에 있는 하나님의 생명과 인간의 말(speech) 안에 있는 하나님의 말씀은 뗄 수 없이 연결되어 있다는 것을 우리에게 보여주신다. 하나님의 말씀이 단계적으로 예수님을 인도하고 또 유지하지 않았다면, 그분은 자신의 본래 모습이 되지 못하셨을 것이며 자신이 하신 일을 하지도 못하셨을 것이다.

이것이 우리에게 무엇을 가르치는지 이해하려고 노력하자. 하나님의 말씀은 한때 씨앗이라고 불린 것 그 이상이다(예를 들면, 마 13:18-43, 눅 8:5-15를 보라). 하나님의 말씀은 신적 생명의 씨앗이다. 우리는 씨앗이 무엇인지를 알고 있다. 식물이나 나무의 보이지 않는 본질인 생명은 매우 응집되고 구체화되어 다른 곳에 나무의 생명을 나누어줄 수 있도록 멀리 보내져 쓰인다. 그것은 이중적으로 사용될 수 있다. 예를 들면, 우리는 옥수수의 열매를 가지고 빵을 만들어 먹는다. 식물의 생명이 우리의 영양분과 우리의 생명이 되는 것이다. 또는 우리가 그 씨앗을 심으면, 그것의 생명이 스스로 재생산하여 번식하게 된다. 이 두 가지 면에서 하나님의 말씀은 씨앗이다.

참된 생명은 오직 하나님 안에서만 발견된다. 그러나 만일 그 생명이 우리가 그것을 알고 또 알아볼 수 있는 어떤 모습으로 우리 앞에 제시되지 않는다면 우리에게 전해질 수 없다. 보이지 않는 신적 생명이 형태를 갖추고 그 자체를 우리의 이해 범위 안으로 가져오며 쉽게 전달될 수 있게 되는 것은 하나님의 말씀 안에서다. 하나님의 생명, 생각, 감정 그리고 능력은 그분의 말씀 안에서 구체화된다. 그리고 하나님의 생명이 진정 우리 안으로 들어올 수 있는 것은 오직 하나님의 말씀을 통해서이다. 그분의 말씀이 하늘의 생명의 씨앗이다.

우리는 그것을 생명의 양식으로 먹는다. 우리는 그것을 먹고 살아간다. 우리가 일용할 양식을 먹을 때, 우리 몸은 보이는 자연-태양과 땅-이 씨 옥수수 안에서 우리를 위해 준비한 영양분을 섭취하는 것이다. 우리는 그것을 소화하여 흡수하며, 그것은 우리 자신의 것, 즉 우리 자신의 일부가 된다. 그것은 우리의 생명이다. 하나님의 말씀을 먹고 살 때, 하늘의 생명의 능력들이 우리 안으로 들어오며 우리 자신의 것이 된다. 우리는 그것들을 소화하여 흡수한다. 그것들은 우리 자신의 일부, 즉 우리 생명 중의 생명이 된다.

또는 우리는 그 씨를 땅에 심는데 사용하기도 한다. 하나님의 말씀이 우리 마음 밭에 뿌려진다. 그것은 재생산과 번식의 신적 능력을 가지고 있다. 그 안에 있는 생명, 곧 그것이 포함하고 있는 신적 생각, 성질 또는 능력이 바로 믿음의 마음에 뿌리를 내리고 자란다. 그리고 하나님의 말씀이 말하는 것이 우리 안에 생긴다. 하나님의 말씀은 신적 생명이 충만한 씨앗이다.

주 예수님이 인간이 되셨을 때, 그분은 전적으로 하나님의 말씀에 의존하셨다. 그것에 완전히 복종하셨다. 어머니가 예수님에게 그것을 가르쳤다. 나사렛의 교사들이 그분에게 그것을 가르쳤다. 그분은 묵상과 기도 가운데 순종과 믿음을 실천하면서 오래 동안 묵묵히 준비하는 중에 그것을 깨닫고 이해하도록 인도함을 받으셨다. 예수님에게 아버지 하나님의 말씀은 영혼의 생명이었다. 광야에서 예수님이 하신 말씀은 자신의 가장 깊은 개인적인 체험에서 나온 것이었다. "사람이 떡으로만 살 것이 아니요 하나님의 입으로부터 나오는 모든 말씀으로 살 것이라"(마 4:4). 예수님은 하나님의 말씀이 자신에게 아버지 하나님의 생명을 가져다 줄 때만 자신이 살 수 있다고 생각했다. 그분의 전 생애는 믿음의 삶, 곧 아버지 하나님의 말씀에 의지하는 삶이었다. 하나님의 말씀은 아버지 하나님을 대신하는 것이 아니라 살아 계신 아버지 하나님과의 생생한 사귐을 위한 수단이었다. 예수님의 마음과 가슴은 모두 하나님의 말씀으로 가득 채워져 있어서 매 순간 성령께서는 이미 사용할 준비가 되어 있는, 그분이 들을 필요가 있는 바른 말씀을 그분 안에서 찾으실 수 있었다.

하나님의 자녀여, 당신은 믿음이 강하고 축복이 가득하고 하나님의 영광을 위한 열매가 풍성하며 하나님의 말씀으로 충만한 하나님의 사람이 되기를 원하는가? 그리스도와 같이 하나님의 말씀을 당신의 양식으로 삼으라. 그것이 당신 안에 풍성하게 거하게 하라. 당신의 마음을 그것으로 가득 채워라. 그것을 먹고 살아라. 그것을 믿어라. 그것에 순종하라. 하나님의 말씀이 당신의 내면에 들어갈 수 있는 것은, 다시 말하면 바로 당신의 존재에 들어갈 수 있는 것은 오직 믿음과 순종을 통해서다. 매일매일 그것을 하나님의 입으로부터 나오는 말씀으로 받아들여라. 이미 나온 말씀이 아니라 나오는 말씀으로, 지금 나오고 있는 말씀으로 받아들여라. 그것을 그 안에서 자신의 자녀들과 생생한 사귐을 갖고 또 그들에게 생생한 능력 가운데 말씀하시는 살아 계신 하나님의 말씀으로 여기라. 당신과 세상에 대한 하나님의 뜻, 하나님의 사역 그리고 하나님의 목적에 대한 당신의 생각을 교회나 당신 주변의 그리스도인들로부터가 아니라 하나님 아버지가 당신에게 가르치신 그분의 말씀으로부터 취하라. 그러면 그리스도와 같이 당신은 당신에 관해 성경에 기록된 모든 것을 성취할 수 있을 것이다.

그리스도께서 성경을 사용하실 때 가장 두드러진 것은 이것이다. 그분은 거기에서 자기 자신을 발견하셨다는 것이다. 그분은 자신의 형상과 모습을 보셨고, 거기에 기록된 대로 자신이 발견한 것을 이루기 위해 자신을 바치셨다. 가장 모진 고난을 당할 때 그분에게 용기를 북돋우고 또 가장 힘든 사역을 위해 그분을 강하게 한 것은 바로 성경이었다. (성경의) 모든 곳에서 그분은 하나님이 자신의 손으로 그려 놓은 신적 이정표, 곧 고난을 거쳐 영광에 이르는 이정표를 보셨다. 예수님이 마음에 품으신 유일한 생각은 아버지 하나님이 자신에게 말씀하신 대로의 모습이 되는 것, 곧 자신의 삶이 하나님의 말씀에서 발견한 대로의 모습에 정확히 상응하도록 하는 것이었다.

그리스도의 제자여, 당신도 성경에서 당신의 모습, 곧 하나님 아버지가 당신으로 하여금 되도록 의도하신 모습을 찾을 수 있다. 하나님 아버지가 자신의 말씀에서 당신이 되어야 한다고 말씀하시는 것을 깊고 분명하게 이해하려고 애써라. 이것을 충분히 이해하게 되면, 당신은 모든 어려움을 극복할 수 있는 큰 용기를 얻게 될 것이다. 나는 성경에서 나에 관해 무엇이 쓰여 있는지를 보았다. 나는 하나님의 계획안에서 내가 어떤 존재가 되도록 부름을 받았는지를 보았다. 그리스도를 닮는 것은 하나님이 정해 놓으신 것이라는 것을 알게 되면, 내 영혼은 세상을 이기는 믿음이 생긴다.

주 예수님은 자신의 형상을 관례들(institutions)에서 뿐만 아니라, 특히 구약의 신자들에서 찾았다. 모세, 아론, 여호수아, 다윗 그리고 선지자들이 본보기였다. 그래서 그분 자신이 다시금 신약성경에 나오는 신자들의 형상이시다. 우리가 성경에서 우리 자신의 형상을 찾아야 하는 것은 특히 그분 안에서 그리고 그분의 본 안에서다. "우리가 다 수건을 벗은 얼굴로 거울을 보는 것 같이 주의 영광을 보매 그와 같은 형상으로 변화하"(고후 3:18)기 위하여, 우리는 성경에서 그 형상을 우리 자신의 형상으로 바라보아야 한다. 성령은 우리 안에서 자신의 사역을 성취하시기 위해 그리스도를 우리의 본으로 받아들이고 그분의 모든 특성을 우리가 될 수 있는 모습에 대한 약속으로 바라보도록 우리를 가르치신다.

진실로 이것을 행한 그리스도인, 즉 성경에서 예수님뿐만 아니라 자신이 되어야 할 모습의 형상 안에서 약속과 본을 발견한 그리스도인은 복이 있다. 성령의 가르침을 따라 자신을 복종시켜 성경에 관한 인간적인 생각에 빠지지 않고 하나님이 자기 자녀들에 대해 생각하시는 것에 관해 성경이 계시하는 것을 단순하게 받아들이는 사람은 복이 있다.

하나님의 자녀여, 예수 그리스도께서 이 세상에서 사시다가 죽으신 것은 "성경대로"(고전 15:3)였다. 그분이 다시 살아나신 것도 "성경대로"(4절)였다. 예수님은 자신이 행하거나 고난을 당해야 한다고 성경이 말한 모든 것을 성취하실 수 있었는데, 그것은 그분이 성경을 알고 순종하셨기 때문이다. 아버지 하나님은 자신이 예수님을 위해 하시겠다고 성경에서 약속하신 모든 것을 행하셨다. 오, 성경에서 하나님이 당신에게 말씀하시고 또 구하시는 것이 무엇인지를 배우는 일에 전심으로 전념하라.

예수님이 성경에서 자신의 생명의 양식을 찾으셨듯이, 성경을 당신의 일용할 양식으로 삼고 매일 묵상하라. 우리 안에 거하시는 복되신 성령을 통해 하나님의 말씀이 진정 당신 안에서 그것의 신적 목적을 성취할 것이라고 기쁘고도 확신 있게 기대하면서 매일 하나님의 말씀으로 나아가라. 하나님의 모든 말씀은 신적 생명과 능력으로 충만하다. 당신이 그리스도께서 성경을 사용하신 대로 그것을 사용하려고 애쓸 때, 그것이 그분을 위해 했던 것을 당신을 위해서도 할 것이라고 확신하라. 하나님은 자신의 말씀 안에 당신의 인생계획을 세워 놓으셨다. 매일 당신은 거기에서 그것의 일부를 발견할 것이다. 하나님의 뜻을 행하고 있다는 확신보다 사람을 더 강하고 용기 있게 만드는 것은 없다. 성경에 당신의 형상을 그려 넣으신 하나님 자신이 만일 당신이 그분의 아들 예수님처럼 당신의 삶의 최고의 목적으로 그것에 순복한다면 반드시 당신 안에서 성경을 이루실 것이다.

〈함께 드리는 기도〉

오, 주님! 보이지 않고 영원한 모든 실체들의 신적 반영인 주님의 귀하신 말씀으로 인해 감사합니다. 제가 그 안에서 주님의 형상이자 저의 형상이신-아, 그것은 놀라운 은혜로다!-예수님의 형상을 가지게 됨을 감사합니다. 또한 예수님을 바라볼 때마다 제가 될 수 있는 모습을 볼 수 있게 하심을 감사합니다.

오, 나의 하나님 아버지! 주님의 말씀이 제게 가져다주실 놀라운 은혜를 바르게 이해할 수 있도록 저를 가르쳐 주옵소서. 주님의 아들 예수님이 이 땅에 계실 때, 그분에게 그것은 주님의 뜻을 나타내고 주님의 뜻과 능력을 전하며 주님과 교제하는 것이었습니다. 예수님은 주님의 말씀을 받아들이고 따르실 때 주님의 모든 계획을 성취하실 수 있었습니다. 주님의 말씀이 저에게도 이 모든 것이 되게 하여 주옵소서.

성령의 기름 부으심과 하나님의 입에서 나오는 말씀 그리고 저에게 말씀하시는 주님의 생생한 임재의 음성을 통해 저에게도 매일 새롭게 이루어지게 해 주옵소서. 하나님의 각각의 말씀을 통해 하나님이 저에게 하나님의 생명을 주시려 오심을 깨닫게 하소서. 그것을 때가 되면 싹트고 그 안에 감추어진 바로 그 생명, 곧 제가 처음에 그 안에서 오직 하나의 생각으로 보았던 바로 그것을 생산할 신령한 씨로 제 마음 속에 간직하도록 저를 가르쳐 주옵소서.

오, 나의 하나님! 무엇보다도 그 안에서 그것의 중심이자 본질이신 예수님, 영원한 말씀이신 그분 자신을 발견하도록 저를 가르쳐 주옵소서. 제 머리와 본이 되시는 예수님을 발견하고 또 그분 안에서 제 자신을 발견하면서, 저는 그분과 같이 주님의 말씀을 제 양식과 생명으로 여기는 법을 배우겠나이다.

오, 하나님! 우리의 복되신 예수님의 이름으로 이것을 간구합니다. 아멘.

용서

> 누가 누구에게 불만이 있거든 서로 용납하여 피차 용서하되
> 주께서 너희를 용서하신 것 같이 너희도 그리하고.
> —골 3:13

　은혜생활에서 용서는 우리가 하나님으로부터 받는 첫 번째 축복들 중 하나이다. 그것은 또한 가장 영광스러운 축복들 중 하나이다. 그것은 옛 생명에서 새 생명-하나님의 사랑의 징표와 굳은 약속-으로의 전환이다. 용서와 함께 우리는 하나님이 그리스도 안에서 우리를 위해 준비하신 모든 영적 은사들에 대한 권리를 받게 된다. 구속함을 받은 성도는 이 세상에서 뿐만 아니라 영원한 세계에서도 자신이 용서받은 죄인이라는 사실을 결코 잊을 수 없다. 성령께서 계속해서 새롭게 하시는 생생한 실체로서 하나님의 용서하시는 사랑을 경험하는 것보다 용서 받은 죄인의 사랑을 더 강렬하게 불타오르게 하거나 그의 기쁨을 일게 하거나 또는 그의 용기를 강화시키는 것은 없다. 매일 하나님을 생각할 때마다, 그는 자신이 하나님의 용서하시는 은혜를 입고 있음을 생각하게 된다.

이 용서하시는 사랑은 하나님의 본성을 나타내는 가장 놀라운 것들 중 하나이다. 하나님은 그 용서하시는 사랑 안에서 자신의 영광과 축복을 발견하신다. 그리고 하나님께서 자신의 구속함을 받은 백성들이 나누기를 바라시는 것이 바로 이 영광과 축복이다. 하나님이 그들에게 요구하실 때, 그들은 또한 용서를 받자마자 그리고 용서를 받은 만큼 다른 사람들에게 그렇게 해야 한다.

당신은 주 예수님이 그것에 대해 지금까지 얼마나 자주 그리고 얼마나 분명하게 말씀하셨는지를 주목한 적이 있는가? 만일 우리가 마태복음 6장 12, 15절과 18장 21-25절 그리고 마가복음 11장 25절에 나오는 우리 주님의 말씀들을 깊이 생각하면서 읽는다면, 우리는 우리에 대한 하나님의 용서와 다른 사람들에 대한 우리의 용서가 참으로 뗄 수 없이 밀접하게 결합되어 있음을 깨닫게 될 것이다. 주님이 죄를 회개하도록 하여 용서하시기 위해 들림을 받으신 후에, 성경은 정확히 그분이 아버지 하나님에 대해 말씀하신 것, 곧 그분이 용서하시는 것 같이 우리도 용서해야 한다고 하신 그분의 말씀을 들려준다. 우리의 본문은 그것에 대해 "주께서 너희를 용서하신 것 같이 너희도 그리하고"라고 말한다. 용서할 때, 우리는 하나님을 닮아야 하고 또 그리스도를 닮아야 한다.

이것에 대한 이유를 찾는 것은 어려운 일이 아니다. 용서하는 사랑이 우리에게 올 때, 그것은 단지 우리를 형벌로부터 해방시키는 것만이 아니다. 진정, 그것이 전부가 아니다. 훨씬 그 이상이다. 그것은 그 자체를 위해 우리를 사로잡고 우리를 소유하며 우리 안에 거하려고 애쓴다. 그리고 그렇게 우리 안에 거하기 위해 내려올 때, 그것은 자신의 하늘의 성격과 아름다움을 잃지 않는다. 그것은 여전히 우리를 향해, 우리 안에서 그리고 우리를 통해 자신의 일을 수행하려고 애쓰는 용서하는 사랑으로, 우리를 이끌어 우리가 우리에게 죄짓는 사람들을 용서할 수 있게 한다. 그러므로 용서하지 않는 것은 자신이 용서받지 못했음을 나타내는 분명한 표시라는 말은 사실이다. 단지 이기심으로부터 용서를 구하고 또 형벌로부터의 자유함으로 용서를 구하지만, 자신의 마음과 삶을 다스릴 용서하는 사랑을 진정으로 받아들이지 않은 사람은 결코 하나님의 용서가 진정으로 그에게 이르지 않았음이 진실임을 나타낸다. 다른 한편으로, 진정으로 용서를 받아들인 사람은 자신이 다른 사람을 용서하는 기쁨 속에서 자신에 대한 하나님의 용서를 믿는 자신의 믿음이 진실(reality)이라는 것을 계속적으로 확언하게 될 것이다. 그리스도로부터 용서를 받는 것과 그리스도와 같이 다른 사람들을 용서하는 것. 이 두 가지는 하나이다.

성경과 교회가 이렇게 가르치건만, 그리스도인들의 삶과 경험은 무엇을 말해주는가? 아, 슬프도다! 참으로 많은 사람들이 그와 같이 쓰여 있다는 것을 거의 깨닫지 못하고 있다. 설사 안다고 해도, 그것은 죄 많은 존재에게 기대할 수 있는 것이 아니라고 생각한다. 비록 그들이 성경과 교회가 말하는 것에 일반적으로 동의는 할지라도, 언제나 특별한 경우에는 그럴 수밖에 없는 이유가 있다고 생각하는 사람들이 얼마나 많은가? 어떤 사람들은, 만일 가해자가 다쳤다면 그는 결코 용서하지 않을 것이라는 나쁜 생각에 의해 강화될지도 모른다. 많은 탁월한 그리스도인들이 용서를 해야 함에도 용서하지 않는다. 그보다는 오히려 그들에게는 왜 그들이 용서할 필요가 없는지 변명거리가 아무것도 없다. 그럼에도 명령은 아주 간결하고 그것의 비준은 아주 엄연하다. "서로 용서하기를 하나님이 그리스도 안에서 너희를 용서하심과 같이 하라"(엡 4:32). "용서하라 그리하여야 하늘에 계신 너희 아버지께서도 너희 허물을 사하여 주시리라"(막 11:25). 그러한 인간적 추론으로는 하나님의 말씀이 아무런 효과도 없다. 사람들은 마치 하나님이 악을 이기시려고 하는 것과 그러므로 "일곱 번을 일흔 번까지"(마 18:22) 용서하시는 것은 단지 용서하시는 사랑을 통해서가 아니었던 것처럼 행하고, 범죄자가 나에게 할 것이 아니라 그리스도가 행하신 것이 내 행동의 규범이어야 하는 것이 분명하지 않은 것처럼 행하며, 그리스도의 본이 아니라 경건한 그리스도인들의 본을 본받는 것이 내가 진정으로 죄 용서를 받은 표시인 것처럼 행한다.

아! 용서하는 사랑의 법칙을 어기지 않는 교회나 그리스도인 모임은 진정 어디에 있는가? 일상의 사회관계에서 뿐만 아니라 우리의 교회 모임들에서, 자선사업에서 그리고 가정생활에서조차도, 그리스도께서 용서하셨던 것과 같이 용서하라는 부르심은 많은 그리스도인들에게 아직도 무척이나 자주 그들의 행동의 지배 원리가 되지 못하고 있음이 분명하다. 그리스도와 같이 사랑하고 용서하고 잊어버리는 대신에, 그들은 견해차로 인해 우리가 옳다고 여기는 행동 방침에 대한 반대, 실제적이거나 추측성의 냉대, 또는 불친절하거나 부주의한 말, 분노나 경멸 혹은 반목의 감정을 품어왔다. 그러한 상황에서 불쌍히 여김과 사랑 그리고 용서의 법칙의 중요성이 마음(mind)과 심장(heart)을 소유하지 못한 것이다. 지체들과 머리의 관계가 뿌리박고 있는 그 법칙은 지체들이 맺는 서로의 모든 관계를 다스려야 한다.

사랑하는 그리스도의 제자들, 세상에 그분의 모습을 나타내도록 부르심을 받은 여러분들이여! 여러분의 죄를 용서하시는 것이 예수님이 여러분을 위해 하신 첫 번째 일들 중 하나였듯이, 다른 사람들을 용서하는 것이 여러분이 그분을 위해 할 수 있는 첫 번째 일들 중 하나라는 것을 알라. 새로운 심장(heart)에 용서받는 기쁨보다 훨씬 더 달콤한 기쁨, 곧 다른 사람들을 용서하는 기쁨이 있다는 것을 기억하라. 용서받는 기쁨은 단지 한 죄인의 기쁨이지만, 용서하는 기쁨은 그리스도 자신의 기쁨, 곧 하늘의 기쁨이다. 아, 그것은 다름 아닌 그리스도 자신이 하시는 일이며, 그분 자신이 만족하는 기쁨이자 여러분이 참여하도록 부르심 받은 기쁨이라는 것을 와서 보라.

그와 같이 당신은 세상을 축복할 수 있다. 예수님이 자신의 적들을 이기시고 자신의 친구들을 자신에게 결속시키시는 것은 용서하시는 분으로서다. 예수님이 자신의 나라를 세우시고 계속해서 그것을 확장시키시는 것도 용서하시는 분으로서다. 교회가 세상으로 하여금 하나님의 사랑을 깨닫게 하는 것도 예수님의 제자들이 말로 전할 뿐만 아니라 삶으로 보여주는 용서하는 사랑을 통해서이다. 만일 세상이 예수님이 사랑하고 용서하신 것처럼 사람들이 사랑하고 용서하는 것을 본다면, 세상은 하나님이 참으로 그들과 함께 하신다는 것을 고백하지 않을 수 없을 것이다.

그래도 만일 그것이 아직도 너무 어렵고 너무 높아 (불가능해) 보인다면, 그것은 마음이 아직 거듭나지 못하고 자연 상태에 있기 때문이라는 것을 기억하라. 죄악의 본성은 이 기쁨을 맛볼 수 없을 뿐만 아니라 결코 그것에 이를 수도 없다. 그러나 그리스도와 연합할 때 그것이 가능하게 된다. 그리스도 안에 거하는 사람은 그분이 행하셨던 것처럼 행한다. 만일 당신이 당신 자신을 복종시켜 범사에 그리스도를 따른다면, 그분은 성령을 통하여 당신도 이것을 행할 수 있게 하실 것이다. 당신이 유혹에 빠지기 전에, 당신의 본이신 그분의 용서하는 사랑이 지니고 있는 하늘의 아름다움을 생각하면서 당신의 시선을 예수님께 집중시키는 것에 익숙해지게 하라. "우리가 다 수건을 벗은 얼굴로 거울을 보는 것 같이 주의 영광을 보매 그와 같은 형상으로 변화하여 영광에서 영광에 이르니 곧 주의 영으로 말미암음이니라"(고후 3:18).

당신이 기도하거나 용서에 대해 하나님께 감사할 때마다, 하나님의 이름이 영광을 받도록 당신 주변에 있는 모든 사람에게 동일한 용서하는 사랑을 분명히 나타내겠다고 맹세하라. 다른 사람들을 용서하는 문제에 앞서, 당신의 마음을 그리스도에 대한 사랑으로, 형제에 대한 사랑으로 그리고 당신의 원수들에 대한 사랑으로 가득 채워라. 사랑으로 가득 찬 마음은 용서하는 것이 축복된 것임을 알게 된다. 일상의 사소한 상황에서 용서하지 않겠다는 유혹이 생길 때, 당신이 하나님의 용서하는 사랑 안에서 얼마나 참되게 살고 있는지를 보일 기회를 기꺼이 기쁘게 받아들여라. 그것의 아름다운 빛이 당신을 통해 다른 사람들에게 비치게 하는 것을 정말로 기뻐하라. 그렇게 당신의 사랑하는 주님의 형상을 지닐 수 있다는 것은 진정 복된 특권이다!

〈함께 드리는 기도〉——————————————————

　　하나님의 복되신 아들이신 예수님, 주님과 같이 용서하기 위해 저는 주님의 본을 제 삶의 법칙으로 받아들입니다. 그것을 명하신 주님이 능력도 주옵소서. 저를 사랑하사 저를 용서하신 주님이 또한 사랑으로 저를 채우시고 다른 사람들을 용서할 수 있도록 가르쳐 주옵소서. 저의 죄를 용서하시기를 기뻐하시면서 저에게 그 첫 번째 복을 주신 주님이 확실히 저에게 두 번째 복인 주님이 저를 용서하신 것 같이 다른 사람들을 용서하는 더 깊은 기쁨도 주옵소서. 이 이유로, 저를 주님을 닮게 하시고, 저로 하여금 일곱 번을 일흔 번까지 용서할 수 있게 하시며, 그래서 제 주변에 있는 모든 사람을 사랑하고 축복할 수 있도록 제 안에 주님의 사랑의 능력을 믿는 믿음으로 저를 채워 주옵소서.
　　오, 나의 예수님! 주님의 본은 저의 법칙입니다. 저는 주님과 같이 살아야 합니다. 그리고 주님의 본은 또한 저의 복음입니다. 저도 주님을 닮을 수 있습니다. 주님이 주님의 본을 따라 제게 요구하시는 것을 주님은 제 안에서 주님의 생명으로 행하십니다.
　　주님, 오직 주님을 의지하도록 저를 더 깊이 인도하여 주시고, 주님의 은혜의 충만함과 주님의 내주하심으로부터 오는 복된 돌봄 가운데로 더 깊게 인도해 주옵소서. 그러면 무엇보다도 강력한 사랑의 능력을 믿고 증언하겠습니다. 그리스도께서 저를 용서하신 것 같이, 저도 용서하겠습니다. 아멘.

예수님을 보기

*우리가 다 수건을 벗은 얼굴로 거울을 보는 것 같이
주의 영광을 보매 그와 같은 형상으로 변화하여 영광에서
영광에 이르니 곧 주의 영으로 말미암음이니라.*
-고후 3:18

모세는 시내산에서 하나님과 교제하면서 40일을 보냈다. 그가 내려왔을 때, 그의 얼굴이 하나님의 영광으로 빛났다. 자기 자신은 그것을 알지 못했지만, 아론과 백성들은 그것을 보았다. 아론과 백성들이 그에게 가까이 가는 것을 두려워한 것은 하나님의 영광 때문이었음이 분명하다(출 34:30을 보라).

이 점에서 우리는 신약에 나타나는 하나의 형상을 가지고 있다. 모세가 오직 거기에서 누렸던 특권이 이제는 모든 신자의 몫이다. 성경이 보여주듯이, 우리가 그리스도 안에서 하나님의 영광을 볼 때, 그분의 영광이 우리 위에 비추고 우리 안으로 비춰

들어오며 우리를 채운다. 그것이 우리로부터 다시 밖으로 비춰 나갈 때까지 말이다. 그분의 영광을 봄으로써 신자는 성령을 통해 같은 형상으로 변화한다. 그리스도를 봄으로써 우리는 그분을 닮게 된다.

우리 눈이 마음과 성격에 큰 영향을 미치는 것은 자연의 법칙이다. 아동 교육은 주로 눈을 통해 이루어진다. 어린이는 자신이 계속적으로 보는 사람들의 태도와 습관에 의해 아주 많이 형성된다. 하늘에 계신 하나님 아버지는 우리의 성격을 형성하시기 위해 예수님의 얼굴 속에서 자신의 신적 영광을 우리에게 보여주신다. 하나님은 신적 영광을 보는 것이 우리에게 큰 기쁨을 줄 것이라고 기대하시면서, 그리고 그것을 봄으로써 우리가 그와 같은 형상을 본받게 될 것이라는 것을 아시기 때문에 그렇게 하신다. 예수님을 닮기를 바라는 사람은 누구나 자신이 어떻게 그것에 이를 수 있는지 주목해야 한다.

그리스도 안에서 보여 지는 대로 신적 영광을 계속해서 보라. 그 영광의 독특한 특징은 무엇인가? 그것은 신적 완전을 인간의 형태로 나타내는 것이다. 그리스도 안에서 신적 영광의 형상의 주된 특징은 그분의 겸손과 사랑이다.

그리스도의 겸손의 영광이 있다. 영원하신 예수님이 어떻게 자신을 비워 인간이 되셨는지, 그리고 어떻게 인간으로서 종같이 자신을 낮춰 십자가에서 죽으시기까지 복종하셨는지(빌 2:7-

8)를 당신이 이해할 때, 당신은 하나님의 최고의 영광을 본 것이다. 창조주로서의 하나님의 전능의 영광과 왕으로서의 하나님의 거룩하심의 영광은 하나님과 인간을 섬기는 종으로서 자체를 낮춘 은혜의 영광만큼 놀랍지 않다. 우리는 이 겸손을 참된 영광으로 여기는 것을 배워야 한다. 우리에게 있어서 그리스도와 같이 겸손하게 되는 것은 이 땅에서 영광의 이름에 어울리는 유일한 것이어야 한다. 우리의 눈으로 볼 때, 그것은 우리가 상상할 수 있는 것들 중에서 가장 아름답고 가장 놀랍고 가장 바람직한 것, 곧 우리가 보거나 생각할 수 있는 진짜 기쁨이 되어야 한다. 그와 같이 그것을 보고 또 그것에 감탄하는 결과는 당신이 예수님을 닮는 것과 예수님과 같이 행하는 것보다 더 큰 영광을 생각할 수 없을 것이라는 것이다. 당신은 예수님이 자신을 낮추셨던 것과 같이 당신 자신을 낮추기를 간절히 바랄 것이다. 예수님을 보는 것, 예수님을 감탄하고 사모하는 것은 그분 안에 있었던 그와 같은 마음을 우리 안에서도 생기게 할 것이며, 그러므로 우리는 그분의 형상으로 변화할 것이다.

예수님의 사랑의 영광은 이것과 나뉠 수 없다. 그 겸손은 그것의 기원과 능력으로서의 사랑으로 당신을 다시 이끌어줄 것이다. 겸손은 사랑으로부터 자기의 아름다움을 얻는다. 사랑은 하나님의 최고의 영광이다. 그러나 이 사랑은 감추어진 신비였는데, 그리스도 예수 안에서 비로소 분명하게 나타났다. 신적 사랑의 영광이 처음으로 보여 진 것은 오직 예수 그리스도의 인간성 안에서, 곧 그분이 사람들-어리석고 죄 많고 적대적인 사람들-과 나누는 온화하고 불쌍히 여기며 애정 어린 교제 안에서다. 이 영광을 한번 보고 그리스도와 같이 사랑하는 것만이 영광의 이름에 어울리는 것이라는 것을 깨달은 영혼은 이 점에서 그리스도를 닮기를 바랄 것이다. 그리스도 안에서 하나님의 사랑의 이 영광을 볼 때, 그는 주님과 같은 형상으로 변화한다.

당신은 그리스도와 같이 되기를 원하는가? 여기에 그 길이 있다. 그리스도 안에서 하나님의 영광을 보라. 다시 말해서, 그리스도 안에서 그분의 영광을 보여주는 말과 생각 그리고 은혜만을 보지 말고 살아 계시며 애정 어린 그리스도 그분 자신을 보라.

그분을 사모하면서 보라. 하나님이신 그분 앞에 절하라. 그분의 영광은 그 자체를 우리에게 나누어 주고 우리 안으로 전해주며 우리를 채울 수 있는 전능하고 살아 있는 능력을 가지고 있다.

믿음으로 그분을 보라. 그분은 당신의 것이고, 그분은 당신에게 자신을 주셨으며, 당신은 그분 안에 있는 모든 것을 요구할 자격이 있다는 것을 기쁘게 믿어라. 당신 안에 자신의 형상을 이루시는 것이 그분의 목적이다. 내가 그분 안에서 보는 영광은 나를 위해 정해 놓으신 것이라는 이 기쁘고 확실한 기대를 가지고 그분을 보라. 그분은 나에게 그것을 주실 것이다. 내가 보고 감탄하고 신뢰함에 따라, 나는 그리스도를 닮게 된다.

강한 열망을 가지고 그분을 보라. 주님을 온전히 본받는 것에 만족해하고, 그보다 못한 것들에 만족해하는 육신의 나태에 굴복하지 말라. 현재의 성취에 대해 느끼는 모든 세속적인 만족으로부터 당신을 자유롭게 해달라고 하나님께 간구하라. 하나님의 영광에 대한 깊고 억제할 수 없는 갈망으로 당신을 채워달라고 간구하라. "주의 영광을 내게 보이소서"(출 33:18)라는 모세의 기도로 아주 뜨겁게 기도하라. 어떤 것에 대해서도 낙담하지 말라. 진전이 아주 느리다 해도 낙담하지 말라. "우리가…그와 같은 형상으로 변화하여 영광에서 영광에 이르니"라는 하나님의 말씀이 당신에게 제공하는 축복의 전망을 따라 계속해서 커지는 소원을 가지고 앞으로 밀고 나아가라.

그리고 무엇보다도 당신이 하나님을 볼 때, 사랑의 모습이 부족하지 않도록 하라. 그분이 어떻게 당신의 마음을 얻으셨는지, 당신이 어떻게 그분을 사랑하는지, 당신이 얼마나 온전히 그분께 속하는지 그분께 계속해서 말하라. 사랑의 주님을 기쁘시게 하는 것이 당신의 최고의 기쁨이며 당신의 유일한 기쁨이라고 그분께 말하라. 당신과 그분 사이를 묶어주는 사랑의 띠가 계속해서 더 가까워지게 하라. 사랑은 하나가 되게 하고 닮게 한다.

그리스도와 같이. 우리는 각자 자신의 분량대로 그렇게 될 수 있고 또 그렇게 될 것이다. 성령이 그것을 보증하신다. 하나님의 거룩한 말씀이 이렇게 말한다. "우리가…그와 같은 형상으로 변화하여 영광에서 영광에 이르니 곧 주의 영으로 말미암음이니라." 이것이 예수님 안에 계셨던 성령이시며, 성령을 통해 신적 영광이 지속되었고 그분 위에 비추었다. 이 영은 "영광의 영"(벧전 4:14)으로 불린다. 이 영은 주님 안에 계셨던 것처럼 우리 안에도 계신다. 우리가 조용히 사모하고 깊이 생각할 때, 우리 주 예수님 안에서 우리가 보는 것을 우리 안으로 그리고 우리 마음 속으로 가져오시는 것이 그분의 사역이다. 이 영을 통하여 우리는 이미 우리 안에 그리스도의 생명을 가지고 있다. 그분의 은혜의 모든 은사들과 함께 말이다. 그러나 그 생명은 각성되고 발달되어야 한다. 그것은 자라야 하고 자라서 우리의 전 존재가 되어야 하고 우리의 본성 전부를 소유해야 하며 모든 것에 배어들어 충만하게 되어야 한다. 만일 우리가 그 영께 우리 자신을 내맡기고 순종하기만 한다면, 우리는 그분이 우리 안에서 이것을 행하실 수 있다고 믿을 수 있다. 우리가 말씀 안에서 예수님을 본다면, 그분은 우리의 눈을 열어 예수님이 행하시고 또 존재하시는 모든 것의 영광을 보게 하신다. 그분은 우리로 하여금 자진해서 그분을 닮게 하신다. 그분은 우리의 믿음을 강화시키신다. 그러므로 우리가 예수님 안에서 보는 것이 우리 안에 있을 수 있게 된다. 왜냐하면 예수님 자신이 우리의 소유가 되시기 때문이다.

그분은 계속해서 우리 안에서 역사하여 그리스도 안에 거하는 삶, 곧 그분과의 온전한 연합과 교제의 삶을 살게 하신다. 그분은 약속을 따라 이것을 행하신다. "그[성령]가 내 영광을 나타내리니 내 것을 가지고 너희에게 알리시겠음이라"(요 16:14). 우리는 주의 영으로 말미암아 영광에서 영광으로 우리가 보는 그 형상으로 변화한다. 우리는 성령의 충만함을 받게 된다는 것을 기억하자. 믿음으로 자신을 내맡기어 그분으로 하여금 충만하게 하는 사람은 그분이 우리 영혼과 삶에 그리스도의 형상과 모양을 새기시는 자신의 사역을 얼마나 멋지게 수행하시는지를 경험하게 될 것이다.

예수님과 그분의 영광을 볼 때, 당신은 그분을 닮는 것을 자신 있게 기대할 수 있다. 당신의 영혼을 고요하고 평화롭게 하는 가운데 믿음으로 당신 자신을 성령의 인도에 맡겨라. "영광의 영 곧 하나님의 영이 너희 위에 계심이라"(벧전 4:14). 그리스도 안에 있는 하나님의 영광을 보고 사모하라. 그러면 당신은 신적 능력으로 말미암아 영광에서 영광으로 변화할 것이다. 성령의 능력 가운데 강한 변화가 생기고 당신의 소원들이 이루어질 것이며 그리스도를 닮는 것이 당신 인생의 복된, 하나님이 주신 경험이 될 것이다.

〈함께 드리는 기도〉

    오, 주님! 제가 주님의 영광을 보는 저의 일에 주님과 함께 하는 동안 저를 그 형상으로 변화시켜주시고 저에게 주님의 영광을 나타내시는 성령의 사역에 그분이 저와 함께 하신다는 영광스러운 확신을 갖게 해 주심으로 인해 주님께 감사합니다.

    주님, 제가 주님의 영광을 올바르게 보게 해 주옵소서. 모세가 주님과 함께 40일을 있을 때, 주님의 영광이 그에게 비추었습니다. 제가 주님과 나누는 교제의 시간이 너무 짧고 적었음과, 그래서 주님의 형상이 무엇인지 충분히 느낄 수 없었음을 솔직히 고백합니다. 저의 영혼이 "이것은 영광스러운 것이다!"라고 외칠 때까지, 제 자신을 내맡기고 관상(contemplation)과 경배를 하는 이런 묵상으로 저를 이끌어 주옵소서. 이것이 하나님의 영광입니다. 오, 나의 하나님! 저에게 주님의 영광을 보여 주옵소서.

    그리고 복되신 주님, 제가 어떤 특별한 경험을 자각하지 못할 때조차도 성령이 제 안에서 역사하신다는 믿음을 강하게 하여 주옵소서. 모세는 자신의 얼굴이 빛나고 있다는 것을 알지 못했습니다. 주님, 제 자신을 보지 않도록 저를 지켜 주옵소서. 오직 주님과만 친밀하게 됨으로써 주님 안에서 제 자신을 잊고 또 잃어버리게 하옵소서. 주님, 그런 사람은 자기 자신에 대하여 죽고 주님 안에서 사는 사람입니다.

오, 나의 주님! 제가 주님의 형상과 본을 바라보는 한에서, 저는 성령이 저를 채우시고 저를 온전히 소유하시며 주님의 모습을 이루게 하심으로 세상이 제 안에서 주님의 영광을 보게 하실 것이라는 믿음으로 그렇게 할 것입니다. 이 믿음 안에서 저는 과감하게 주님의 귀한 말씀인 "영광에서 영광으로"를 제 표어로 삼아 저에게 매일 더 풍성하게 되는 은혜에 대한 약속, 평소에 넉넉하게 제공해 줄 준비가 항상 되어 있는 복에 대한 약속이 되게 하겠습니다. 또한 지금까지 받은 것을 장차 올 더 좋은 것에 대한 증거로 삼겠습니다. 귀하신 구주시여! 주님을 볼 때, 진정으로 "영광에서 영광"에 이르게 될 것입니다. 아멘.

예수님의 겸손

> 오직 겸손한 마음으로 각각 자기보다 남을 낫게 여기고…
> 너희 안에 이 마음을 품으라 곧 그리스도 예수의 마음이니
> 그는 근본 하나님의 본체시나 하나님과 동등됨을 취할 것으로
> 여기지 아니하시고 오히려 자기를 비워 종의 형체를 가지사
> 사람들과 같이 되셨고 사람의 모양으로 나타나사 자기를
> 낮추시고 죽기까지 복종하셨으니 곧 십자가에 죽으심이라.
> —빌 2:3,5-8

    이 놀라운 말씀에는 하나님의 복되신 아들 예수 그리스도의 인격(person)에 모아지는 가장 귀한 진리들이 모두 요약되어 있다. 첫째는 그분의 장엄한 신성, 곧 "하나님의 본체," "하나님과 동등 됨"이다. 그 다음으로 깊고 무진장한 의미의 그 말, 곧 "오히려 자기를 비워" 속에 그분의 화육(incarnation)의 신비가 뒤따라 나온다. 그리고 속죄가 겸손, 순종, 고난 그리고 죽음과 함께 그 뒤를 잇는데, 죽음에 그 속죄의 진가가 있다. "자기를 낮추

시고 죽기까지 복종하셨으니 곧 십자가에 죽으심이라." 그리고 모든 것은 그분이 영광스럽게 높임을 받으시는 것으로 장식된다. "하나님이 그를 지극히 높여"(빌 2:9). 하나님으로서의 그리스도, 인간이 되신 그리스도, 겸손히 우리의 구속을 성취하시는 인간(Man)으로서의 그리스도 그리고 모든 것의 주님으로서 영광 가운데 계신 그리스도, 이런 것들은 위의 본문이 포함하는 지혜의 보화들이다.

지금까지 위의 본문이 포함하는 말씀을 다루는 책들이 여러 권 쓰였다. 그럼에도 성령이 이 놀라운 가르침을 주시는 관계성(connection)에 대해서 항상 충분한 주의를 기울인 것은 아니다. 그것의 본래의 중요성은 잘못을 반박하거나 믿음을 강화하기 위해서 진리를 진술하는 것이 아니다. 그 목적은 그것과는 아주 다르다. 빌립보 교인들은 여전히 교만했고 사랑이 부족했다. "오직 겸손한 마음으로 각각 자기보다 남을 낫게 여기고…너희 안에 이 마음을 품으라 곧 그리스도 예수의 마음이니"라는 말씀은 그리스도의 본을 그들 앞에 제시하고 또 그리스도가 자신을 낮추신 것같이 자신들을 낮추도록 그들을 가르치려는 것이 목적이었다. 그리스도께서 낮아지신 것 같이 낮아지기를 바라면서 하나님의 말씀의 이 부분을 공부하지 않는 사람은 하나님이 그것을 주신 한 가지 위대한 목적을 위해 결코 그것을 사용하지 않은 것이다. 하나님의 보좌로부터 내려오셔서 인간으로 겸손히 십자가의 고난을 당하신 뒤 다시 그곳으로 돌아가신 그리스도는 우리가 진정으로 그 보좌에 이를 수 있는 유일한 길을 보여주신다. 그리스도의 대속과 함께 그분의 본을 받아들이는 믿음만이 참된 믿음이다. 정말로 그분께 속하고 싶은 영혼은 누구나 그분과 연합하여 그분의 영과 그분의 성질 그리고 그분의 형상을 가져야 한다.

"너희 안에 이 마음을 품으라 곧 그리스도 예수의 마음이니 그는 근본 하나님의 본체시나 하나님과 동등됨을 취할 것으로 여기지 아니하시고…사람들과 같이 되셨고 사람의 모양으로 나타나사 자기를 낮추시고." 우리는 그리스도께서 자기를 비우고 낮추신 것 같이 우리 자신을 비우고 낮추어야 한다. 하나님으로서의 그리스도께서 자기를 비워 자신의 신적 영광과 능력을 취하지 않고 포기하신 자기 부인의 첫 번째 위대한 행위 다음에 역시 놀랍게도 인간으로서 자기를 낮추시고 십자가에서 죽으시는 사건이 뒤따랐다. 그리고 이 놀라운 이중의 겸손, 곧 우주의 깜짝 놀람과 하나님 아버지의 기쁨 가운데 우리도 당연히 그리스도를 닮아야 한다고 성경은 아주 간단히 말한다.

그러면 바울, 성경 그리고 하나님은 정말로 우리에게 이것을 기대하시는가? 물론이다. 어떻게 그 밖의 다른 것을 기대할 수 있겠는가? 실제로, 그들은 우리의 본성 안에 있는 교만의 엄청난 힘과 옛 아담을 알고 있다. 그러나 그들은 또한 그리스도께서 저주에서뿐만 아니라 죄의 힘에서 우리를 구속하셨다는 것과, 그분은 우리로 하여금 자신이 이 땅에서 사셨던 것 같이 살 수 있도록 자신의 부활 생명과 능력을 우리에게 주신다는 것을 알고 있다. 그들은 그분이 우리의 보증이실 뿐만 아니라 우리의 본이시라고 말한다. 우리는 그분을 통해서 살뿐만 아니라 그분 같이 산다. 게다가 그분은 우리의 본이실 뿐만 아니라 우리 안에서 사시고 또 자신이 한 때 지상에서 영위하셨던 삶을 우리 안에서 계속하시는 우리의 머리이시다. 그러한 그리스도와 함께 그리고 그러한 구속의 계획을 가지고, 그것은 그 외의 다른 것일 수 있는가? 그리스도를 따르는 사람은 그리스도 안에 있었던 것과 같은 마음을 품어야 한다. 그는 특히 그분이 겸손하셨던 것과 같이 겸손해야 한다.

 그리스도의 본은 우리를 낮추는 것이 죄가 아니라는 것을 우리에게 가르쳐준다. 많은 그리스도인들이 그렇게 생각한다. 그들은 일상의 타락(daily falls)을 변함없이 겸손한 상태로 있기 위해서 필요하다고 생각한다. 그러나 그것은 잘못된 생각이다. 정말로 매우 애정 어린 겸손이 있는가 하면, 더 많은 것의 시작으로서의 대단히 귀중한 겸손이 있으며, 죄와 결점을 인정하는데 겸손이 있는 것도 사실이다. 그러나 더욱 거룩한 겸손이 있고, 또 은혜가 우리를 죄에서 지켜줄 때조차도 하나님이 우리를 축복해 주시는 것에 놀랄 수 있는 자기 낮춤이 있는 겸손이 있다.

겸손은 기꺼이 우리가 모든 것을 빚지고 있는 그분 앞에서 아무 것도 아니라고 여긴다. 우리를 겸손하게 만들고 또 유지시켜 주는 것은 은혜이지 죄가 아니다. 가장 무거운 가지들은 가장 아래쪽의 가지들에 고개를 숙인다. 깊은 강물은 그 속이 잔잔하다. 영혼이 하나님께 가까이 갈수록, 그 영혼은 자신이 그분의 장엄한 임재 앞에서 작음을 느끼게 된다. 한 사람이 다른 사람들을 자신보다 더 낫게 여기는 것을 가능하게 하는 것은 오직 이것뿐이다. 하나님의 거룩하신 아들 예수 그리스도는 겸손에 대한 우리의 본이시다. 그분이 제자들의 발을 씻기신 것은 아버지 하나님이 그분의 손에 모든 것을 맡기셨다는 것과, 자신이 하나님으로부터 와서 하나님께로 가고 계시다는 것을 그분이 알고 계셨기 때문이다. 우리를 겸손하게 만드는 것은 하나님의 임재, 곧 우리 안에 있는 하나님의 생명과 하나님의 사랑에 대한 의식이다.

많은 그리스도인들에게 있어서 "나는 나 자신에 대해서는 생각하지 않을 거예요. 나 자신보다는 다른 사람들을 낮게 여길 거예요"라고 말하는 것이 불가능한 것처럼 보인다. 그들은 갑작스럽게 최악으로 돌발할 수 있는 교만과 강한 허영심을 극복할 수 있는 은혜를 구하지만, 그리스도와 같이 온전히 자신을 포기하는 것이 너무 힘들고 어렵다. 만일 그들이 "무릇…자기를 낮추는 자는 높아지리라"(눅 14:11)는 말씀과 "누구든지 나를 위하여 제 목숨을 잃으면 찾으리라"(마 16:25)는 말씀이 지닌 심오한 진리와 축복을 깨닫기만 한다면, 그들은 오직 자신들의 주님이 자기를 포기하셨던 것을 온전히 닮을 때만 만족하게 될 것이다. 그리고 그들은 자기 자신과 자만을 극복하는 방법이 있다는 것을 알게 될 것이다. 그것이 그리스도의 십자가에 못 박혀 있는 것을 보고 또 성령을 통해 계속해서 그것을 십자가에 못 박힌 상태로 있게 하는 방법이 하나 있다(갈 5:24; 롬 8:13을 보라). 자기 자신을 복종시켜 그리스도의 죽음에 참여하여 사는 사람만이 그와 같이 겸손하게 될 수 있다.

이것을 달성하기 위해서는 다음 두 가지가 필요하다. 하나는 자신을 위해서는 아무 것도 되지 않을 뿐만 아니라 아무 것도 구하지 않고 오직 하나님과 이웃들을 위해서만 살겠다고 하는 확고한 목적과 복종이다. 다른 하나는 그리스도의 죽음의 능력을, 우리가 죄에 대해서 죽고 또 그것의 권세로부터 우리를 해방시키는 능력으로 전유하는 믿음이다. 그리스도의 죽음에 참여하는 것은 우리가 죄에 대해 죽는 것을 말한다. 그것은 죄를 확실하게 정복하시는 그리스도가 우리 안에서 사시는 삶의 시작이다.

사람이 이 진리를 깨닫고 받아들이며 붙잡을 수 있는 것은 오직 성령의 가르침과 강력한 역사에 의해서다. 그러나 하나님께 감사하라. 우리에게는 성령이 계시기 때문이다. 아, 우리가 온전히 우리 자신을 그분의 인도하심에 내맡길 수 있다면! 그분은 우리를 인도하실 것이다. 그것이 그분의 사역이다. 그분은 우리 안에 계신 그리스도를 영화롭게 하실 것이다. 그분은 우리가 죄와 옛 자아에 대하여 죽었고 그리스도의 생명과 겸손이 우리의 것이라는 것을 깨닫도록 우리를 가르치실 것이다.

따라서 우리는 믿음으로 그리스도의 겸손을 자기 것으로 만들게 된다. 이것은 즉각적으로 생길 수도 있다. 그러나 실제 경험 속에서 그것을 자기 것으로 만드는 것은 점진적이다. 우리의 생각과 감정, 우리의 태도와 대화는 바로 오랫동안 옛 자아의 지배를 받아왔기에 그것들을 그리스도의 겸손의 거룩한 빛으로 흠뻑 적시고 침투하여 변모시키는 데는 시간이 걸린다. 처음에는 판단력(conscience)이 완전히 계발되지 않는다. 영적 감별과 분별의 능력은 아직 발휘되지 않았다. 그러나 영혼의 깊은 곳에서 매번 믿음의 헌신-"나는 그리스도와 같이 겸손하기 위해서 내 자신을 내맡겼다"-을 새롭게 한다면, 예수님으로부터 능력이 나올 것이다. 그것이 전 존재를 채움으로 성령의 성화가 얼굴과 목소리와 행위에 나타나고 또 그 그리스도인은 정말로 겸손으로 옷 입게 될 것이다.

그리스도와 같이 겸손하게 됨으로 얻게 되는 복은 말로 다 표현할 수 없다. 그것은 하나님의 눈으로 볼 때 대단히 가치가 있다. 성경은 "하나님이 교만한 자를 물리치시고 겸손한 자에게 은혜를 주신다"(약 4:6)고 말한다. 영적 생활에서 겸손은 안식과 기쁨의 원인이다. 겸손한 사람들에게 하나님이 하시는 모든 것은 바르고 선하다. 겸손은 언제나 기꺼이 하나님의 자비의 가장 작은 것들에 대해서도 하나님을 찬양한다. 겸손하면 하나님을 신뢰하는 것이 어렵지 않다. 겸손은 하나님이 말씀하시는 모든 것에 무조건적으로 복종한다. 성경에는 예수님이 큰 믿음을 지닌 두 사람을 칭찬하시는 장면이 나오는데, 그들은 자신들을 가장 보잘것없는 자라고 생각했다. 백부장이 이렇게 말했다. "주여 내 집에 들어오심을 나는 감당하지 못하겠사오니"(마 8:8). 수로보니게 여인은 개들과 같이 여김 받는 것을 기꺼이 받아들였다(막 7:25-30을 보라). 다른 사람들과 교제할 때 겸손은 복과 사랑을 받는 비결이다. 겸손한 사람은 화를 내지 않고 또 화를 내지 않도록 매우 조심한다. 그는 언제나 기꺼이 자신의 이웃을 섬긴다. 왜냐하면 그는 예수님으로부터 종이 되는 것의 신적 아름다움을 배웠기 때문이다. 그는 하나님과 사람의 총애를 받는다.

아, 그리스도를 따르는 사람들에게 영광스러운 부르심이다! 자기 겸손보다 더 신적인 것은 없다는 것을 입증하기 위해서 하나님에 의해 세상에 보내심을 받은 것 말이다. 겸손한 사람은 하나님을 영화롭게 하고 사람들로 하여금 영화롭게 하도록 이끌어주며 마침내는 그분과 함께 영화롭게 될 것이다. 그리스도와 같이 겸손하게 되기를 바라지 않을 사람이 누가 있으랴!

〈함께 드리는 기도〉

　오, 주님! 주님은 하늘로부터 내려오셔서 십자가에서 죽으시기까지 자신을 낮추셨습니다. 주님은 저를 부르셔서 주님의 겸손을 제 삶의 법칙으로 받아들이게 하십니다.

　주님, 이것이 절대적으로 필요함을 깨닫도록 저를 가르쳐 주옵소서. 겸손하신 예수님을 교만하게 따르는 사람이 될 수 없습니다. 그렇게 따르지 않을 것입니다. 제 마음의 은밀한 곳에서, 집에서, 친구들이나 원수들 앞에서 또는 번영할 때나 곤경에 처할 때에도 주님의 겸손으로 충만해지고 싶습니다.

　오, 나의 사랑하는 주님! 주님의 십자가에서의 죽으심과 그것에 대한 저의 관계를 새롭고 더 깊게 깨달을 필요가 있음을 느낍니다. 어떻게 하면 저의 교만한 옛 자아가 주님과 함께 십자가에 못 박히게 되는지 저에게 알려 주옵소서. 하나님의 중생한 자녀로서 어떻게 죄와 그것의 힘에 대해 죽고 어떻게 주님과의 교제 안에서 죄가 무기력한지 주님의 영의 빛 안에서 저에게 보여 주옵소서. 죄를 정복하신 주 예수님, 주님이 저의 생명이시라는 것과, 만일 제가 주님과 성령으로 충만하게 되도록 복종한다면, 주님이 저를 주님의 겸손으로 채워주실 것이라는 믿음을 제 안에 강화시켜 주옵소서.

　주님, 제 희망은 주님께 있습니다. 주님을 믿는 믿음으로 주님 안에 있던 마음이 어떻게 주님의 자녀들안에도 있는지를 보이기 위해 세상으로 나아갑니다. 그것은 우리에게 마음을 겸손히 하여 우리 자신들보다 다른 사람들을 더 존중하는 것을 가르쳐줍니다. 하나님이 우리를 도와주시기를 기도합니다. 아멘.

예수님의 죽으심을 닮기

만일 우리가 그의 죽으심과 같은 모양으로
연합한 자가 되었으면 또한 그의 부활과 같은 모양으로
연합한 자도 되리라…그가 죽으심은 죄에 대하여
단번에 죽으심이요 그가 살아 계심은 하나님께 대하여
살아 계심이니 이와 같이 너희도 너희 자신을 죄에 대하여는
죽은 자요 그리스도 예수 안에서 하나님께 대하여는
살아 있는 자로 여길지어다.
-롬 6:5, 10-11

우리의 구원은 그리스도의 죽으심 덕분이다. 우리가 그 죽으심의 의미를 더 잘 이해할수록, 우리는 그것의 능력을 더욱 풍부하게 경험하게 될 것이다. 로마서 6장에서 우리는 그분의 죽으심과 같은 모양으로 그리스도와 연합하는 것이 무엇을 의미하는지를 배우게 된다. 자신의 삶 속에서 진정으로 그리스도를 닮기를 바라는 사람은 누구나 그분의 죽으심과 같은 모양이 되는

것(그분의 죽으심을 닮는 것으로 읽어도 무방함-역주)이 무엇을 의미하는지 정확하게 알아야 한다.

그리스도께는 죽음으로 성취해야 할 사역이 두 가지 있었다. 하나는 우리를 위해 의를 성취하는 것이었다. 다른 하나는 우리로 하여금 생명을 얻게 하는 것이었다. 성경이 이 사역의 첫 번째 부분에 대해 말할 때 "그리스도께서 우리 죄를 위하여 죽으시고"(고전 15:3)라는 표현을 사용한다. 그분은 순수 우리 죄를 담당하시고 그것에 대한 징벌을 받으셨다. 따라서 그분은 속죄를 이루시고 우리가 하나님 앞에 설 수 있는 의를 우리에게 가져다 주셨다.

성경은 이 사역의 두 번째 부분에 대해서 말할 때 "그가 죽으심은 죄에 대하여…죽으심이요"라는 표현을 사용한다. 죄를 위해 죽으셨다는 것은 그분과 죄 사이의 사법 관계를 말한다. 하나님은 우리 죄를 그분에게 담당시키시고 그분의 죽음을 통해 속죄를 이루셨다. 죄에 대하여 죽으셨다는 것은 또한 그분의 죽으심을 통한 개인적인 관계를 말한다. 죄에 대한 그분의 관계가 완전히 해결된 것이다. 그리스도께서 지상에서 사시는 동안에 죄는 그분에게 갈등과 고통을 야기할 수 있었다. 그분의 죽으심이 이 모든 것을 종결시켰다. 죄는 더 이상 그분을 유혹하거나 그분에게 상처를 입힐 수 없게 된 것이다. 그분은 죄를 초월하셨다. 더 이상 죄가 그분에게 미칠 수 없게 된 것이다. 죽음이 그분과 죄를 완전히 갈라놓았다. 그리스도는 죄에 대하여 죽으셨다.

그리스도와 같이, 신자도 죄에 대하여 죽었다. 그는 그분의 죽으심을 닮아 그분과 하나가 되었기 때문이다. 그리고 그리스도께서 우리를 속죄하시기 위해서 (우리) 죄를 위해 죽으셨다는 것을 아는 것이 우리의 의에 절대로 필요한 것처럼, 그리스도께서-그리고 그분의 죽으심을 닮아 그분과 함께 우리도-죄에 대하여 죽으셨다는 것을 아는 것은 우리의 성화에 절대로 필요하다. 이것을 깨닫기 위해 노력해 보자.

그리스도께서는 두 번째 아담으로 죽으셨다. 첫 번째 아담과 함께 우리는 "그의 죽음과 같은 모양으로 연합한 자가 되었"다. 아담은 죽었고 우리도 그와 함께 죽었으며 그의 죽음의 권능이 우리 안에서 역사했다. 아담 자신이 정말로 죽은 것처럼, 우리도 정말로 그 안에서 죽었다. 우리는 이것을 이해한다. 마찬가지로 우리는 그리스도의 죽으심을 닮아 연합한 자가 되었다. 그분은 죄에 대하여 죽으셨고 우리도 그분 안에서 죽었다. 그리고 지금 그분의 죽으심의 권능이 우리 안에서 역사한다. 그리스도 자신이 참으로 죄에 대하여 죽으신 것 것처럼, 우리도 진정 죄에 대하여 죽었다.

우리는 첫 번째 출생을 통하여 아담의 죽음에 참여하는 자들이 되었다. 우리는 거듭남을 통하여 두 번째 아담의 죽으심에 참여하는 자들이 되었다. 그리스도를 영접하는 모든 신자는 그분의 죽으심의 권능에 참여하는 사람들이 되며 죄에 대하여 죽는다. 그러나 신자들은 자신들이 가지고 있는 것들을 대부분 모른다. 대부분의 신자들은 회심할 때 자신들이 의롭다고 인정을 받는 것(justification, 이하는 인의로 번역함-역주)으로서의 죄에 대한 그리스도의 죽으심에 붙들린 나머지 그분 안에서 자신들이 죄에 대하여 죽었다는 것이 무엇을 의미하는지를 알려고 하지 않는다. 그들이 자신들의 성화로서의 그분에 대한 필요를 느끼게 될 때, (이러한) 그분의 죽으심을 닮는 것을 이해하고자 하는 바람이 생긴다. 그들은 그 안에서 거룩한 비밀을, 곧 그리스도께서 죄에 대하여 죽으신 것 같이 자신들도 죄에 대하여 죽었다는 것을 깨닫게 된다.

이것을 이해하지 못하는 그리스도인은 언제나 죄가 자신에게 너무 강하고 죄가 여전히 자신을 지배하며 자신이 때때로 그것에 복종할 수밖에 없다고 생각한다. 그러나 그가 그렇게 생각하는 것은 자신이 그리스도와 같이 죄에 대하여 죽었다는 사실을 깨닫지 못하기 때문이다. 만일 그가 자신이 죄에 대하여 죽었다는 것이 의미하는 바를 믿고 또 이해했다면, 그는 이렇게 말했을 것이다. "그리스도께서 죄에 대하여 죽으셨다. 죄는 더 이상 그분에게 말할 것이 아무 것도 없다. 그분이 (이 땅에서) 살고 죽으실 때는 죄가 그분을 지배했다. 그분으로 하여금 십자가의 고난과 무덤의 굴욕을 당하시게 한 것은 바로 죄였다. 그러나 그분은 죄에 대하여 죽으셨다. 죄는 더 이상 그분에게 어떤 것도 주장할 수 없으며, 그분은 완전히 그리고 영원히 그것의 권능으로부터 자유롭게 되셨다. 그것은 신자인 나에게도 마찬가지다. 내 안에 있는 새 생명은 죽은 자들로부터 부활하신 그리스도의 생명이자 죽음을 통해서 생겨난 생명이며 죄에 대하여 완전히 죽은 생명이다." 그리스도 예수 안의 새로운 피조물로서 신자는 기뻐하며 이렇게 말할 수 있을 것이다. "그리스도와 같이, 나도 죄에 대하여 죽었다. 어쨌든 간에, 죄는 나를 다스릴 권리나 힘이 없다. 나는 그것으로부터 자유롭다. 그러므로 나는 죄를 지을 필요가 없다."

그리고 만일 신자가 여전히 죄를 짓는다면, 그것은 그가 죄에 대하여 죽은 사람으로 살 수 있는 자신의 특권을 사용하지 않기 때문이다. 무지나 부주의 또는 불신 때문에 그는 이러한 그리스도의 죽으심을 닮는 것의 의미와 능력을 망각하고 죄를 짓는다. 그러나 만일 그가 그리스도의 죽으심에 자신이 참여하는 것이 무엇을 의미하는지 확실하게 믿는다면, 그에게는 죄를 이길 능력이 있다. 그것은 죄가 죽은 것이 아니라는 것을 그는 진정 이해한다. 그렇다. 죄는 죽지 않았다. 죄는 육체 가운데서 여전히 살아서 역사한다. 그러나 그 자신은 죄에 대하여 죽고 하나님께 대하여 살았다. 그러므로 죄는 잠시 동안도 그의 허락이 없이는 그를 지배할 수 없다. 만일 그가 죄를 짓는다면, 그것은 자신이 죄로 하여금 다스리게 하고 또 그것에 굴복하여 지배를 받기 때문이다.

그리스도와 같이 되려고 애쓰는 사랑하는 그리스도인이여, 당신이 살고 싶은 삶의 가장 영광스러운 부분들 중 하나로서 그분의 죽으심을 닮아라. 무엇보다도, 믿음으로 그것을 당신의 것으로 만들어라. 당신이 정말로 죄에 대하여 죽었다는 것을 믿어라. 그것을 확고히 하라. 하나님이 자신의 자녀들 모두에게, 심지어는 가장 약한 자에게도 그렇게 말씀하신다. 또한 그분 앞에서 "그리스도와 같이, 나도 죄에 대하여 죽었나이다"라고 말하라. 그렇게 말하는 것을 겁내지 말라. 그것은 사실이다. 당신이 그리스도의 죽으심을 닮아 그분과 연합한 것에 대해 진정으로 깨닫게 해 달라고 성령께 구하라. 그것이 하나의 교리일 뿐만 아니라 능력과 사실이 되도록 말이다.

죄에 대하여 죽은 자로, 다시 말해서 (예수 그리스도와 함께) 죽음으로 죄의 지배로부터 자유롭게 되었고 또 그분을 통해 삶 가운데서 그것을 지배할 수 있는 사람으로 산다는 것이 무엇을 의미하는지를 더 깊이 깨닫도록 노력하라. 그렇게 되면 그리스도의 죽으심을 닮아 그분의 죽으심을 본받게 될 것이다. 그리스도의 죽으심이 당신의 삶의 모든 능력과 힘 가운데 그것의 온전한 힘을 나타냄에 따라 당신은 점진적으로 그리고 더욱 더 그것을 당신 자신의 것으로 만들게 될 것이다(빌 3장을 보라).

그리고 이러한 그리스도의 죽으심을 닮는 것이 주는 유익을 온전히 얻기 위해서는 특히 두 가지를 주목하라. 하나는 그것이 당신에게 가져다주는 의무이다. "죄에 대하여 죽은 우리가 어찌 그 가운데 더 살리요?" 당신은 그리스도의 죽으심과 합하여 세례를 받았다. 그러므로 그것의 의미를 더 깊이 깨닫도록 노력하라. 그분의 죽으심은 이것을 의미한다. 즉 죄를 범하느니 차라리 죽는 것이 낫다. 죄를 정복하기 위해서 기꺼이 죽어라. 죄에 대하여 죽고 그러므로 죄의 권능으로부터 자유롭게 되라. 이것이 또한 당신의 태도가 되게 하라. "무릇 그리스도 예수와 합하여 세례를 받은 우리는 그의 죽으심과 합하여 세례를 받은 줄을 알지 못하느냐"(롬 6:3). 당신이 그리스도의 죽으심을 본받게 될 때까지 당신을 죄에 대하여 죽게 하여 하나님의 말씀의 능력이 당신의 모든 행동과 대화 가운데서 알아볼 수 있을 때까지, 성령께서 계속해서 당신을 그분의 죽으심과 합하여 세례를 베푸시게 하라.

다른 교훈은, 그리스도의 죽으심을 닮는 것은 의무일 뿐만 아니라 권능이라는 것이다. 오, 그리스도를 닮기를 갈망하는 그리스도인이여! 만일 당신에게 가장 필요한 것이 하나 있다면, 그것은 이것이다. 당신 안에서 역사하는 하나님의 권능이 대단히 크다는 것을 아는 것이다. 그리스도께서 자신의 죽으심을 통해 지옥의 권세들과 싸워 정복하신 것은 영원한 능력 안에서였다. 당신은 그리스도의 죽으심과 관계가 있다. 당신은 지옥의 모든 권세들을 정복하는데 사용하시는 그분의 모든 능력과 관계가 있다. 당신 자신을 기쁘게 그리고 확실하게 복종시켜 더 깊이 그리스도의 죽으심을 본받도록 하라. 그러면 당신은 분명히 그리스도를 닮을 수 있다.

〈함께 드리는 기도〉

　오, 나의 주님! 저는 진정 주님의 은혜를 온전히 이해하지 못했습니다. 저는 종종 "그의 죽으심과 같은 모양으로 연합한 자가 되었"다는 말씀을 읽고는 주님이 죄에 대하여 죽으셨듯이, 주님을 믿는 모든 백성들에게 "너희도 이와 같이"라고 주께서 말씀하셨다는 것을 알았습니다. 그러나 저는 그것의 능력을 이해하지 못했습니다. 그러므로 주님의 죽으심을 닮는 것을 알지 못했기에, 저는 제가 죄의 권능으로부터 자유롭게 되었다는 것과 승리자로서 그것을 다스릴 수 있다는 것을 알지 못했습니다. 주님, 주님은 진정으로 제 눈을 뜨게 하사 영광스런 것을 보게 하여 주셨습니다. 주님의 죽으심을 닮는 것을 확실하게 받아들이고 또 주님의 말씀을 따라 자신이 죄에 대하여 죽었다고 여기는 사람은 죄에 의해 지배를 받지 않을 것입니다. 그에게는 하나님을 위해 살 수 있는 능력이 있습니다.

　주님, 성령을 통해 저로 하여금 이것을 더 완전하게 알게 하여 주옵소서. 단순한 믿음으로 주님의 말씀을 받아들이기를 원합니다. 또한 주님 안에서 죄에 대하여 죽은 사람으로 주님이 저에게 명하시는 일을 받아들이기를 원합니다. 주님, 주님 안에서 제가 죄에 대하여 죽었나이다. 그것을 굳게 붙잡도록, 더 정확히 말하자면 믿음으로 주님을 굳게 붙잡도록 가르쳐 주옵소서. 저의 삶 전체가 그것의 증거가 될 때까지 말입니다. 오, 주님! 저를 꼭 붙잡으셔서 주님과 계속적으로 교제를 나누게 하여 주옵소서. 주님 안에 거하면서 주님 안에서 죄에 대하여는 죽고 하나님께 대하여는 살아 있다는 것을 깨닫도록 말입니다. 아멘.

예수님의 부활을 닮기

> 그러므로 우리가 그의 죽으심과 합하여 세례를 받음으로
> 그와 함께 장사되었나니 이는 아버지의 영광으로 말미암아
> 그리스도를 죽은 자 가운데서 살리심과 같이
> 우리로 또한 새 생명 가운데서 행하게 하려 함이라
> 만일 우리가 그의 죽으심과 같은 모양으로 연합한 자가 되었으면
> 또한 그의 부활과 같은 모양으로 연합한 자도 되리라
> ―롬 6:4-5

그리스도의 죽으심을 닮는 것 다음에는 반드시 그분의 부활을 닮는 것이 뒤따른다. 그분의 죽으심-십자가를 지는 것, 자기 부인-을 닮는 것에 대해서만 말하는 것은 그리스도를 따르는 것에 대해 한 면만을 말하는 것이다. 우리가 믿음으로 즉시 받아들이는 그분의 죽으심을 닮는 것에서부터 내적 삶의 성장으로 나타나는 그분의 죽으심을 본받는 것으로 계속해서 나아갈 능력을 우리에게 주는 것은 오직 그분의 부활의 권능이다. 그리스도

와 함께 죽는다는 것은 우리가 저버리는 죄와 세상에 대해 옛 생활이 죽는다는 것과 관계가 있고, 그리스도와 함께 다시 산다는 것은 성령이 새 생활을 통해 옛 생활을 몰아내는 것과 관계가 있다. 진정으로 그리스도가 행하신 것 같이 행하기를 바라는 그리스도인은 반드시 이러한 그분의 부활을 닮는 것을 알아야 한다. 이번 기회에 그리스도께서 사셨던 것 같이 우리가 세상에서 살 힘을 어디에서 찾아야 하는지 한 번 알아보도록 하자.

우리는 이미 우리 주님이 죽으시기 전에는 그분의 삶이 얼마나 연약했는지 살펴보았다. 죄가 우리의 보증이신 그분을 크게 지배했다. 그것은 또한 그분의 제자들도 지배했다. 그러나 부활과 함께 모든 것이 변했다. 하나님의 강하신 능력을 힘입어 다시 사신 그분의 부활의 삶은 영원한 능력으로 충만했다. 그분은 자신을 위해서뿐만 아니라 제자들을 위해서도 죽음과 죄를 정복하심으로 첫날부터 그들로 하여금 자신의 영과 자신의 기쁨 그리고 자신이 지닌 하늘의 능력을 받게 하실 수 있었다.

주 예수님이 지금 우리로 하여금 자신의 생명에 참여하게 하실 때, 그것은 그분이 죽으시기 이전에 가지고 계셨던 생명이 아니라 그분의 죽으심을 통해 얻으신 부활 생명이었다. 이 새 생명은 죄가 이미 끝나 없어진 생명이자 이미 지옥과 마귀를, 그리고 세상과 육체를 정복한 생명이며 인간의 본성 안에 신적 능력을 지니고 있는 생명이다. 그분의 부활을 닮는 것이 우리에게 제공해 주는 생명이다. "그가 죽으심은 죄에 대하여 단번에 죽으심이요 그가 살아 계심은 하나님께 대하여 살아 계심이니 이와 같이 너희도 너희 자신을 죄에 대하여는 죽은 자요 그리스도 예수 안에서 하나님께 대하여는 살아 있는 자로 여길지어다"(롬 6:10-11). 오, 성령을 통하여 하나님이 우리에게 그리스도의 부활을 닮음으로 생명의 영광을 보여주신다면! 거기에서 우리는 그리스도를 닮는 삶을 위한 은밀한 능력을 발견한다.

대부분의 그리스도인들에게 이것은 신비이다. 그러므로 그들의 삶은 죄와 연약함 그리고 패배로 가득하다. 그들은 그저 자신들의 인의에 대한 충분한 증거로서 그리스도의 부활을 믿을 뿐이다. 그들은 그분이 중재자로서 하늘에서 자신의 사역을 계속하시기 위해 다시 살아나셔야 했다고 생각한다. 그러나 그들은 이제 그분의 영광스러운 부활 생명이 진정 자신들의 일상생활의 능력이 되도록 하시기 위해 그분이 다시 살아나셨다는 것을 깨닫지 못한다. 따라서 그들이 예수님을 온전히 따르고 또 그분의 형상을 온전히 본받는 것에 대해 들을 때, 그들은 절망을 느낀다. 그들은 어떻게 한 죄인이 그리스도께서 범사에 행하셨던 대로 행하도록 요구받을 수 있는지 생각할 수 없다. 그들은 "그 부활의 권능"(빌 3:10) 안에 계신 그리스도를 알지 못하거나, 그분의 생명이 이제 그분을 위해 기꺼이 모든 것을 해로 여기는(8절) 사람들 안에서 역사하는 강한 능력을 알지 못한다. 자, 그리스도를 닮지 않는 삶에 지긋지긋함을 느끼고 또 언제나 그분의 발자취를 따라 행하기를 바라는 여러분이여! 여러분에게는 여러분이 지금까지 알았던 것보다 더 나은 삶이 있다는 것을 성경에서 깨닫기 시작할 것이다. 자, 나는 그리스도의 부활 안에서 당신이 그분을 닮게 될 때 당신이 얻게 될 말로 다 할 수 없는 아주 귀한 보화를 보여주고자 한다. 세 가지 질문을 하려고 한다.

첫째, 당신은 예수님의 명령(rule)과 그분의 부활 생명에 당신의 생명을 내맡길 준비가 되어 있는가? 그리스도의 본을 주의 깊게 관찰하면, 당신은 분명 여러 가지 점에서 죄를 깨닫게 될 것이다. 야심과 교만과 이기심이 가득한 상태로 그리고 사람에 대한 사랑이 부족한 상태로, 하나님의 뜻과 영광을 구하는 대신에 당신 자신의 뜻과 영광을 구했을 때, 당신은 예수님의 순종과 겸손 그리고 사랑으로부터 얼마나 멀리 벗어나 있는지를 알게 되었다. 그리고 이제 그것은 당신이 죄로 여겼던 이 모든 것들을 고려하면서 기꺼이 다음과 같이 말할 수 있느냐의 문제이다. "만일 예수님이 내 생명을 점유하신다면, 나는 내 의지로 할 수 있는 가장 작은 것에 대한 권리까지 모두 포기할 것이다. 그분이 자신의 말씀과 영을 통해 나에게 명하시는 것을 하기 위해서 나는 내 생명, 곧 내 모든 소유와 내 존재 모두를 언제나 그분께 전부 드릴 것이다. 만일 그분이 내 안에 사신다면, 나는 한없이 그리고 진심으로 순종할 것을 약속한다."

그와 같이 내맡기려면 믿음이 필요하다. 따라서 두 번째 질문은 이것이다. 당신은 예수님이 자신에게 맡겨진 생명을 점유하실 것이라는 것과 그것을 다스리고 지키실 것이라는 것을 믿을 준비가 되어 있는가? 신자가 자신의 영적 삶과 현세의 삶을 전부 그리스도께 완전히 맡길 때, 그는 "내가 그리스도와 함께 십자가에 못 박혔나니 그런즉 이제는 내가 사는 것이 아니요 오직 내 안에 그리스도께서 사시는 것이라"(갈 2:20)는 사도 바울의 말을 바르게 이해할 수 있게 된다. 그리스도와 함께 죽었다가 다시 살아날 때, 살아 계신 그리스도께서는 자신의 부활 생명 안에서 나의 새 생명을 점유하시고 다스리신다. 부활 생명은 비록 내가 그것을 지킬 의무를 질 수 있을지라도 내가 가질 수 있는 것이 아니다. 절대로 그럴 수 없다. 그것은 정말 내가 할 수 있는 것이 아니다. 그러나 하나님을 송축하라! 부활과 생명이신 예수 그리스도 자신이 부활 생명이시다. 그분 자신이 그분과 함께 다시 산 사람으로 내가 살도록 항상 주의하고 또 보증하실 것이다. 그분은 자신의 다시 사신 삶의 영이신 성령을 통해서 그것을 행하신다. 성령은 우리 안에 계시며, 계속해서 우리 안에서 다시 사신 주님의 임재와 능력을 유지하실 것이다. 만일 우리가 그것에 대해 예수님을 신뢰한다면 말이다. 우리는 살아 계신 하나님의 성전들인 사람들에 어울리는 그러한 거룩한 생활을 성공적으로 할 수 없다고 해서 두려워할 필요는 없다. 사실대로 말하자면, 우리는 할 수가 없다. 그러나 우리에게 요구하지도 않으신다. 부활이신 살아 계신 예수님은 우리의 모든 원수들을 제압할 수 있는 자신의 능력을 보여주셨다. 우리를 그토록 사랑하시는 그분 자신이 우리 안에서 그것을 행하실 것이다. 그분은 우리에게 우리의 능력이 되시는 성령을 주시며, 만일 우리가 그분을 신뢰하기만 한다면 그분은 하나님으로서 충실하게 우리 안에서 자신의 사역을 수행하실 것이다. 그리스도 자신이 우리의 생명이시다.

그리고 이제 우리는 세 번째 질문을 하게 된다. 당신은 잃어버린 자들을 축복해주는 능력으로서 하나님이 그리스도께 이 부활 생명을 주신 목적과 또 당신에게 주시는 묵적을 위해 그것을 사용할 준비가 되어 있는가? 부활 생명 이후의 모든 소원은 만일 우리가 단지 우리 자신의 완전함과 행복만을 구한다면 이루어지지 않을 것이다. 하나님은 (사람들로 하여금) 죄를 회개하고 용서받게 하시기 위해 예수님을 일으키시고 높이셨다. 그분은 언제나 계속해서 죄인들을 위해 기도하신다. 당신 자신을 내맡기고 같은 목적을 가지고 그분의 부활 생명을 받으려고 하라. 멸망당하는 사람들을 위해 일하고 기도하는데 당신 자신을 완전히 헌신하도록 하라. 그러면 당신은 부활 생명이 거하여 그것의 영광스러운 목적들을 성취할 수 있는 적합한 사람과 도구가 될 것이다.

형제들이여, 여러분의 소명은 그리스도를 닮는 삶을 사는 것이다. 이 목적을 이루기 위해서 여러분은 이미 그분의 부활과 같은 모양으로 그분과 하나가 되었다. 이제 남은 단 하나의 문제는, 여러분은 그분이 여러분의 인생의 모든 부분에서 부활 능력을 나타내실 수 있도록 그분의 부활 생명을 충만히 경험하기를 바라는가 라는 것과, 여러분은 기꺼이 여러분의 인생 전체를 내맡길 수 있는가 라는 것이다. 나는 여러분이 주저하지 않기를 바란다. 조금도 거리낌 없이 그분께 여러분 자신을 드려라. 여러분의 모든 연약함과 충실하지 못한 것까지도 말이다. 그분의 부활이 모든 생각과 기대를 뛰어넘는 놀라운 것이었듯이, 다시 사신 주님이신 그분은 여전히 여러분이 생각하거나 바랄 수 있는 것 그 이상으로 여러분 안에서 역사하실 것이다(엡 3:20).

예수님이 죽으시기 이전의 제자들의 삶과 그분이 부활하신 후의 그들의 삶에는 정말로 큰 차이가 있었다! 그 이전에 모든 것은 약함과 두려움이었고 자아(self)와 죄였다. 부활과 함께 모든 것은 능력과 기쁨이 되었고 생명과 사랑과 영광이 되었다.

예수님의 부활을 그저 자신의 인의의 근거로서만 알고 그분의 부활을 닮는 것에 대해서는 알지 못했던 신자가 다시 사신 그리스도께서 어째서 자신의 생명이 되시는가를 알게 될 때, 변화는 그만큼 더 클 것이다. 그가 예수님이 손수 자기 인생 전부를 책임지실 거라는 것을 깨달을 때, 그것은 참으로 놀라운 경험이 될 것이다. 오, 아직 이것을 체험하지 못해서 그리스도와 같이 행하도록 부르심을 받고도 그렇게 할 수 없기 때문에 불안해하고 또 울적한 형제들이여! 와서 여러분의 삶 전부를 다시 사신 구주께 드리는 복을 맛보라. 그분이 여러분을 위해 그 삶을 사실 것을 확신하면서 말이다.

〈함께 드리는 기도〉 ─────────

오, 주님! 저의 영혼이 주님을 사모합니다! 주님께서는 십자가 위에서 저의 원수들인 악마, 육체, 세상 그리고 죄를 정복하셨습니다. 정복자로서 주님은 다시 사셔서 주님의 백성 가운데서 주님의 다시 사신 생명의 능력을 나타내 보이시고 유지하십니다. 주님이 그들로 하여금 주님의 부활을 닮아 주님 자신과 하나가 되게 하셨습니다. 따라서 주님께서 그들 안에 사시면서 이 땅에서의 그들의 삶 가운데 주님이 지니신 하늘의 생명의 능력을 나타내십니다.

이 놀라운 은혜로 인해 주님의 이름을 찬양합니다. 복되신 주님, 주님의 초대에 따라 주님께 제 삶을, 그리고 주님께 내포하는 모든 것을 드리고 내맡기기 위해 나아옵니다. 저는 너무나 오랫동안 제 자신의 힘으로 주님과 같이 살려고 애써 왔으나 성공하지 못했습니다. 주님과 같이 행하려고 노력하면 할수록, 실망은 더 컸습니다. 주님의 제자들이 자신들의 삶에 대한 근심과 책임을 모두 주님께 맡기는 것이 얼마나 복된 것인지 말하는 것을 들었습니다. 주님, 제가 주님과 함께 다시 살아서 주님의 부활을 닮아 주님과 하나가 됩니다. 오셔서 저를 온전히 주님의 소유로 삼아주시고 저의 생명이 되어 주옵소서.

오, 다시 사신 나의 주님! 무엇보다도 주님이 부활의 능력 가운데 처음 제자들에게 주님을 보여주셨듯이 저에게도 주님을 보여달라고 간구합니다. 주님께서 부활하신 후에 제자들에게 나타나신 것만으로 충분하지 않았습니다. 주님께서 주님을 알려주시기 전까지 그들은 주님을 알아보지 못했습니다. 주 예수님! 제가 진정 주님을 믿사오니 기쁘게 주님을 저의 생명으로 저에게 알려 주옵소서. 그것이 주님의 사역입니다. 주님만이 그것을 하실 수 있습니다. 그리고 저는 그렇게 해 주실 것을 믿습니다. 그러므로 저의 부활 생명은 주님을 필요로 하는 모든 사람에게 계속적인 빛과 복의 근원인 주님 자신의 부활 생명과 같이 될 것입니다. 아멘.

예수님의 죽으심을 본받기

내가 그리스도와 그 부활의 권능과 그 고난에
참여함을 알고자 하여 그의 죽으심을 본받아.
-빌 3:10

우리는 그리스도의 죽으심이 십자가의 죽으심이라는 것을 알고 있다. 우리는 십자가의 그 죽으심이 그분의 주된 영광이라는 것을 알고 있다. 그 죽으심이 없었다면, 그분은 그리스도가 아니셨을 것이다. 그 뚜렷한 특성, 다시 말해서 그분이 여기 이 땅에서 그리고 하늘에서 다른 모든 개체들(persons)-그들이 신적 존재든 또는 하나님의 우주 안에 있는 다른 존재들이든-과 다른 그 유일한 특징은, 그분은 십자가에 못 박히신 하나님의 아들이시라는 것이다. 본받음의 모든 특성들 중에서 그분의 죽으심을 본받는 것이 분명 주된 본받음이자 가장 영광스러운 본받음이다.

사도 바울의 마음을 끌어당긴 것이 바로 이것이었다. 그리스도께 영광과 축복이 된 것은 그에게도 영광이 되었음이 틀림없다. 그리스도를 가장 친밀하게 닮는 것이란 그분의 죽으심을 본받는 것이라는 것을 그는 알고 있었다. 그가 그리스도의 죽으심을 본받을수록, 그리스도께서 죽으신 것처럼 그도 죽게 되었다.

그리스도께서 십자가에서 죽으심으로 죄도 끝이 났다. 그리스도께서 살아 계시는 동안에는 죄가 그분을 유혹할 수 있었다. 그러나 그분이 십자가에서 죽으셨을 때 죄에 대해서도 죽으셨다. 죄가 더 이상 그분께 미칠 수 없게 되었다. 그리스도의 죽으심을 본받는 것은 우리를 죄의 권세로부터 지켜주는 능력이다. 성령의 은혜로 말미암아 내가 계속해서 그리스도와 함께 십자가에 못 박힌 상태로 있고 또 십자가에 못 박히신 분이 내 안에서 나의 십자가에 못 박힌 삶을 사시는 대로 그것을 살아낼 때, 나는 죄로부터 보호를 받게 된다.

그리스도의 십자가에서의 죽으심은 아버지 하나님을 무한히 기쁘시게 하는 향기로운 희생 제사였다. 아, 만일 내가 하나님 아버지의 은총과 사랑 안에 거하고자 한다면, 그리고 그분의 기쁨이 되고자 한다면, 그리스도의 죽으심을 본받는 것이 그것에 심오하고 완전하게 접근할 수 있는 최고의 방법이라고 나는 확신한다. 하나님 아버지께서는 이 우주 가운데 이 광경만큼, 다시 말해서 예수님이 십자가에 못 박히신 것만큼 그토록 아름답고 그토록 거룩하고 그토록 신령하며(heavenly) 그토록 놀라운 것은 없다. 그리고 내가 그분께 가까이 나아갈수록, 또 그분의 죽으심을 본받을수록, 나는 그분의 사랑의 깊은 곳으로 더 확실하게 들어가게 될 것이다.

그리스도의 십자가에서의 죽으심은 부활 생명의 능력을 얻게 되는, 즉 변하지 않는 영원한 삶 속으로 들어가는 입구였다. 영적 생활을 해 갈 때, 우리는 종종 부활 생명이 그것의 충만한 능력을 발휘하는 것을 방해하는 무언가 부족한 것이 여전히 있다는 것을 우리에게 입증해 주는 단절과 실패 그리고 중단을 슬퍼해야 한다. 그 비밀은 바로 이것이다. 그리스도의 죽으심을 완전히 본받지 못한 교묘한 자기생명(self-life)이 아직 남아 있기 때문이다. 우리가 부활의 기쁨에 온전히 참여하는 자들이 되기 위해서는 반드시 십자가의 사귐 안으로 더 온전히 들어가야 한다.

무엇보다도 그리스도로 하여금 세상의 생명이 되게 하고 또 그분에게 축복과 구원의 능력을 준 것은 그분의 십자가에서의 죽으심이었다(요 12:24-25를 보라). 그리스도의 죽으심을 본받으려면 자아가 죽어야 한다. 우리가 다른 사람들을 위해 살고 또 죽기 위해서는 우리 자신을 내주어야 한다. 하나님 아버지께서는 우리가 다른 사람들의 죄를 짊어지기 위해 우리 자신을 내맡기는 것을 받아들이신다는 믿음이 충만해야 한다. 우리의 자아가 죽을 때 우리는 사랑과 축복의 능력을 가지고 다시 살아나게 된다.

그러면 그와 같은 축복을 가져다주는 십자가에서의 죽으심을 본받는다는 것은 무엇이며, 그것은 무엇에 있는가? 우리는 예수님 안에서 그것을 보게 된다. 십자가는 온전히 자기를 부인하는 것을 의미한다. 자기가 죽는 것을 뜻한다. 다시 말해서 우리 자신의 뜻과 생명을 온전히 복종시켜 하나님의 뜻 안에 잃어버리고 하나님의 뜻으로 하여금 우리와 함께 그것이 기뻐하는 것을 행하게 하는 것이다. 이것이 바로 예수님에게 십자가가 의미했던 것이다. 예수님은 십자가를 지시기전 몹시도 고심을 하셨다. 예수님이 "심히 놀라시며 슬퍼하사" 그분의 마음이 "심히 고민하여 죽게 되었"을 때(막 14:33-34), 그것은 그분의 전 존재가 그 십자가와 그것의 저주로 몸을 움츠리셨기 때문이다. 그분은 세 번 기도하신 후에야 "내 원대로 마시옵고 아버지의 원대로 되기를 원하나이다"(눅 22:42)라고 말씀하실 수 있었다. 그러나 그분은 진정 그렇게 말씀하셨다. 그리고 그분이 십자가에 몸을 바치신 것은 "저로 하여금 하나님의 뜻이 이루어지는 것이라면 어떤 것이든 하게 하옵소서. 오직 아버지 하나님의 뜻이 이루어지도록 모든 것을 내어드립니다"라고 말하는 것이다.

그리고 그리스도의 죽으심을 본받는다는 것은 우리가 우리 자신과 우리의 전 존재를 하나님께 바침으로 우리는 존재하고 일하고 하나님이 우리에게 자신의 뜻으로 드러내시는 것만을 행하는 것을 배운다는 것이다. 그리고 그와 같은 삶은 그리스도의 죽으심을 본받는 것이라고 불린다. 그것이 그렇게 불리는 것은 그것이 그분의 죽으심과 다소 비슷한 면이 있기 때문만이 아니라 그분이 십자가에서 죽으실 때 자신을 활기차게 했던 그 생명을 그분 자신이 자신의 성령을 통해 우리 안에서 되풀이해서 수행하고 계시기 때문이다. 그 생명이 성령을 통해 우리 안에서 역사하지 않는데도 그분의 죽으심을 본받으려고 생각한다면, 그것은 그분을 모독하는 것과 같다.

그러나 십자가에 못 박히신 예수님의 영으로서의 성령의 능력 가운데서, 복된 부활 생명은 그것의 능력과 영광을 십자가에서 초래된 십자가에 못 박힌 생활로부터 갖는다는 것을 신자는 알고 있다. 그는 그것에 자신을 내맡긴다. 그리고 그것이 자신을 소유한다는 것을 믿는다. 자기 자신은 좋거나 거룩한 어떤 것도 생각하거나 행할 능력이 없다는 것과, 육체의 권능이 자기를 주장하면서 자신 안에 있는 모든 것을 더럽힌다는 것을 알기에, 그는 십자가에 못 박힘과 저주의 자리에 자기 자신의 모든 능력에 대한 재량권을 내맡기고 유지한다. 그러므로 그는 자기 자신의 모든 능력, 곧 몸과 혼과 영의 모든 능력을 예수님이 마음대로 사용하시도록 내맡기고 유지한다. 범사에 자기를 신뢰하지 않고 부인하는 것, 그리고 범사에 예수님을 신뢰하는 것이 그의 삶의 특징이다. 오직 십자가의 영이 그의 전 존재를 통해 숨을 쉰다.

그리고 겉보기에는 그렇게 보일지 모르지만, 십자가에 못 박힌 상태를 그렇게 유지하는 것은 결코 고통스런 긴장이나 피곤

한 수고의 문제가 아니다. 사도 바울이 처음으로 사용한 말인 그리스도의 부활의 권능 안에서 그분을 알고 그래서 그분의 죽으심을 본받는 사람에게 그것은 쉼과 힘과 승리이다. 그가 관계하는 것은 죽은 십자가와 자기 부인 그리고 자신의 능력으로 하는 일이 아니라 살아 계신 예수님인데, 그분 안에서 십자가에 못 박히는 것이 성취된 것이 되었다. 그는 이미 부활 생명이 되었다. "내가 그리스도와 함께 십자가에 못 박혔나니…내 안에 그리스도께서 사시는 것이라"(갈 2;20). 점점 더 그리고 더 깊이 계속해서 그분의 죽으심을 가장 완전하게 본받고자 하는 용기와 바람을 주는 것은 바로 이것이다.

그러면 우리는 어떻게 이 복된 주님의 죽으심을 본받는 것을 달성할 수 있는가? 바울은 우리에게 그것에 대한 답을 준다.

> 그러나 무엇이든지 내게 유익하던 것을 내가 그리스도를 위하여 다 해로 여길뿐더러 또한 모든 것을 해로 여김은 내 주 그리스도 예수를 아는 지식이 가장 고상하기 때문이라 내가 그를 위하여 모든 것을 잃어버리고 배설물로 여김은 그리스도를 얻고…그의 죽으심을 본받아.(빌 3:7-8, 10)

진주는 아주 비싸지만, 그것은 살만한 가치가 있다! 십자가에서 예수님과 함께 할 자리를 허락받기 위해 모든 것, 진정 모든 것을 포기하자.

 그리고 만일 모든 것을 포기하는 것과, 평생 십자가를 지는 삶이 우리의 유일한 보상이라는 것이 어렵게 여겨지면, 무엇 때문에 바울이 그토록 기꺼이 모든 것을 포기하고 그렇게 열정적으로 십자가를 택하게 되었는지 그의 이야기에 다시금 귀를 기울여보라. 그것은 바로 예수님, 그리스도 예수 나의 주님 때문이었다. 십자가는 그가 주님과 온전히 연합할 수 있었던 곳이다. 그분을 아는 것, 그분을 얻는 것, 그분 안에서 발견되는 것, 그분을 본받는 것, 이것이 바로 모든 것을 버리는 것을 쉽게 만들고 또 십자가에 그토록 강하고 매력적인 힘을 제공했던 강렬한 열정이었다. 그는 예수님께 더 가까이 나아갈 수 있는 것이라면 무엇이든지 했다. 모든 것을 예수님을 위해서(all for Jesus)가 그의 좌우명이었다. 그것은 '어떻게 하면 우리는 이러한 그리스도의 죽으심을 본받는 것을 달성할 수 있을까? 라는 물음에 대한 이중적인 대답을 포함한다. 하나는 모든 것을 내버리라는 것이고, 다른 하나는 예수님으로 하여금 우리 안으로 들어오시게 하라는 것이다. 모든 것을 예수님을 위해서 말이다.

 그렇다. 여하튼 그분의 죽으심을 본받는 것을 가능하게 하는 것은 오직 그분을 아는 것뿐이다. 그러나 영혼이 그분을 얻고 그분 안에서 발견되며 부활의 권능 안에서 그분을 알게 하라. 그러면 그것은 분명 이루어진다. 그것은 복된 현실이 된다. 그러므로 예수님을 따르는 사랑하는 이여! 예수님을 바라보라. 십자가에 못 박히신 분을 바라보라. 당신의 영혼이 "오, 나의 주님! 저는 주님과 같이 되어야 합니다"라고 말할 수 있을 때까지 그분을 쳐다보라. 예수님 자신, 곧 십자가에 못 박히신 분이 자신의 현재의 전능하심으로 당신 안에 사시고 또 당신의 존재를 통해 그분의 십자가에 못 박히신 삶을 나타내시기 위해서 어떻게 가까이 오시는지를 볼 때까지 쳐다보라. 그분이 자기 자신을 하나님께 드렸던 것은 영원하신 성령을 통해서다. 그 성령은 십자가에서의 죽으심이 당신의 삶 가운데 있고 당신의 삶에 의미하며 당신의 삶에서 성취하는 모든 것을 가져오고 나누어준다. 그 성령으로 말미암아 예수님 자신은 그것에 대해 자신을 신뢰할 수 있는 각 사람 속에서 죄와 자아에 대한 지속적인 죽음으로서의 십자가의 능력을 유지하신다. 그것은 부활 생명과 권능이 끊임없이 흘러나오는 원천이다. 그러므로 다시금 말하건대, 살아 계시고 십자가에 못 박히신 예수님 그분을 바라보라.

그러나 무엇보다도 당신은 당신의 모든 능력으로 최선의 것과 최고의 것을 구해야 하지만, 온전한 복은 당신의 노력의 결과로 오는 것이 아니라 생각하지 않은 때에 뜻밖에 온다는 것을 기억하라. 그것은 위로부터 주어지는 공짜 선물이다. 주 예수님은 우리가 자신의 죽으심을 본받도록 기꺼이 자기 자신을 드러내 보여주신다. 그러므로 그것을 구하고 그분으로부터 그것을 받도록 하라.

〈함께 드리는 기도〉

　오, 주님. "이 지식이 내게 너무 기이하니 높아서 내가 능히 미치지 못하나이다"(시 139:6). 주님의 부활의 권능 가운데 주님을 아는 것과 주님의 죽으심을 본받는 것은 지혜롭고 약삭빠른 사람들에게는 감추시고 하나님 나라의 신비들을 알도록 선택받은 영혼들인 어린아이들에게만 알려진 것들입니다. 그 선택된 영혼들에게만 하나님 나라의 비밀들(mysteries)을 알게 하셨습니다.

　오, 나의 주님! 제가 주님을 닮는 것을 저의 노력을 통해 이루어 보려고 하는 것이 얼마나 어리석은 행동인가를 깨닫습니다. 주님의 자비를 구합니다. 주님의 크신 인자하심과 자유로운 은총을 따라 저를 지켜봐주시고 저에게 주님을 보여 주옵소서. 만일 주님이 저를 가까이 이끄시고 저를 준비시키시며 주님의 생명과 죽으심의 온전한 교제 속으로 인도하시기 위해 하늘에 있는 주님의 처소로부터 오신다면, 오, 나의 주님이시여, 저는 주님을 위해 살고 주님을 위해 죽겠나이다. 그리고 주님이 죽으심을 통해 구원하려고 하신 영혼들을 위해 살고 그들을 위해 죽겠나이다.

　복되신 구주시여, 주님께서는 원하시는 것이 있음을 압니다. 주님의 구속함을 받은 사람들을 향한 주님의 사랑이 한이 없습니다. 오, 저를 가르쳐 주옵소서. 주님을 위해 모든 것을 포기하도록 저를 이끌어주시고, 주님 자신을 위해 저를 영원한 소유로 삼아 주옵소서. 그리고 오, 죽어가는 사람들을 위해 자신을 희생하신 주님의 죽으심을 본받는 것이 제 삶의 특징이 되게 하옵소서! 아멘.

사람들을 위해 자기 목숨을 주기

너희 중에는 그렇지 않아야 하나니 너희 중에 누구든지
크고자 하는 자는 너희를 섬기는 자가 되고
너희 중에 누구든지 으뜸이 되고자 하는 자는
너희의 종이 되어야 하리라 인자가 온 것은 섬김을 받으려 함이 아니라
도리어 섬기려 하고
자기 목숨을 많은 사람의 대속물로 주려 함이니라.
—마 20:26-28

그가 우리를 위하여 목숨을 버리셨으니
우리가 이로써 사랑을 알고 우리도 형제들을 위하여
목숨을 버리는 것이 마땅하니라.
—요일 3:16

그리스도의 죽으심을 닮는 것에 대해서 말할 때, 그리고 그것을 본받는 것-십자가를 지고 그분과 함께 십자가에 못 박히는 것-에 대해서 말할 때, 열성적인 신자에게도 노출되는 위험이 하나 있다. 그 위험이란 자기 자신을 위해 이런 복들을 구하거나, 자신이 생각하기에 개인적으로 온전한 가운데 하나님의 영광을 위해 그것들을 구하는 것이다. 그것은 치명적인 결과를 초래할 수 있는 아주 잘못된 생각이다. 그는 결단코 자신이 바라는 예수님의 죽으심을 철저하게 본받지 못할 것이다. 그는 예수님의 죽으심과 그것이 가르치는 자기희생에서 본질적인 요소인 것을 빼먹고 말 것이다. 그 특징은 절대적인 이타심, 곧 다른 사람들과의 관계이다. 그리스도의 죽으심을 본받게 되는 것은 자기에 대해서 죽는 것, 다시 말해서 다른 사람들을 위해 우리 목숨을 버리고 희생하는데 자기를 완전히 잃어버리는 것을 내포한다. 사람들을 위해 살고 사랑하고 섬기며 구원하는데 있어서 우리는 어느 정도까지 행해야 하는가에 대한 물음에 대해서, 성경은 망설임 없이 아주 분명하게 대답한다. 우리는 예수님이 행하신 만큼 행해야 한다는 것이다. 심지어는 우리 목숨을 버리는데 까지 말이다. 우리가 구원을 받고 이 세상에 남겨진 것은 바로 이 목적 때문이라는 것을 우리는 알아야 한다. 우리가 살아가는 유일한 목표는 우리 목숨을 내어놓는 것으로 거기에는 당연히 죽음이 뒤따른다. 그리스도와 같이, 이 세상에서 우리를 지키는 유일한 것은 죄인들을 구원하여 하나님께 영광을 돌리는 것이어야 한다. 그리스도께서 속죄와 구속을 성취하시기 위해 걸어가신 것 같이, 우리는 그분의 고난의 길로 그분을 따라가야 한다고 성경은 주저 없이 말한다.

　이것에 대해 주님 자신이 아주 분명하게 말씀하셨다. "너희 중에 누구든지 으뜸이 되고자 하는 자는 너희의 종이 되어야 하리라 인자가 온 것은 섬김을 받으려 함이 아니라 도리어 섬기려 하고 자기 목숨을 많은 사람의 대속물로 주려 함이니라." 영광 중 최고의 영광은 가장 낮은 자가 되어 섬기는 것이며, 그렇게 함으로 그는 자기 목숨을 대속물로 주셨던 주님의 모습을 가장 잘 본받게 된다. 예수님은 위의 말씀을 하신 다음 자신의 죽음에 대해서 말씀하셨다.

> 예수께서 대답하여 이르시되 인자가 영광을 얻을 때가 왔도다 내가 진실로 진실로 너희에게 이르노니 한 알의 밀이 땅에 떨어져 죽지 아니하면 한 알 그대로 있고 죽으면 많은 열매를 맺느니라.(요 12:23-24)

　예수님은 제자들이 이미 들었던 말씀을 되풀이하심으로 자신이 말씀하셨던 것을 제자들에게 강조하셨다. "자기의 생명을 사랑하는 자는 잃어버릴 것이요 이 세상에서 자기의 생명을 미워하는 자는 영생하도록 보전하리라"(요 12:25). 죽음으로써 다시 살아나고 또 자기 목숨을 잃음으로써 많은 열매를 맺게 되는 밀 알은 분명 주님뿐만 아니라 그분의 제자들을 나타내는 상징이다. 목숨을 사랑하여 죽기를 거부하는 것은 여전히 이기심 가운데 있는 것을 뜻한다. 다른 사람들 안에 많은 열매를 맺기 위해 목숨을 버리는 것이 우리 자신을 위해 그것을 보전하는 유일한 방법이다. 예수님이 하신 것 같이 하는 것, 곧 다른 사람들의 구원을 위해 목숨을 버리는 것 외에 그것을 찾을 방법이 없다. 그렇게 함으로 하나님 아버지가 영광을 받으실 것이며 우리도 칭찬을 받게 될 것이다. 그리스도의 죽으심을 본받는 것에 대한 가장 깊이 있는 기본적인 생각은 다른 사람들을 구원하기 위해 우리 생명을 하나님께 바치는 것이다. 그것이 없다면, 그 죽으심을 본받고자 하는 바람은 그저 이기심이 조금 세련되어진 것에 지나지 않을 것이다. 사도 바울은 그러한 정신(spirit)을 아주 분명하게 표현했고, 성령이 그를 통해 하신 말씀은 참으로 유익하다.

> 우리가 항상 예수의 죽음을 몸에 짊어짐은 예수의 생명이 또한 우리 몸에 나타나게 하려 함이라 우리 살아 있는 자가 항상 예수를 위하여 죽음에 넘겨짐은 예수의 생명이 또한 우리 죽을 육체에 나타나게 하려 함이라 그런즉 사망은 우리 안에서 역사하고 생명은 너희 안에서 역사하느니라. (고후 4:10-12)

그리스도께서 약하심으로 십자가에 못 박히셨으나 하나님의 능력으로 살아 계시니 우리도 그 안에서 약하나 너희에게 대하여 하나

님의 능력으로 그와 함께 살리라.(고후 13:4)

나는 이제 너희를 위하여 받는 괴로움을 기뻐하고 그리스도의 남은 고난을 그의 몸된 교회를 위하여 내 육체에 채우노라.(골 24)

이 절들은 그리스도께서 나무에 달려 자기 몸으로 당한 고난의 위임된 요소가 어째서 여전히 어느 정도 그분의 몸인 교회가 당하는 고난의 특징을 나타내는지를 우리에게 가르쳐준다.

영혼들을 얻고자 애쓰시면서 치욕과 부끄러움, 약함과 고통을 몸소 당하시는 주님 앞에서 사람들의 죄 짐을 떠맡기 위해 자신들을 포기하는 신자들은 자신들이 결여하고 있는 그리스도의 고난을 자신들의 육체에 채우고 있는 것이다. 그리스도의 고난과 죽으심의 능력에 참여함으로 그들은 자신들이 사랑 안에서 얻으려고 애쓰는 사람들 안에 그리스도의 생명의 능력을 일으킨다. 빌립보서 3장에서 바울이 그리스도의 고난에 참여하는 것과 그분의 죽으심을 본받는 것에 대해서 말할 때, 그것은 그의 몸이 외적으로 그리스도의 고난에 참여했다는 것뿐만 아니라 마음속에서 내밀히 영적으로도 참여했다는 것을 뜻했다.

우리 각자도 어느 정도 그와 같아야 한다. 우리 자신의 성화를 위해서 뿐만 아니라 우리 동료들의 구원을 위한 자기희생은 우리로 하여금 우리를 위해 자신을 주신 그리스도와 참된 사귐을 갖게 하는 것이다.

　이런 생각을 실제적으로 적용하는 것은 아주 간단하다. 무엇보다도 성령께서 우리에게 가르치시고자 하는 진리를 이해하려고 노력하자. 그리스도를 닮는데 가장 필수적인 것이 그분의 죽으심을 닮는 것이듯이, 그분의 죽으심을 닮는데 가장 필수적인 것은 다른 사람들을 하나님을 믿도록 인도하기 위해서 우리 목숨을 버리는 것이다. 그것은 다른 사람들을 구원하는 일에만 마음을 쏟고 자기를 구원한다는 생각은 모두 잃어버리게 되는 죽음이다. 성령의 빛을 비추어 주셔서 그것을 깨달을 수 있게 해달라고 기도하자. 우리는 자기를 버리고, 사랑하고 섬기며, 살고 죽기 위해서 그리스도께서 이 세상에 계셨던 것 같이 이 세상에 있다는 것을 알아야 한다. "인자가 온 것은 섬김을 받으려 함이 아니라 도리어 섬기려 하고 자기 목숨을 많은 사람의 대속물로 주려 함이니라." 오, 하나님이 자기 백성들로 하여금 자신들의 부르심을 알게 하신다면! 그들은 자기 자신들에게 속하는 것이 아니라 하나님과 자신들의 동료들에게 속한다. 더욱이 그리스도께서 이 세상에 복을 주시기 위해서 사셨던 것 같이 그들도 오직 그러한 삶을 살아야 한다.

　그러므로 우리에게는 이 진리를 경험하는 것을 가능하게 해주는 은혜가 기다리고 있음을 믿자. 하나님은 우리가 다른 사람들을 구원하는데 우리 목숨을 전부 그분의 영광을 위해 버리는 것을 받으신다는 것을 믿자. 실제 생활 원리인 이 점에서 그리스도의 죽으심을 본받는 것이 성령께서 우리 안에서 이루실 것이라는 것을 믿자. 무엇보다도 예수님을 믿자. 자기를 온전히 내맡기고 그분께 복종하는 모든 영혼과 그분의 죽으심, 곧 많은 열매를 맺기 위해 그분이 사랑 가운데서 죽으신 것에 온전히 참여하는 것을 받아들이실 분은 바로 예수님 자신이다. 그렇다. 믿음을 가지고 이점에서도 그리스도를 닮기를 위로부터 구하자. 왜냐하면 그것은 예수님의 사역과 선물로서 위로부터 오기 때문이다.

즉시 이 믿음을 행하도록 하자. 그것을 실행에 옮기자. 그리스도와 같이 우리 동료들을 위해 살고 죽기 위해서 이제 우리 자신을 온전히 내버린 것으로 여기자. 새로운 열정을 가지고 영혼들을 얻는 사랑의 사역을 하자. 그리스도께서 우리가 자신을 닮는 것을 이루시기를 기대하면서, 그리고 성령께서 그분의 마음을 우리 안에 더 완전하게 주실 것을 신뢰하면서, 다른 사람들을 축복하기 위해 살고 죽으셨던 그리스도를 따르는 사람들로서 믿음 가운데 행하기 시작하자. 우리 사랑이 우리가 마땅히 해야 할 일을 하도록 우리를 이끌어 줄 것이다. 그러므로 그 길을 따라 친절하고 온화하며 유익하게 행하면서 우리의 일상생활 가운데 만나는 모든 사람들에게 우리 사랑의 빛을 비추자. 우리 사랑을 토대로 중보사역을 하고 그 기도들에 응답하시는데 자신의 도구들 중 하나로서 우리를 사용하실 하나님을 바라보자. 우리에게 축복을 확보해 주는 하늘로부터 받은 임무와 능력을 지닌 사람들로서 예수님을 위해 말하고 예수님을 위해 일하자. (복음을 전하여) 영혼을 얻는 것(soulwinning)을 우리의 목표로 삼자. 주님이 수확하러 보내시고 계신 수많은 일꾼들에 합류하자. 그러면 머지않아 하나님을 위해 다른 사람들을 얻고자 우리 목숨을 주는 것은 자기에 대해서 죽고 더욱이 잃어버린 자들의 종과 구주이신 예수님(the Man of Son)을 닮는 복된 길이라는 것을 깨닫게 될 것이다.

오, 그리스도를 닮는 것은 진정 가장 멋지고 상상할 수 없을 만큼 복된 것이다! 그분은 사람들을 위해 자기 자신을 주셨으나, 그들을 위해 자기 자신을 하나님께 희생제물로 드리시기 전까지는 정말로 그들에게 이를 수 없었다. 씨앗이 죽자 생명이 솟아나왔다. 이윽고 복이 강력한 능력 가운데 흘러나왔다. 내가 사람들을 사랑하고 섬기려고 할지 모르지만, 그러나 내가 나 자신을 하나님께 내맡기고 그들을 위해 내 목숨을 하나님의 손 안에 내드릴 때만 진정 나는 그들에게 영향을 주고 또 그들을 축복할 수 있다. 내가 나 자신을 제단에 제물로 바칠 때에야 비로소 나는 진정으로 그분의 영과 능력 가운데 축복할 수 있다. 내 영을 그분의 손안에 드려야 그분은 나를 사용하여 축복하실 수 있다.

〈함께 드리는 기도〉

　　오, 가장 복되신 하나님! 주님께서는 제가 나아와 저의 동료들을 위해 주님께 제 자신을, 바로 제 목숨을 온전히 드리기를 원하시나이까? 만일 제가 주님의 말씀을 올바르게 들었다면, 진정 주님께서는 바로 그것을 원하고 계십니다.
　　오, 하나님! 주님께서는 진정 저를 소유하시렵니까? 그리스도 안에서 주님은 그분과 같이 저를 그분의 한 지체로서 제 주변에 있는 사람들을 위해서 살고 죽도록 하시렵니까? 제가 주님 곁에 십자가에 못 박힌 상태로 죽음의 제단 위에 있어도 되겠나이까? 사람들을 위해 주님께 드려지는 살아 있는 희생제물이 되어도 되겠나이까? 주님, 가장 놀라운 이 은혜로 인해 주님을 찬양합니다. 그리고 주 하나님, 이제 주님께 나아와 저를 드립니다. 오, 성령의 은혜로 인해 그 일이 확실하고 실제적이 되었습니다! 주님, 주님께 드려진 제가 여기 있습니다. 앞으로 주님이 구원하시고자 하는 사람들을 위해 살겠습니다.
　　복되신 예수님이시여, 오셔서 주님 자신의 마음과 사랑을 제 안에 불어넣어 주옵소서. 저를 취하시고 사람들을 위해 주님께 바쳐진 대로 제 생각과 마음, 제 능력과 삶도 취하시옵소서. 제 마음에 그것을 새겨 주옵소서. 이제 다 되었습니다. 제가 하나님께 드려졌습니다. 하나님이 저를 취하셨습니다. 매일 하나님의 손 안에 있는 것처럼 안전하게 저를 지켜주시고 하나님께서 저를 사용하실 것을 기대하고 또 확신하게 하옵소서. 주님이 자신을 내어주신 다음에 능력 있는 삶이 뒤따랐고 또한 축복이 충만하게 급증하게 되었습니다. 주님의 백성도 그렇게 될 것입니다. 주님의 이름이 영광을 받으소서. 아멘.

예수님의 온유하심

네 왕이 네게 임하나니 그는 겸손하여.
-마 21:5

나는 마음이 온유하고 겸손하니 나의 멍에를 메고
내게 배우라 그리하면 너희 마음이 쉼을 얻으리니.
-마 11:29

　이 두 절 중 첫 번째 절은 우리 주님이 십자가의 길로 나아가시는 것에 관한 것이다. 특히, 예수님의 온유(meekness, 우리말 성경은 마태복음 21장 5절의 meek를 겸손으로 번역했지만 원서의 의미상 온유가 적절함으로 이 책에서는 온유로 번역한다-역주)가 나타난 것은 그분이 고난을 받으실 때이다. 기꺼이 그분의 십자가 바로 아래에 자리를 잡고 거기서 어린 양 예수님이 당신의 죄를 위해 죽임을 당하신 것을 보는 예수님을 따르는 이여, 당신으로 하여금 그분의 형상을 지니고 매일 그분을 닮도록 하는 것이 하나님의 고난당하시는 어린 양으로서 그분의 사역의 일부라는 것이 참으로 귀하지 않은가? 그분이 온유하고 온화하셨던 것과 같이 당신도 그렇게 될 수 있다.

온유는 매정하거나 통렬하거나 날카로운 모든 것과 반대되는 말이다. 그것은 우리로 하여금 다른 사람들을 측은히 여기게 만드는 성질을 말한다. 가르치고 또 잘못을 상기시켜주는 사역자들은 온유한 마음으로 그렇게 해야 한다(갈 6:1; 딤후 2:25를 보라). 그것은 또한 하나님의 말씀에 대한 우리의 성향을 나타낸다. 우리는 "마음에 심어진 말씀을 온유함으로 받"아야 한다(약 1:21).

아내가 자기 남편에게 순종하려면 "온유하고 안정한 심령의 썩지 아니할 것으로" 해야 하는데, 그 심령은 "하나님 앞에 값진 것이"다(벧전 3:4). 성령의 열매 중 하나인 온유는 우리가 매일 동료 그리스도인들과 상호 작용하는 모든 것의 특징이어야 하고 우리가 만나는 모든 사람에게 확대되어야 한다(엡 4:2; 갈 5:22-23; 골 3:12; 디도서 3:2를 보라). 성경에서 온유는 겸손과 함께 언급된다. 왜냐하면 겸손은 다른 사람들에 대한 온유가 비롯되는 자신에 관한 내적 성향이기 때문이다.

아마도 하나님의 아들의 형상을 돋보이게 하는 훌륭한 덕목들 중에서 본이 되어야 하는 사람들 가운데 좀처럼 보이지 않는 것이 이것일 것이다. 예수님의 종들 중에는 영혼들에 대한 사랑과 다른 사람들의 구원을 위한 봉사와 하나님의 뜻에 대한 열정은 두드러지지만, 이 부분이 계속해서 부족한 사람들이 많이 있다. 이것은 그들이 갑자기 기분이 상하거나 상처를 입을 때 가장 빈번하게 일어난다. 집에서나 밖에서, 그들은 흥분하여 노기를 발하거나 화를 내고 틀림없이 하나님 안에 있는 영혼의 완전한 안식을 잃어버렸다고 고백하게 될 것이다! 아마도 어떤 사람들에게 온유는 자신이 얻고자 가장 진지하게 기도했던 덕목일 것이다. 만일 그들이 배우자나 자녀들 또는 동업자들과의 관계에서 언제나 자신들의 노기를 가라앉히고 그리스도의 온유와 온화함을 보일 수 있다면, 그들은 무엇인가를 주게 될 것이다. 온유를 간절히 바라면서도 그것의 비밀을 발견하지 못하는 사람들이 경험하는 슬픔과 실망은 말로 다 표현할 수 없을 만큼 크다.

온유에 필요한 절제는 어떤 사람들에게는 아주 불가능한 것처럼 보인다. 그래서 그들은 이 복은 어떤 자연적인 기질에 속하며, 자신들의 성격과는 너무나 정반대여서 자신들은 그것을 기대할 수 없다고 믿으면서 위안을 얻으려고 한다. 그들은 자신들을 만족시키기 위해서 온유를 보이지 않는 사람들을 위한 온갖 종류의 변명거리들을 찾는다. "그들은 그렇게 비열하지(mean) 않아요. 비록 말투나 성미가 모질긴 해도, 그들의 마음에는 여전히 사랑이 있지요. 너무 친절한 것이 꼭 좋은 것만은 아닐 거예요. 그것은 나쁜 짓을 강화시키는 것이 될 테니까요." 그럴 경우 하나님의 어린 양의 거룩한 온화함을 온전히 본받으라는 부르심은 그것의 힘을 모두 상실하고 만다. 그리하여 세상 사람들은 더욱 더 그리스도인들도 결국 다른 사람들과 별반 다르지 않다고 믿게 된다. 비록 온유를 보이지 않는 그들이 실로 그렇게 말하지만, 그들은 예수님이 자기 형상을 따라 마음과 삶을 변화시키신다는 것을 보여주지 못한다. 따라서 영혼은 상처를 입게 되고, 이러한 구원의 축복-하나님의 형상과 모양을 지니는 것-을 소유하는데 충실하지 못하게 되어 그리스도의 교회에 말로 다 표현할 수 없는 해를 입히게 된다.

이 은혜는 하나님이 보시기에 대단히 값진 것이다. 구약에는 온유한 사람들에 대한 영광스러운 약속들이 많이 있는데, 예수님은 그것들을 이 한 문장에 담아 말씀하셨다. "온유한 자는 복이 있나니 그들이 땅을 기업으로 받을 것임이요"(마 5:5; 또한 시 25:9; 76:9; 잠 3:24; 습 2:3을 보라). 신약에서 그것에 대한 칭송은, 주님의 형상에 초자연적이고 비길 데 없는 아름다움을 주는 것은 바로 그분의 온유라는 것에 있다. 온유한 심령(spirit)은 하나님이 보시기에 대단히 값진 것이다. 그것은 사랑하는 아들 예수 그리스도의 최고의 장신구이다. 의심할 여지없이 하나님 아버지는 자기 자녀들에게 무엇보다도 먼저 온유한 마음을 구하라고 권유하실 것이다.

이 마음을 소유하기를 원하는 모든 사람에게 그리스도의 말씀은 위로와 격려로 가득하다. "나는 마음이 온유하니 내게 배우라." 그러면 그분이 온유하다는 것을 배우는 것이 우리에게 무슨 유익이 있을까? 그분의 온유를 체험하게 되면 그것이 우리에게 부족하다는 것을 알게 되기 때문에 오히려 그것이 우리를 더 고통스럽게 만들지는 않을까? 우리가 주님께 구하는 것은 이것이다. "주님, 우리가 어떻게 하면 온유하게 되는지 가르쳐 주옵소서." 그 대답은 동일하다. "나는 마음이 온유하니 내게 배우라"는 것이다.

우리에게는 우리가 알고 있어야 하는 은사들로서 온유와 우리 주 예수님의 다른 은혜들을 실천하지 않고 그것들을 구하기만 할 위험이 있다. 이것은 믿음의 길이 아니다. "모세는…얼굴 피부에 광채가 나나 깨닫지 못하였더라"(출 34:29). 그는 하나님의 영광을 보았다는 것만을 알고 있었다. 온유하기를 구하는 사람은 예수님이 온유하시다는 것을 배워야 한다. 우리는 시간을 가지고 그분을 바라보아야 한다. 우리 마음이 그분만이 온유하시며 오직 그분과 함께만 온유를 발견할 수 있다는 인상을 충분히 받을 때까지 말이다. 우리가 이것을 깨닫기 시작할 때, 우리는 '이 온유하신 분은 구주 예수님이시다'라는 진리에 우리 마음을 집중하게 될 것이다. 예수님의 전 존재, 그분의 모든 소유는 그분의 구원받은 사람들을 위한 것이다. 그분의 온유는 우리에게 전해져야 한다. 그렇다고 해서 이를테면 그것을 약간씩 선물로 주시는 식으로 나누어주시지는 않는다. 그렇다. 우리는 그분만이 온유하시다는 것을 배워야 한다. 예수님이 우리의 마음과 삶에 들어오셔서 그것들을 소유하실 때, 그분은 자신과 함께 자신의 온유를 가져오신다. 우리는 예수님의 온유로 온유하게 될 수 있다.

우리는 예수님이 이 땅에 계실 때 자신의 제자들을 온유하고 겸손하게 하시는데 거의 성과를 거두지 못하셨다는 것을 알고 있다. 그것은 예수님이 아직 새 생명을 얻지 못하셨고 또 자신의 부활을 통해 성령을 주실 수 없었기 때문이다. 그러나 이제 그분은 그것을 하실 수 있다. 예수님은 그 때 이후로 하나님의 능력에까지 높임을 받으셔서 우리의 마음속에서 다스리시고 모든 적을 무찌르시며 우리 안에서 자신의 거룩한 삶을 계속해서 영위하실 수 있게 되었다. 예수님은 이 땅에서 우리의 가시적인 본이셨다. 그러므로 우리는 그분이 하늘로부터 우리에게 주실 감추어진 생명이 어떠할지를 그분 안에서 볼 수 있으며 그분 자신이 우리 안에 계실 것이라는 것을 알 수 있다.

"나는 마음이 온유하고 겸손하니…내게 배우라." 이 말씀은 노기를 억제하는 어려움에 대해 그분의 구속함을 받은 사람들이 하는 모든 슬픈 불평에 대한 우리 주님의 대답으로 끊임없이 우리 귀에서 울린다. 오, 나의 형제들이여! 만일 예수님이 자신이 아주 완전히 속해 있는 여러분에게 자신의 온유를 주지 않으신다면, 어째서 여러분의 예수님과 여러분의 생명과 여러분의 힘이신 예수님이 온유하고 겸손하신 분이시겠는가?

  그러므로 믿기만 하라! 예수님이 자신의 온유한 마음으로 당신의 마음을 채우실 수 있다는 것을 믿어라. 예수님 자신이 자신의 성령을 통하여 당신이 하려고 애썼으나 허사였던 그 일을 당신 안에서 성취하실 것을 믿어라. "네 왕이 네게 임하나니 그는 겸손(meek)하여." 예수님이 당신의 마음에 거하실 수 있도록 기꺼이 그분을 모셔 들여라. 그분이 자신을 당신에게 보여주시기를 기대하라. 모든 것이 이것에 달려 있다. 그분은 마음이 온유하고 겸손하시다는 것을 배워라. 그러면 당신의 영혼이 쉼을 얻게 될 것이다.

〈함께 드리는 기도〉

  귀하신 구주시여, 성령의 그늘 아래(overshadowing)에서 지금 저를 주님께 가까이 이끌어 주시고 주님의 거룩한 온유를 제 삶의 소유가 되게 하여 주옵소서. 예수님은 모든 죄로부터 구원하시고 그것 대신에 하늘에 속한 주님의 거룩함을 주시는 분입니다. 주님, 저는 주님의 온유를 주님이 저에게 주신 구원의 한 부분으로 주장합니다. 그것 없이는 제가 아무 것도 할 수 없습니다. 제게 그것이 없다면 어떻게 주님께 영광을 돌릴 수 있겠습니까? 주님, 주님은 온유하시다는 것을 배우겠습니다. 복되신 주님, 저를 가르쳐 주옵소서. 그리고 주님이 언제나 저와 함께 계심을, 언제나 제 안에 제 생명으로 함께 계심을 가르쳐 알게 해 주옵소서. 주님 안에 거함으로, 제 안에 거하시는 주님으로 인해 이제 제게는 저를 도우시고 저를 주님과 같이 되게 하시는 온유하신 분이 있게 되었습니다.

오, 거룩한 온유이신 예수님! 주님께서는 잠깐 방문차 이 땅에 오셨다가 다시 하늘로 사라져 버리지 않으셨습니다. 주님은 거하실 곳(home)을 구하러 오셨습니다. 제가 주님께 제 마음을 드리오니 오셔서 그 안에 거하여 주옵소서.

제 구주와 조력자가 되시는 복되신 하나님의 어린 양이시여, 제가 주님을 의지합니다. 주님께서는 제 안에 주님의 온유가 있게 하실 것입니다. 주님께서는 제 안에 거하심을 통해 저로 하여금 주님의 형상을 본받게 하십니다. 오, 오셔서 주님의 풍성하고 자유로운 은혜의 행위대로, 더욱이 제가 주님을 기다릴 때조차도 제왕으로 주님을 온유하게 보여 주옵소서. 그리고 오셔서 주님 자신을 위해 저를 소유하여 주옵소서. 아멘.

귀하고 온화하며 거룩하신 예수님,
제 마음의 복되신 신랑이시여,
주님의 은밀한 골방에서
저에게 주님의 모습 그대로 보여 주옵소서.

하나님의 사랑 안에 거하기

> 아버지께서 나를 사랑하신 것 같이
> 나도 너희를 사랑하였으니 나의 사랑 안에 거하라
> 내가 아버지의 계명을 지켜 그의 사랑 안에
> 거하는 것 같이 너희도 내 계명을 지키면
> 내 사랑 안에 거하리라.
> -요 15:9-10

우리의 복되신 주님은 "내 안에 거하라"(요 15:4)고 말씀하셨을 뿐만 아니라 "내 사랑 안에 거하라"(10절)고 말씀하셨다. 주님 안에 거하는데 가장 중요한 것은 그분이 우리를 사랑하시고 또 그분 자신을 우리에게 주시는 그 놀라운 사랑 안으로 들어가서 그 사랑 안에 거하며 그 사랑 안에 뿌리를 내리는 것이다. 사랑은 "자기의 유익을 구하지" 않는다(고전 13:5). 사랑은 언제나 자기를 떠나 사랑하는 사람과 함께 살고 하나가 된다. 사랑은 계속해서 자신을 개방하고 팔을 넓게 벌린다. 그것이 바라는 대상을 받아들이고 굳게 붙잡기 위해서다. 그리스도의 사랑은 우리를 소유하기를 간절히 바란다. 그리스도 안에 거하는 것은 대단히 개인적인 관계이다. 그것은 무한한 사랑과의 교제 속에서 우리 자신을 잃어버리는 것이고, 그분에 의해 사랑을 받는 경험, 곧 오직 그분의 사랑 안에서만 평안하게 되는 경험 속에서 우리 자신을 발견하는 것이다.

예수님은 자신의 사랑이 지니고 있는 모든 신적인 아름다움과 복 가운데 우리에 대한 그 사랑 안에서 이 생명을 보여주시기 위해서 우리가 거해야 하는 우리를 위한 자신의 사랑은 자신이 거하는 사랑인 자신을 향한 아버지 하나님의 사랑과 똑같다고 우리에게 말씀하신다. 의심할 여지없이, 만일 그분의 사랑 안에 거하는 것을 더 놀랍고도 매력적으로 만드는데 필요한 것이 있다면, 반드시 그것을 해야 한다. "아버지께서 나를 사랑하신 것 같이 나도 너희를 사랑하였으니 나의 사랑 안에 거하라." 우리의 삶은 그리스도를 닮아 우리를 감싸고 또 우리 안에서 매우 기뻐하는 무한한 사랑을 의식하는 가운데 말로 형용할 수 없는 복을 받게 될 것이다.

우리는 어째서 이것이 그리스도의 놀라운 삶의 비밀이었는지, 그리고 죽임을 당하게 되셨을 때 그분의 힘이었는지를 알고 있다. 예수님이 세례를 받으실 때, 성령이 가져오셨고 또 계속해서 생생한 능력 가운데 유지시킨 신적 메시지가 들려왔다. "이는 내 사랑하는 아들이요 내 기뻐하는 자라"(마 3:17). "아버지께서 아들을 사랑하사"(요 3:35; 5:20)라는 말씀이 한번만 나오는 것이 아니다. 예수님은 그것을 자신의 최고의 복으로 여기셨다. "아버지께서 나를 보내신 것과 또 나를 사랑하심 같이 그들도 사랑하신 것을 세상으로 알게 하려 함이로소이다…아버지께서 창세전부터 나를 사랑하시므로"(요 17:23-24). "내가 아버지의 이름을 그들에게 알게 하였고 또 알게 하리니 이는 나를 사랑하신 사랑이 그들 안에 있고 나도 그들 안에 있게 하려 함이니이다"(26절). 우리는 우리 주변에 비취는 햇빛 속에서 매일 걷고 또 살아가듯이, 예수님은 온 종일 자신에게 비취는 아버지 하나님의 사랑의 영광의 빛 가운데서 사셨다. 예수님이 하나님의 뜻을 행하고 또 자신의 사역을 완수하실 수 있었던 것은 바로 하나님의 사랑받는 아들로서였다. 그분은 아버지 하나님의 사랑 안에 거하셨다.

그와 마찬가지로 우리는 예수님의 사랑받는 사람들이다. 아버지 하나님이 예수님을 사랑하신 것 같이, 그분은 우리를 사랑하신다. 그러므로 우리에게 필요한 것이 있다면, 그것은 시간을 들여 우리 주변에 있는 모든 것에 대해 눈을 감은 채로 하나님의 무한한 사랑을 예수님의 심장을 통해 우리 위에 비춰오는 그 사랑의 모든 능력과 영광 가운데서 볼 때까지 예배하며 기다리는 것이다. 그것은 자기를 알리려고 애쓰고 있고 우리를 완전히 소유하고 있으며 자기를 우리의 집(home)과 안식처로 제공하고 있다. 오, 만일 그리스도인이 "나는 주님의 사랑받는 사람이다. 아버지 하나님이 그분을 사랑하신 것 같이, 예수님은 매순간 나를 사랑하신다"라는 이 놀라운 생각으로 자신을 채울 시간을 가진다면 좋으련만! 그러면 우리 믿음은 진정 자랄 것이며, 우리는 그리스도께서 사랑을 받으셨던 것 같이, 우리도 사랑을 받는다는 것을 믿게 될 것이다. 우리는 그분이 행하셨던 것같이 행해야 한다!

그러나 그 비유(comparison)에는 두 번째 요점이 있다. 우리가 그 안에 거해야 하는 사랑은 그분이 그 안에 사셨던 사랑과 같을 뿐만 아니라 우리가 거하는 방법도 그분이 거하셨던 방법과 같다는 것이다. 아버지 하나님의 아들로서 그리스도는 이 세상 속으로 들어오셨을 때 하나님의 사랑 안에 계셨다. 그러나 그분이 그것의 기쁨을 계속해서 향유하면서 그 안에 거하실 수 있었던 것은 오직 순종을 통해서였다. 그것은 예수님이 아무런 대가를 치르지 않아도 되는 그런 순종이 아니었다. 결코 그렇지가 않다. 예수님이 아버지 하나님의 계명을 지키고 그분의 사랑 안에서 사신 것은 자신의 뜻을 포기하고 자신이 당하는 고난을 통해 순종을 배우며 "자기를 낮추시고 죽기까지 복종"(빌 2:8)하는 삶 안에서였다. "내가 내 목숨을 버리는 것은…이로 말미암아 아버지께서 나를 사랑하시느니라…이 계명은 내 아버지에게서 받았노라"(요 10:17-18). "나를 보내신 이가 나와 함께 하시도 다 나는 항상 그가 기뻐하시는 일을 행하므로 나를 혼자 두지 아니하셨느니라"(요 8:29). 그리고 그와 같이 우리에게 본을 보여 주셨고 또 순종의 길이 얼마나 확실하게 우리를 하나님의 임재와 사랑과 영광 안으로 이끌어 주는지를 입증해 보이신 다음, 예수님은 자신을 따르도록 우리를 초청하신다. "내가 아버지의 계명을 지켜 그의 사랑 안에 거하는 것 같이 너희도 내 계명을 지키면 내 사랑 안에 거하리라."

그리스도와 같이 순종하는 것은 신적 사랑을 그리스도와 같이 누리는 길이다. 그것으로 인해 우리는 정말로 하나님의 임재 속으로 담대히 나아갈 수 있게 된다!

> 자녀들아 우리가 말과 혀로만 사랑하지 말고 행함과 진실함으로 하자 이로써 우리가 진리에 속한 줄을 알고 또 우리 마음을 주 앞에서 굳세게 하리니…사랑하는 자들아 만일 우리 마음이 우리를 책망할 것이 없으면 하나님 앞에서 담대함을 얻고 무엇이든지 구하는 바를 그에게서 받나니 이는 우리가 그의 계명을 지키고 그 앞에서 기뻐하시는 것을 행함이라. (요일 3:18-19, 21-22)

그것은 정말로 사람들 앞에서 우리를 담대하게 하고 우리를 높여 그들의 승인이나 멸시를 초월하게 해준다! 왜냐하면 우리는 하나님의 명령에 따라 행하며 오직 명령에 순종해야 한다고 느끼기 때문이다! 그리고 어려움이나 위험에 직면해서도 참으로 용감하게 된다! 우리는 하나님의 뜻을 행하고 있고 그래서 감히 실패나 성공에 관해서는 모든 책임을 그분께 맡긴다. 오직 하나님께만 직접적으로 그리고 온전히 순종한다는 생각으로 가득한 마음은 세상을 초월하여 하나님의 뜻 가운데로, 하나님의 사랑이 자신에게 머무는 곳으로 들어간다. 그리스도와 같이, 그는 하나님의 사랑 안에서 자신의 집을 가지고 있다.

우리의 삶을 다스리는 이 순종의 영을 가진다는 것이 무엇을 의미하는지 그리스도로부터 배우려고 하자. 그것은 의지의 영, 곧 우리에게는 어떤 것에서도 우리 자신의 뜻을 행할 권리도, 소원도 없다는 고백을 내포한다. 그것은 영이 가르침을 잘 받는 것(teachableness)과 관계가 있다. 전통과 편견 그리고 습관의 현혹시키는 영향을 지각하면서, 그것은 사람들이 아닌 하나님 그분 자신으로부터 자기의 법을 취한다. (성령의 인도와 다스림이 없다면,) 하나님의 말씀을 아무리 주의 깊게 공부한다해도 그 자체의 영적 능력으로는 하나님의 뜻을 거의 알 수 없다는 것을 의식하면서, 성령의 인도를 받으려고 하며 그런 이유로 그분의 다스림을 온전히 받으려고 한다. 그것은 진리와 의무에 대한 자기 견해들이 매우 부분적이고 불완전하다는 것을 알고 있으며, 하나님 자신에 의해 더 깊이 이해하고 더 높이 도달할 수 있도록 인도함을 받는다는 것을 믿는다. 순종의 영은 "너희가 너희 하나님 나 여호와의 말을 들어 순종하고 내가 보기에 의를 행하며"(출 15:26)라는 하나님의 말씀을 특징짓는다. 순종은 바로 그 명령들이 양심이나 기억 또는 성경(the Book)으로부터 오지 않고, 성령을 통해 말씀하실 때 듣게 되는 하나님의 생생한 음성으로부터 올 때만 가능하고 또 만족할 만한 것이 된다는 것을 그것은 이해했다. 순종은 바로 오직 하나님 아버지의 개인적인 지도를 따름으로 그리고 그분께 봉사함으로 자기의 완전한 가치를 지니고 또 자기의 충만한 복을 가져온다는 것을 그것은 안다. 순종의 영은 하나님께 바쳐졌고 또 매순간 그분의 거룩한 뜻을 나타내기 위해 그분께 눈과 귀를 계속 열어두는 제단 위에서 살아가도록 대단히 주의한다. 그것은 자기를 위해 바른 것을 하는 것에 만족하지 않는다. 그것은 모든 것을 하나님 그분 자신과의 개인적인 관계 안으로 가져와서 주님과 관련하여 그것을 한다. 이러한 순종은 인생의 모든 과정이 하나님과의 사귐이 되기를 원한다. 그것은 사소한 일들에서뿐만 아니라 일상생활 속에서 하나님 아버지께 의식적으로 순종하기를 갈망한다. 왜냐하면 이것이 더 높은 일을 위해 준비하는 유일한 방법이기 때문이다. 그것의 한 가지 소원은 하나님의 뜻을 아주 성공적으로 행하여 하나님께 영광을 돌리는 것이다. 순종의 영은 그 소원을 손에 넣는 한 가지 방법을 가지고 있다. 마음과 힘을 다하여 매순간마다 그 뜻을 행해야 한다는 것이다. 그리고 그것에 대한 한 가지 보상이나 충분한 보상은 이것이다. 그것은 그리스도 자신이 열어 놓으신 하나님의 사랑 안으로 더 깊이 들어가는 길이 하나님의 뜻으로 통한다는 것을 알고 있다는 것이다. "너희도 내 계명을 지키면 내 사랑 안에 거하리라."

오, 그 신적 사랑 안에 그리스도와 같이 거하는 것에로 이끌어주는 그리스도와 같이 순종하는 이 복된 순종이여! 그것을 이루기 위해서 우리는 그리스도를 더 많이 배워야 한다. 그분은 자신을 비우고 자신을 낮추고 복종하셨다(빌 2:8). 그분이 우리도 비우게 하시고 겸손하게 하시기를 빈다! 그분은 하나님의 학교에서 순종을 배워 완전하게 되심으로 자신에게 순종하는 모든 사람들에게 영원한 구원의 장본인(Author)이 되셨다. 우리는 우리 자신을 내맡기고 그분이 가르치신 순종을 배워야한다. 우리는 어떻게 그분이 스스로 아무 것도 하지 않으시고 오직 자신이 아버지 하나님으로부터 보고 들은 것만을 행하셨는지에 관해 그분이 우리에게 말씀하신 것에 귀를 기울일 필요가 있다. 아버지 하나님을 온전히 의지하고 계속해서 기다리는 것은 예수님의 절대적인 순종의 뿌리였고, 아버지 하나님의 더 깊은 비밀에 대한 그분의 지식이 계속해서 증대되는 비결이었다(요 5:19-20을 보라). 하나님의 사랑과 인간의 순종, 이 둘은 서로 꼭 맞는 자물쇠와 열쇠와 같다. 자물쇠에 열쇠를 잘 맞게 한 것은 바로 하나님의 은혜이다. 그리고 사랑의 금고를 열 수 있는 열쇠를 사용하는 것은 바로 인간이다.

그리스도의 본과 말씀에 비추어 볼 때, 예로부터 자신의 백성에게 말씀하신 하나님의 말씀에 새로운 의미가 나타난다! "내가 네게 큰 복을 주고 네 씨가 크게 번성하여…이는 네가 나의 말을 준행하였음이니라"(창 22:17-18). "너희가 내 말을 잘 듣고 내 언약을 지키면 너희는 모든 민족 중에서 내 소유가 되겠고"(출 19:5). "네가 만일 네 하나님 여호와의 말씀만 듣고 내가 오늘 네게 내리는 그 명령을 다 지켜 행하면…네 하나님 여호와께서 네게 기업으로 주신 땅에서 네가 반드시 복을 받으리니"(신 15:4-5). 사랑과 순종은 진정 하나님과 인간 사이의 놀라운 교제를 이루는 두 개의 중요한 요소들이 된다. 하나님의 사랑은 자기 자신뿐만 아니라 자신이 가지고 계신 모든 것을 인간에게 주시는 것이다. 그 사랑 안에서 신자의 순종은 자기 자신뿐만 아니라 자신이 가지고 있는 모든 것을 하나님께 드리는 것이다.

우리는 오늘날 완전히 내맡기는 것과 온전히 헌신하는 것에 대해 아주 많이 들어왔다. 그리고 하나님이 이런 말씀들을 통해 자신들에게 주셨던 모든 복에 대해 그분을 무수히 찬송한다. 우리는 우리가 복을 받아 누리거나 그것을 유지하는 것에 대해 구하는 일에는 많은 관심을 가지면서도 그것들이 나타내는 하나님의 뜻을 철저하고도 순전히 행하는 것은 간과하지 않도록 주의하자. 하나님이 사용하기 좋아하시는 순종이란 말을 붙잡고 사용하도록 하자. "순종이 제사보다 낫고"(삼 15:22). 자기희생은 순종을 빼면 아무 것도 아니다. 그리스도의 희생을 그토록 향기로운 제사로 만들어 준 것은 바로 종이면서 아들이신 그분의 온유하고 겸손한 순종이었다. 우리가 그분을 기쁘시게 한다는 것을 보여주는 증거는 바로 겸손하고 어린아이 같이 순종하는 것, 먼저 하나님 아버지께 조용히 귀를 기울이는 것 그리고 그분의 눈으로 볼 때 옳은 것을 행하는 것이다.

친애하는 여러분이여, 우리의 삶도 그와 같아야 하지 않겠는가? 예수님께 순종하고 그분의 사랑 안에 거하는 것은 아주 간단하면서도 숭고하다.

〈함께 드리는 기도〉

오, 나의 하나님! 하늘의 삶과 주님이 제 앞에 두신 지상의 삶 사이의 놀라운 교류에 대해 제가 무슨 말을 하겠나이까? 하나님의 아들이신 우리의 복되신 주님께서는 철저히 자신을 내맡기시고 하나님의 음성과 뜻에 순종하심으로써 한 사람이 항상 자기를 에워싸고 계신 하나님을 사랑하면서 사는 것이 우리가 사는 이 세상에서 어떻게 가능한지를, 그리고 말로 형용할 수 없을 만큼 얼마나 복된 것인지를 우리에게 보여주시고 입증해 주셨습니다. 그리고 예수님은 우리의 것이며 우리의 머리와 우리의 생명이시기 때문에, 우리가 그분이 하시는 것을 볼 때 우리는 진정 살 수 있고 행할 수 있다는 것을 우리는 알고 있습니다. 우리 영혼은 언제나 하나님의 신적 사랑 안에 거하면서 그 사랑을 기뻐할 수 있습니다. 왜냐하면 하나님께서는 우리가 하나님의 계명들을 제대로 지키지 못하는 것도 그분을 위해 받아주시기 때문입니다. 오, 나의 하나님! 우리가 하나님의 성령이 역사하시는 그리스도와 같은 순종을 통해서 이렇게 그리스도와 같이 사랑 안에 거하도록 부르심을 받은 것은 진정 아주 놀라운 일입니다!

복되신 예수님, 이 땅에 그러한 삶을 가져오시고 저로 하여금 그것을 함께 나누는 사람이 되게 해주신 것에 대해 제가 어찌 다 찬송할 수 있겠습니까? 오, 나의 주님! 주님께서 아버지 하나님의 계명을 지키신 것 같이, 주님의 계명을 지키기 위해 다시금 제 자신을 주님께 내맡길 수 있습니다. 주님, 오직 주님 자신의 복된 순종의 비결, 곧 열린 귀와 주의 깊은 눈, 온유하고 겸손한 마음과 사랑받는 아들로서 사랑하는 아버지 하나님께 어린아이 같이 모든 것을 바치는 것을 저에게도 알려 주옵소서. 구원의 주 예수님, 제 마음을 주님의 사랑으로 채워 주옵소서. 그 사랑에 대한 믿음과 경험 안에서 저도 그것을 하겠습니다. 그렇습니다, 주님. 주님의 계명들을 지키고 주님의 사랑 안에 거하는 것만이 제 삶이 되게 하여 주옵소서. 아멘.

성령의 인도하심을 따르기

예수께서 성령의 충만함을 입어 요단강에서 돌아오사
광야에서 사십 일 동안 성령에게 이끌리시며.
-눅 4:1

오직 성령으로 충만함을 받으라.
-엡 5:18

무릇 하나님의 영으로 인도함을 받는 사람은
곧 하나님의 아들이라.
-롬 8:14

주 예수님은 태어나실 때부터 그분 안에 성령이 내주하셨다. 그러나 그분에게도 성령을 통한 아버지 하나님과의 특별한 교통이 필요하실 때가 있었다. 그리하여 성령 세례를 받게 되셨다. 성령이 예수님 위로 내려오신 것, 곧 물로 세례를 받으실 때 받으신 성령 세례는 실제로 일어난 것이다. 그분은 성령으로 충만하게 된 것이다. 그분은 성령이 충만한 상태로 요단강에서 돌아오셨고 그때까지보다 더 분명하게 성령의 인도를 경험하셨다. 광야에서 그분은 자신의 신적 능력으로서가 아니라 성령에 의해 강해지고 또 인도함을 받은 한 인간으로서 싸워 이기셨다. 이 점에서도 "그가 범사에 형제들과 같이 되심이 마땅하도다"(히 2:17).

이 진리의 반대, 곧 형제들이 범사에 그분을 닮는 것도 맞다. 그들은 그분 같이 살도록 부르심을 받았다. 그들에게 그 동일한 능력이 없다면 그러한 삶을 살라고 요구하지 않으신다. 그 능력은 우리 안에 내주하시는 성령이신데, 우리는 그 성령을 하나님으로부터 받았다. 심지어는 예수님이 성령으로 충만하셨고 그런 다음 성령에 의해 인도함을 받으신 것 같이, 우리도 성령으로 충만해야 하고 또 성령에 의해 인도함을 받아야 한다.

우리가 그리스도의 성격의 다른 특성들을 묵상할 때, 여러 번 그리스도를 닮는 것이 거의 불가능한 것처럼 보인다. 우리는 거의 그것을 위해 살지 못했다. 우리는 거의 그렇게 살 수 있다고 느끼지 못한다. 예수님 자신도 오직 성령을 통해서만 그렇게 사실 수 있었다는 생각을 하면서 용기를 내자. 예수님이 성령에 의해 갈등과 승리의 자리에로 이끌림을 받은 것은 그분이 성령으로 충만하게 되신 후였다. 그리고 이 축복은 그분의 것이었듯이 분명 우리의 것이기도 하다. 우리는 성령으로 충만하게 될 것이다. 우리는 성령에 의해 인도함을 받게 될 것이다. 우리가 어떻게 살아야 하는지에 대한 하나의 본을 보여주시기 위해 자신이 성령으로 세례를 받으셨던 예수님은 하늘로 올라가셔서 자신을 닮도록 우리에게 세례를 베푸신다. 예수님을 닮은 모습으로 살고자 하는 사람은 여기에서 시작해야 한다. 그는 성령으로 세례를 받아야 한다. 하나님은 먼저 자신의 자녀들에게 자신이 원하시는 것을 요구하신다. 그분은 그리스도를 온전하게 닮기를 요구하신다. 왜냐하면 그분은 자신이 예수님께 성령의 충만함을 주셨던 것처럼 우리에게도 성령의 충만함을 주실 것이기 때문이다. 우리는 성령으로 충만해야 한다.

  왜 그리스도를 본받고 닮는 것에 대한 가르침이 그분의 교회에서 거의 두드러지지 않는 지에 대한 이유가 바로 여기에 있다. 사람들은 어느 정도 성령의 역사의 도움을 받으면서 자신의 힘으로 그것을 구했다. 그들은 오직 성령으로 충만하게 되는 것이 필요하다는 것을 이해하지 못했다. 그들이 그리스도를 진정으로 본받는 것은 우리에게 기대할 수 있는 것이 아니라고 생각한 것은 놀랄 만한 것이 아니다. 왜냐하면 그들은 성령으로 충만하게 되는 것에 대해 잘못 생각하고 있었기 때문이다. 그것은 소수의 특권일 뿐 하나님의 모든 자녀의 부르심과 의무가 아니라고 생각한 것이다. "성령으로 충만함을 받는다"는 것은 모든 그리스도인들에 대한 명령이라는 것을 충분히 깨닫지 못한 것이다.

교회가 먼저 성령의 세례를 가르칠 때만, 그리고 구원의 주 예수님이 그분을 믿는 각 사람에게 성령으로 세례를 베푸실 때만 그리스도를 닮기를 구하게 되고 또 달성하게 될 것이다. 그 때에 사람들은, 그리스도를 닮기 위해서 우리는 그 동일한 성령에 의해서 인도함을 받아야 한다는 것과, 그분이 성령에 의해 인도하심을 받으신 것과 같이 성령에 의해 인도하심을 받기 위해서 우리는 성령의 충만함을 받아야 한다는 것을 이해하고 인정하게 될 것이다. 참으로 그리스도를 닮는 삶을 살기 위해서는 진정 성령의 충만함을 받는 것이 절대적으로 필요하다.

성령의 충만함을 받는 방법은 간단하다. 성령으로 세례를 베푸시는 분은 예수님이다. 그것을 바라면서 그분께 나아오는 사람은 그것을 받게 될 것이다. 예수님이 우리에게 요구하시는 것은 바로 믿음으로 내맡기고 그분이 주시는 것을 받는 것이다.

믿음으로 내맡기는 것. 예수님이 요구하시는 것은 정말로 우리가 진심으로 그분의 발자국을 따르는 것이며, 이것을 위해 성령으로 세례를 받는 것이다. 어떤 주저함도 없이 예수님의 요구에 응답하라. 첫째, 그분의 사랑과 그분의 성령에 대한 모든 영광스러운 약속들을 회상하라. 거기에서 "내가…같이 너희도"라는 복된 특권이 제시된다. 예수님이 아버지 하나님께 "내게 주신 영광을 내가 그들에게 주었사오니"(요 17:22)라고 말씀하신 것은 범사에 이러한 그분을 닮는 것과 관계가 있음을 기억하라.

그리스도에 대한 사랑과 그분을 기쁘시게 하고자 하는 참된 바람이 어째서-그리고 하나님의 영광과 세상의 필요들이 어째서-우리의 나태로 말미암아 그리스도를 닮는 것의 하늘의 생득권을 얕보지 않도록 우리에게 간청하는지를 생각하라. 그리스도께서 당신 안에 가지고 계신 거룩한 소유권, 곧 그분의 피로 사신 것들을 인정하라. 그리고 아무 것도 당신이 다음과 같이 응답하는 것을 방해하지 못하게 하라. "그렇습니다. 사랑하는 주님, 먼지 같이 하찮은 소자에게 허락하시는 한, 저는 주님과 같이 될 것입니다. 저는 전부 주님의 소유입니다. 범사에 주님의 형상을 지녀야 하고 또 지니겠나이다. 바로 이것을 위해 성령의 충만함을 받고자 합니다."

  주님은 믿음으로 우리 자신을 내맡기라고 요구하신다. 오직 그것을, 다름 아닌 바로 그것을 말이다. 그분이 요구하시는 것을 드리자. 만일 우리가 범사에 그분을 닮기 위해 우리 자신을 내드린다면, 그분이 우리를 받아들이심과 동시에 즉시 은밀히 성령으로 하여금 우리 안에서 더욱 강하게 역사하시게 하실 것을 잠잠히 믿어라. 비록 우리가 즉시 그것을 경험하지 못한다 할지라도 그것을 믿자. 성령의 충만함을 받으려면 우리는 믿음으로 우리 주님을 기다려야 한다. 그분의 사랑은 우리가 아는 것보다 더 많은 것을 우리에게 주기를 바란다는 사실을 우리는 믿을 수 있다. 이런 확신 가운데 우리를 내드리자.

그리고 이렇게 믿음으로 내맡기는 것이 전부가 되게 하자. 그리스도를 따르는 것의 근본적인 법칙은 이것이다. "나를 위하여 자기 목숨을 잃는 자는 얻으리라"(마 10:39). 성령께서는 당신의 옛 생명을 제거하시고 그 대신 그 자리에 그리스도의 생명을 주시러 오신다. 스스로 일하고 스스로 지키는(self-watching) 옛 사람을 버리고, 당신이 호흡하는 공기가 매순간 당신의 생명을 소생시키듯이 성령께서 자연스럽게 그리고 계속해서 당신의 생명을 소생시키실 것이라는 것을 믿어라. 성령이 당신 안에서 역사하실 때 중단이나 훼방이란 없다. 당신은 당신의 생명의 공기이신 성령 안에 있으며, 그 성령은 "자기의 기쁘신 뜻을 위하여" 당신에게 "소원을 두고 행하게 하"신다(빌 2:13).

오, 그리스도인이여! 당신 안에 거하시는 성령의 역사를 깊이 존중하라. 당신이 매 순간 그리스도의 생명과 형상을 닮도록 성령을 통해 당신 안에서 역사하시는 하나님의 능력을 믿어라. 성령은 당신에게 예수님을 전하는 자신의 직무(office)를 아주 조용히 수행하시는 법을 알고 계시다는 것을 온전히 확신하면서, 예수 그리스도와 그분의 생명에 전심하라. 동시에 그 생명은 당신의 본이자 당신의 힘이다. 성령의 충만함은 예수님 안에서 당신의 것이라는 것을 기억하라. 그것은 당신이 그것을 느끼지 못할 때에도 믿음으로 받아들이고 붙잡을 수 있고, 또 당신이 필요로 하는 모든 것을 당신 안에서 이루기 위해 의지할 수 있는 참된 선물이다. 우리의 마음(feeling)은 연약하고 두려워하고 심히 떨 수도 있지만, 말하고 일하고 사는 것은 성령의 나타나심과 능력의 나타남으로 한다(고전 2:3-4를 보라).

성령의 충만함은 당신의 것이라는 것과, 예수님을 바라보면서 만일 당신이 보혜사 성령의 손 안에서 당신의 영적 삶이 보호를 받는다는 것을 복된 마음으로 신뢰하면서 매일 기뻐한다면 당신은 실망하지 않을 것이라는 믿음 가운데 살아라. 그러면 당신 안에 예수 그리스도께서 함께 하심으로, 예수 그리스도를 닮는 모습이 당신 안에 나타나게 될 것이다. 예수 그리스도 안에 계신 생명의 성령이 내주하심으로, 그리스도 예수의 생명을 닮는 모습이 주변을 비출 것이다.

만일 그와 같이 믿고 순종할 때 당신의 소원들이 이루지지 않는 것처럼 보인다면, 성령의 충만한 능력이 분명하게 나타나는 것은 그리스도의 몸의 지체들과 교제를 나눌 때와 온전히 자신을 내맡기고 세상에서 그리스도를 섬길 때라는 것을 기억하라. 예수님이 성령으로 세례를 받으셨던 것은 그분이 자기 주변 사람들과 온전한 교제 안으로 들어가기 위해서, 그리고 그들과 같이 물로 세례를 받기 위해서 자신을 내어주셨을 때였다. 그리고 예수님이 우리에게 주시고자 성령을 받으신 것은 그분이 자신의 두 번째 세례인 고난 가운데 자신을 우리를 위한 희생 제물로 주셨을 때였다. 당신과 함께 기도하고 또 성령의 세례를 믿을 하나님의 자녀들과의 교제를 구하라. 제자들은 "다 같이 한 곳에 모였"(행 2:1)을 때 성령을 받았다. 각기 한 사람씩 받은 것이 아니다. 당신 주변에 있는 하나님의 자녀들과 단결하여 영혼들을 위해 일하라. 성령은 그 사역을 위해 당신을 준비시키시고자 높은 곳으로부터 내려오시는 능력이다. 그 약속은 자신들의 즐거움을 위해서가 아니라 그 사역을 위해서 성령을 원하는 믿음이 있고 자발적인 종들에게 이루어질 것이다.

그리스도는 성령으로 충만하게 되심으로 우리를 위해 사역하시고 사시고 또 죽으실 수 있었다. 그리스도께서 사람들을 위해 사시다가 죽으신 것처럼, 그렇게 살기 위해 당신 자신을 바쳐보라. 그러면 결국 그리스도와 같이 성령의 세례를 받고 그리스도와 같이 성령의 충만함을 받게 될 것이다. 당신의 몫으로서 말이다.

〈함께 드리는 기도〉

　복되신 주님, 우리로 하여금 계속해서 주님을 닮는 삶을 살도록 주님의 성령을 주시니 (그 은혜가) 참으로 놀랍습니다. 주님께서 말씀하시기를, 주님을 나타내시고 우리 안에 주님의 참된 임재를 주시는 것이 그분의 사역이라고 하셨습니다. 주님이 우리를 위해 승리하시는 모든 것, 곧 우리가 주님 안에서 보는 모든 생명과 거룩하심과 힘은 바로 성령께서 가져다 나누어 주시고 우리의 것이 되게 하시는 것들입니다. 성령께서 주님의 것을 가져오셔서 우리에게 그것을 보여주시고 우리 자신의 것으로 만들어주십니다. 복되신 예수님, 성령의 선물로 인해 주님께 진심으로 감사를 드립니다.

　그리고 이제 우리는 주님께 간구합니다. 우리에게 성령을 채워주시되, 충만하게 채워달라고 말입니다. 주님, 오직 성령의 충만함을 구합니다. 다른 어떤 것도 충분하지 않습니다. 만일 주님과 같이 성령으로 충만하지 않는다면, 우리는 주님과 같이 인도함을 받을 수 없습니다. 우리는 주님과 같이 사랑할 수 없고 섬길 수 없습니다. 주님과 같이 살 수도 없고 죽을 수도 없습니다. 주님의 이름이 송축을 받으시고 또 송축을 받으소서! 주님은 그것을 명하셨고 또한 그것을 약속하셨습니다. 그것은 우리의 것이 되어야 하고 우리의 것이 될 수 있으며 우리의 것이 될 것입니다.

　거룩하신 구주 예수님, 주님의 제자들을 함께 모이게 하시여 이것을 기다리고 간청하게 하옵소서. 그들의 눈을 열어 주셔서 아직 성취되지 않은, 성령이 강같이 흐르게 될 것이라는 약속들을 보게 하옵소서. 그들의 마음을 이끌어주셔서 자신들을 바쳐 주님과 같이 사람들을 위해 살다가 죽게 하옵소서. 성령과 불로 세례를 베푸시는 분이신 주님의 이름이 영광을 받으소서. 아멘.

하나님으로 말미암는 예수님의 생명

> 살아 계신 아버지께서 나를 보내시매
> 내가 아버지로 말미암아 사는 것 같이
> 나를 먹는 그 사람도 나로 말미암아 살리라.
> ─요 6:57

그리스도의 발자취를 따라 걸으면서 그분을 닮는 것에 대해 묵상할 때면 앞서 가신 예수님(the Forerunner)과 그분을 따르는 제자들 사이의 깊고도 생기 넘치는 연합에 집중할 필요가 있음을 새롭게 알게 된다. 우리가 그리스도와 같이라는 말을 오래 묵상할수록, 우리는 그 말과 그리스도 안에서란 말을 나누는 것이 참으로 불가능하다는 것을 더욱 절실하게 깨닫게 된다. 외적으로 닮는 것은 단지 살아 있고 내적인 연합을 나타내 주는 것에 불과할 수 있다. 그리스도가 하셨던 것과 같은 사역을 하기 위해서는 나에게도 그 동일한 생명이 있어야 한다. 내가 그분을 더욱 진지하게 나의 본으로 여길수록, 나는 나의 머리이신 그분께 더욱 더 이끌리게 된다. 본질적으로 그분이 지녔던 내적 생명이 있어야 그분과 같이 분명하게 행동할 수가 있다.

참으로 복된 말씀인 우리의 본문 요한복음 6장 57절 말씀은, 이 세상에서의 그분의 삶과 우리의 삶은 진정 서로 닮았다고 우리에게 단언한다. "살아 계신 아버지께서 나를 보내시매 내가 아버지로 말미암아 사는 것 같이 나를 먹는 그 사람도 나로 말미암아 살리라." 만일 당신이 그리스도 안에서 당신의 삶-당신에게 있어서 그분이 어떤 분이실지 그리고 그분이 당신 안에서 어떻게 역사하실지-을 이해하기를 바란다면, 당신은 예수 그리스도에게 있어서 아버지 하나님은 어떤 분이셨는지 그리고 하나님이 그분 안에서 어떻게 역사하셨는지를 깊이 생각해야 한다. 예수님이 아버지 하나님 안에 계시고 또 그분으로 말미암아 사셨다는 것은 당신이 그분의 아들 예수님 안에 있고 또 그분으로 말미암아 산다는 것이 어떤 것인지를 반영하고 또 나타내준다. 이것을 묵상하자.

그리스도의 생명이 하늘에 계신 하나님 안에 감추어진 생명이었듯이, 우리의 생명도 틀림없이 그와 같다. 그분이 자신을 비워 자신의 신적 영광을 버리셨을 때, 그분은 자유롭게 사용하실 수 있는 자신의 신적 속성을 (미래를 위해) 잠시 유보해 두신 것이다. 따라서 그분은 한 인간으로서 믿음으로 살아야 했다. 그분은 그러한 지혜와 능력의 교통을 위해서 아버지 하나님을 기다려야 했는데, 아버지 하나님께서는 기꺼이 그분에게 그것들을 주셨다. 그분은 전적으로 아버지 하나님께 의존했다. 그분의 생명은 하나님 안에 감추어져 있었다. 그분 자신의 독립적인 신성(Godhead)의 능력으로가 아니라 성령의 역사를 통해서, 그분은 이따금 아버지 하나님이 자신에게 가르치신 대로 말씀하셨고 행하셨다.

신자여, 바로 그와 같이 당신의 생명도 틀림없이 그리스도와 함께 하나님 안에 감추어져 있다. 이것으로 용기를 내라. 믿고 의지하는 삶을 살라고 그리스도께서 당신을 부르신다. 왜냐하면 그것은 그분 자신이 영위했던 삶이기 때문이다. 그분은 그것을 시도해 보셨고 그것이 축복된 것임을 입증해 보이셨다. 그분은 지금 흔쾌히 다시금 당신 안에서 자신의 삶을 사시면서 당신에게 바로 그렇게 살도록 가르치신다. 그분은 아버지 하나님이 자신의 생명이시라는 것과, 자신은 아버지 하나님으로 말미암아 사신다는 것 그리고 아버지 하나님이 매 순간 자신의 필요를 채워주신다는 것을 알고 계셨다. 그리고 지금 그분은 자신이 아버지 하나님으로 말미암아 사셨듯이, 당신이 그분 자신으로 말미암아 살 것이라고 우리에게 단언하신다. 믿음으로 그것을 받아들여라. 하나님이 그리스도 안에서 당신을 위해 준비하시고 그래서 당신이 필요할 때면 넘치도록 공급해주실 이러한 풍성한 생명의 축복에 대한 생각으로 당신의 마음을 채워라. (그러면 당신이 그것을 필요로 할 때 넘치도록 공급받게 될 것이다.) 당신의 영적 삶을, 당신이 보살피고 또 근심과 걱정 가운데 증진시켜야 하는 것으로 여기지 말라. 당신의 주 예수님이 아버지 하나님으로 말미암아 사셨던 것처럼, 당신은 당신 자신의 능력으로 살 필요가 없이 그분 안에서 살아감을 매일 기뻐하라.

그리스도의 삶이 비록 의지하는 삶이었을지라도 신적 능력의 삶이었듯이, 우리의 삶도 그러할 것이다. 그분은 이 땅에서 한 사람으로 하나님 앞에서 살기 위해 자신의 영광을 버리신 것을 결코 후회하신 적이 없었다. 아버지 하나님은 결코 그분의 확신을 꺾지 않으셨다. 아버지 하나님은 예수님이 자신의 사역을 완수하시는데 필요한 모든 것을 제공해주셨다. 예수 그리스도께서는 하늘에서 하나님과 같이 계시고 또 신적 완전함을 누리면서 사시는 것이 축복된 것이었듯이, 이 땅에서 전적으로 의지하면서 사시는 것과 매일 아버지 하나님의 손으로부터 필요한 모든 것을 받는 것도 축복된 것이라는 것을 경험하셨다.

신자여, 만일 당신이 그와 같이 되기를 원한다면, 당신의 삶도 그와 같이 될 수 있다. 주 예수님의 신적 능력이 우리 안에서 그리고 우리를 통해서 역사할 것이다. 이 세상에서 살아가는 당신의 상황 때문에 하나님께 영광을 돌리는 거룩한 삶을 사는 것이 불가능하다고 생각하지 말라. 그리스도께서는 훨씬 더 힘든 상황 가운데서도 신적 삶을 나타내시기 위해 이 세상에 오셔서 사셨다. 그분이 아버지 하나님으로 말미암아 이 세상에서 아주 복된 생활을 하셨듯이, 당신도 그분으로 말미암아 지상 생활을 해 나갈 수 있을 것이다. 오직 주님이 당신을 위해 어떤 일을 행하실지 크게 기대하라. 주님과 완전한 연합을 이루는 것이 당신의 유일한 소원이 되게 하라. 그분이 아버지 하나님으로 말미암아 사셨던 것과 마찬가지로 참으로 기꺼이 전적으로 그분으로 말미암아 살려고 하는 영혼을 위해 주 예수님은 진정 큰 일을 행하실 것이다. 주님이 아버지 하나님으로 말미암아 사셨던 것과 같이, 그리고 그 삶을 그것의 모든 사역과 더불어 아주 영광스럽게 만드신 것과 같이, 당신의 모든 사역 가운데 그분이 당신 안에서 얼마나 온전하게 모든 것을 이루기 시작하셨는지 당신은 경험하게 될 것이다.

그리스도의 삶이 아버지 하나님과의 참된 연합을 나타내는 것이었듯이, 우리의 삶도 그렇게 될 것이다. 그리스도께서는 "살아 계신 아버지께서 나를 보내시매 내가 아버지로 말미암아 사는 것 같이"(요 6:57)라고 말씀하셨다. 아버지 하나님이 자신의 사랑 안에서 이 땅에 자신을 나타내 보이시고자 하셨을 때, 그분은 그 일을 다름 아닌 자신과 하나이신 사랑하는 아들에게 위탁하실 수 있었다. 아버지 하나님이 그분을 보내신 것은 그분이 아들이셨기 때문이다. 아버지 하나님이 그분의 생명을 돌보셔야 했던 것은 자신이 그분을 보내셨기 때문이다. 예수님은 아버지 하나님으로 말미암아 이 땅에서 확신 있게 사실 수 있었는데, 그러한 삶을 가능하게 한 그 복된 확신은 그 사명의 성취여부를 결정하는 연합에 원인이 있었다.

그리스도께서는 "내 살을 먹고 내 피를 마시는 자는 내 안에 거하고 나도 그의 안에 거하나니"(요 6:56)라고 말씀하셨다. 죽으심으로 그분은 이 세상에 생명을 주시기 위해 자신의 생명과 피를 바치셨다. 믿음을 통해 사람은 그분의 죽으심과 부활의 능력에 참여하며, 그분이 아버지 하나님의 생명에 대한 권한을 가지고 계셨던 것과 같이 그분의 생명에 대한 권한을 받게 된다. "내 살을 먹는 자"라는 말씀은 주 예수님과의 친밀한 연합과 중단 없는 교제를 나타내는데, 그 연합과 교제는 그분 안에 있는 생명의 힘이었다. 전적으로 그리고 오직 그리스도를 따라 살기를 진실로 갈망하는 사람을 위한 한 가지 위대한 일은 그분을 먹고 날마다 그분을 먹고 살며 그분을 자신의 소유로 삼는 것이다.

이것을 이루기 위해서는 계속해서 당신의 심장을, 그리스도의 충만한 생명이 전부 진정으로 당신의 것이라는 믿음의 확신과 생생한 확신으로 채우려고 하라. 하늘에 있는 그분의 인성을 묵상하는 것을 기뻐하고, 또 중단되지 않고 아무런 제약 없이 당신 위로 흘러내리도록 하늘에 계신 당신의 머리이신 예수님의 이 생명을 전해주시기 위해 하나님이 성령을 통해 놀랍게 공급해주시는 것을 기뻐하라. 하나님이 자신의 생명에 이르는 길을 열어주신 그 구속에 대해 그리고 이제 그 아들 안에서 당신을 위해 제공해 주신 그 놀라운 생명에 대해 끊임없이 하나님께 감사하라. 오직 그분을 섬기려고 애쓰는 열린 마음과 헌신된 삶으로 그분께 당신 자신을 전적으로 드려라. 그와 같이 신뢰하고 믿음으로 헌신하는 가운데, 사랑을 흘려보내고 교제를 발전시키면서 그분의 말씀이 당신 안에 거하게 함으로 예수님이 당신의 일용할 양식이 되게 하라.

> 내 살을 먹고 내 피를 마시는 자는 내 안에 거하고 나도 그의 안에 거하나니 살아 계신 아버지께서 나를 보내시매 내가 아버지로 말미암아 사는 것 같이 나를 먹는 그 사람도 나로 말미암아 살리라. (요 6:56-57)

사랑하는 그리스도인이여! 당신은 어떻게 생각하는가? 그리스도를 본받는 것은 이 약속에 비추어 볼 때 가능해 보이기 시작한다. 예수 그리스도로 말미암아 사는 사람은 또한 그분을 닮는 삶을 살 수 있다. 그러므로 이 땅에서 아버지 하나님으로 말미암아 사셨던 그리스도의 이 놀라운 삶을 묵상하자. 그것이 우리의 흠모하는 묵상의 대상이 되게 하자. 우리의 온 마음이 "나를 먹는 그 사람도 나로 말미암아 살리라"는 말씀을 이해하고 받아들일 때까지 말이다. 그러면 우리는 모든 근심과 걱정을 떨쳐버리게 될 것이다. 왜냐하면 우리에게 본을 보이신 그리스도께서 또한 그 본을 실행할 수 있는 그 삶을 하늘로부터 우리 안에서 이루실 것이기 때문이다. 그러면 우리의 삶은 늘 노래가 될 것이다. 우리 안에서 사시는 그리스도께 우리들 마음의 노래와 찬양이 되라. 우리가 그분을 닮는 삶을 살 수 있도록 말이다.

〈함께 드리는 기도〉

　오, 나의 하나님! 하나님의 이 놀라운 은혜에 대해 어찌 다 감사할 수 있겠습니까! 하나님의 아들 예수님이 인간이 되셔서 인간이 하나님을 의지하며 사는 삶이 축복된 것임을 우리에게 가르쳐주셨습니다. 그분은 아버지 하나님으로 말미암아 사셨습니다. 우리는 그분 안에서 신적 생명이 어떻게 이 땅에서 역사하고 또 승리할 수 있는지 볼 수 있게 되었습니다. 그리고 이제 그분은 하늘로 승천하셔서 그 생명으로 하여금 우리 가운데서 역사하도록 할 수 있는 모든 능력을 가지고 계십니다. 우리는 그분이 이 땅에서 사셨던 것과 같이 살도록 부르심을 받았습니다. 우리는 그분으로 말미암아 삽니다. 오, 하나님! 말로 형용할 수 없는 이 놀라운 은혜로 인해 주님의 이름을 찬양합니다.

　주 나의 하나님이시여, 지금 주님께 기도하오니 들어 주옵소서! 가능하다면 저에게 아버지 하나님으로 말미암는 그리스도의 생명을 많이, 훨씬 더 많이 보여 주옵소서. 오, 나의 하나님! 예수님이 사신 것과 같이 제가 살아야 하는지 그것을 알 필요가 있습니다. 오, 저에게 그분을 아는 지혜의 영을 주옵소서! 그러면 제가 그분으로부터 무엇을 기대해도 좋을지, 그리고 그분으로 말미암아 무엇을 할 수 있는지를 알게 될 것입니다. 그러므로 주님의 뜻과 본을 따라 살려는 몸부림과 노력은 더 이상 (필요) 없을 것입니다. 왜냐하면 저는 그 때 "내가 아버지로 말미암아 사는 것 같이 나를 먹는 그 사람도 나로 말미암아 살리라"는 말씀에 따라 이 땅에서 그분의 복된 삶이 이제 제 것이라는 것을 알 것이기 때문입니다. 그때 저는 기쁜 경험 가운데 매일 그리스도를 먹고 살게 될 것입니다. 저는 그분으로 말미암아 삽니다. 오, 나의 하나님 아버지! 그리스도의 이름을 위해 이것을 충만하게 주옵소서. 아멘.

하나님을 영화롭게 하기

> 아버지여 때가 이르렀사오니 아들을 영화롭게 하사
> 아들로 아버지를 영화롭게 하게 하옵소서…
> 내가…아버지를 이 세상에서 영화롭게 하였사오니.
> -요 17:1, 4

> 너희가 열매를 많이 맺으면 내 아버지께서
> 영광을 받으실 것이요 너희는 내 제자가 되리라.
> -요 15:8

어떤 사물의 영광은 그것이 지니고 있는 본래의 가치와 탁월함이 그것에 기대되는 모든 것에 완전하게 부합하는 것이다. 그 탁월함이나 완전함은 아주 감추어져 있거나 알려져 있지 않아서 그것을 바라보는 사람들이 그것에 아무런 영광을 돌리지 않을 수도 있다. 영광을 돌린다는 것은 모든 방애물을 제거하는 것이며, 그러므로 모든 사람들이 그것의 영광을 보고 인정하는 사물의 온전한 가치와 완전함을 드러내는 것이다.

하나님(Godhead)의 최고의 완전하심과 가장 깊은 신비는 그분의 거룩하심이다. 그것 안에 의와 사랑이 하나로 연합되어 있다. 거룩하신 분으로서 하나님은 죄를 미워하시고 책망하신다. 또한 죄인을 그것의 권세로부터 자유롭게 하시며 그를 소생시켜 자기 자신과 교제를 나누게 하신다. 그분은 "우리의 구원자…이스라엘의 거룩한 이시"다(사 47:4). 구원의 노래는 이것이다. "이스라엘의 거룩하신 이가 너희 중에서 크심이니라" (사 12:6). 신약에서 거룩하신 이라는 주제는 복되신 성령과 더 관계가 있는데, 성령의 특별한 사역은 아버지 하나님이나 그분의 아들 예수님에 대해서보다도 인간과 하나님의 교제를 유지하는 것이다. 하나님의 영광은 바로 죄를 심판하고 죄인들을 구원하는 이 거룩하심이다. 이런 이유로, 이 두 말은 종종 함께 보여 진다. 모세는 "주와 같은 자가 누구니이까 주와 같이 거룩함으로 영광스러우며"(출 15:11)라고 노래했다. 세라빔도 "거룩하다 거룩하다 거룩하다 만군의 여호와여 그의 영광이 온 땅에 충만하도다"(사 6:3)라고 노래했다. 그리고 어린양의 노래도 마찬가지이다. "주여 누가 주의 이름을 두려워하지 아니하며 영화롭게 하지 아니하오리이까 오직 주만 거룩하시니이다"

(계 15:4). 충분하게 말했듯이, "하나님의 영광은 그분의 명시된 거룩하심이고, 하나님의 거룩하심은 그분의 감추어진 영광이다."

예수님이 이 땅에 오셨을 때, 그 목적은 그분이 아버지 하나님을 영화롭게 하는 것이었고, 그러므로 죄가 인간으로부터 그토록 완전히 가리었던 그 영광을 그것의 참다운 빛과 아름다움 가운데 다시금 보여주는 것이었다. 인간은 하나님의 형상대로 지음을 받았다. 따라서 하나님은 인간 안에서 볼 수 있는 자신의 영광을 인간 위에 두셨다. 그 사람 안에서 영광을 받으시기 위해서다. 성령은 "남자는 하나님의 형상과 영광이"(고전 11:7)라고 말씀하신다. 예수님은 인간을 그의 고귀한 운명에로 회복시키기 위해 오셨다. 예수님은 우리에게 이 땅에서 아버지 하나님께 영광을 돌리는 법을 가르치시기 위해 자신이 아버지 하나님과 함께 가지고 계신 영광을 버리시고 우리의 연약함과 겸손 가운데 오셨다. 하나님의 영광은 완전하고 무한하다. 인간은 하나님이 가지고 계신 것 그 이상의 어떠한 새로운 영광을 그분께 돌릴 수 없다. 인간은 단지 하나님의 영광을 비추는 거울로서 섬길 수 있을 뿐이다. 하나님의 거룩하심은 그분의 영광이다. 이 하나님의 거룩하심이 인간 안에서 보여 질 때, 하나님이 영광을 받으신다. 하나님으로서의 그분의 영광이 나타나게 된다.

예수님은 하나님께 순종하심으로 그분을 영화롭게 하셨다. 하나님은 이스라엘에게 자신의 계명들을 주실 때 계속해서 이렇게 말씀하셨다. "내가 거룩하니 너희도 거룩하게 하라"(예를 들면, 레 11:44; 19:2를 보라). 그것들을 지킬 때, 그들은 변화를 받아 하나님과 조화를 이루는 삶을 살 수 있게 되고 거룩하신 이로서의 하나님과 교제를 나눌 수 있게 되었다. 예수 그리스도는 죄와 사탄과 싸우실 때, 자신의 뜻을 버리실 때, 아버지 하나님의 가르치심을 기다리실 때, 말씀에 무조건적으로 순종하실 때, 이 거룩하신 하나님으로 하여금 진정 하나님이 되시도록 하는 것이 참으로 복된 것이라는 것을 사람들이 이해하는 것 이외에는 삶의 목적으로 삼을 만한 것이 아무 것도 없다고 여기셨음을 보여주셨다. 하나님의 뜻만을 인정하고 순종해야 한다. 하나님만이 거룩하시기 때문에, 그분의 뜻만이 행해져야 하고 그러므로 그분의 영광이 우리 안에서 보여 져야 한다.

예수님은 하나님을 인정하심으로 하나님을 영화롭게 하셨다. 그분은 하나님이 자신에게 주신 메시지를 알리시는 것 그 이상의 것을 하셨고 아버지 하나님이 어떤 분이신지를 우리에게 보여주셨다. 훨씬 더 인상적인 것이 있다. 예수님은 자신이 개인적으로 아버지 하나님과 맺는 관계에 대해서 계속해서 말씀하셨다. 예수님은 자신의 거룩한 생활의 조용한 영향력을 믿지 않으셨다. 그분은 사람들이 그 거룩한 생활의 근원과 목표(aim)가 무엇인지를 분명히 이해하기를 원하셨다. 매번 예수님은 그들에게, 자신은 아버지 하나님으로부터 보내심을 받은 종으로 오셨다는 것과 자신은 아버지 하나님을 의지하고 그분께 모든 것에 대해 은혜를 입고 있다고 말씀하셨다. 그리고 자신은 아버지 하나님의 영광만을 구한다는 것과 자신의 모든 행복은 아버지 하나님을 기쁘시게 하고 또 그분의 사랑과 은총을 받는 것이라고 말씀하셨다.

예수님은 하나님의 구원하는 사랑의 사역을 위해 자기 자신을 바침으로 하나님을 영화롭게 하셨다. 하나님의 영광은 그분의 거룩하심이며, 하나님의 거룩하심은 그분의 구원하는 사랑, 곧 죄를 정복하고 죄인들을 구하심으로 죄를 이기는 사랑이다. 예수님은 죄에 대해서 책망하시는 의로우신 이이시자 자신의 죄로부터 돌아서는 모든 사람을 구원하시는 사랑하시는 이이신 아버지 하나님에 대해 말씀하셨을 뿐만 아니라, 그분은 또한 자신을 바쳐서 그 의에 대한 희생제물, 곧 그 사랑에 대한 종이자 심지어는 죽음에 대한 종이 되셨다. 예수님이 하나님께 영광을 돌리신 것은 순종의 행위나 고백의 말로뿐만 아니라 자신을 바쳐 하나님의 거룩하심을 찬송함으로, 그리고 자신의 속죄를 통해 그분의 법(Law)과 그분의 사랑의 정당성을 입증함으로다. 그분은 자신을 바쳐, 다시 말해서 자신의 전 생애와 존재를 바쳐 아버지 하나님이 얼마나 사랑하고 또 축복하시기를 바라시는지를, 어째서 아버지 하나님이 죄를 책망하셔야 함에도 죄인들을 구원하시는지를 보여주셨다. 예수님은 어떤 것도 큰 희생이라고 생각하지 않으셨다. 그분은 오직 이것을 위해 살다가 죽으셨다. 아버지 하나님의 영광이, 그분의 거룩하심의 영광과 그분의 구원하는 사랑의 영광이 죄와 육신의 어두운 장막을 부수고 사람들의 마음속으로 비추도록 하기 위함이었다. 예수님은 자신의 생의 마지막 주간에 고뇌가 밀려와 자신을 압박하기 시작할 때 다음과 같이 말씀하심으로 자신의 마음을 나타내셨다. "지금 내 마음이 괴로우니 무슨 말을 하리요 아버지여 나를 구원하여 이 때를 면하게 하여 주옵소서 그러나 내가 이를 위하여 이 때에 왔나이다 아버지여, 아버지의 이름을 영광스럽게 하옵소서"(요 12:27-28). 그때 하늘로부터 "내가 이미 영광스럽게 하였고 또다시 영광스럽게 하리라"(28절)는 응답이 왔고, 예수님은 자신의 희생이 기쁘게 받아들여졌다는 확신을 갖게 되었다.

한 인간으로서 예수님은 이와 같이 하나님의 영광에 참여할 준비가 되어 있었다. 그분은 이 땅에서 겸손히 하나님의 영광을 구하셨고 하늘의 보좌에서 그것을 발견하신 것이다. 그러므로 그분은 우리의 선구자가 되셔서 많은 사람들을 영광으로 인도하신다. 예수님은, 하늘에 계신 하나님의 영광에 이르는 확실한 방법은 오직 이 땅에서 하나님의 영광을 위해 사는 것이라고 우리에게 보여주신다. 그렇다. 이것은 이 땅에서의 삶의 영광이다. 우리는 여기 이 땅에서 하나님을 영화롭게 하면서 영원히 그분과 함께 영광을 받을 준비를 한다.

사랑하는 그리스도인이여! 오직 하나님을 영화롭게 하기 위해 사셨던 예수 그리스도와 같이, 우리들 삶의 모든 부분에서 하나님의 영광이 빛나게 하는 것은 상상할 수 없을 만큼 복된 놀라운 부르심이 아닌가? 시간을 내어서, 가장 일상적인 행위들에 이르기까지 우리의 일상생활이 하나님의 영광으로 투명하게 될 것이라는 이 놀라운 생각을 받아들이자. 오, 우리 예수님의 놀라운 모습을, 특히 우리에게 매력적으로 만드는 것으로서의 이 특징, 곧 예수님이 아버지 하나님을 영화롭게 하신 것을 배우자. 그분이 우리를 하늘에 계신 우리 하나님 아버지를 영화롭게 하는 높은 목표로 향하게 하시는 대로, 그리고 그분이 우리에게 그 길-"내 아버지께서 영광을 받으실 것이요"-을 보여주시는 대로 그분께 귀를 기울이자. 그분이 우리 기도에 응답하실 때 이것은 여전히 하늘에 계신 그분의 목적일 것이라는 것을 그분이 어째서 우리에게 말씀하셨는지를 기억하자. 그리고 기도와 믿음을 호흡할 때마다 "아버지로 하여금 아들로 말미암아 영광을 받으시게 하려 함이라"(요 14:13)는 말씀이 또한 우리의 목적이 되게 하자.

그리스도의 전 생애와 같이, 우리의 전 생애가 이 원리에 의해 생기가 넘치게 하여 거룩한 열정 가운데 우리의 표어가 "다 하나님의 영광을 위하여"가 될 때까지 더 강해지자. 그리고 믿음에 굳게 서서, 성령의 충만함 가운데 우리의 소원이 확실하게 이루어진다는 확신을 갖자. "너희 몸은 너희가 하나님께로부터 받은 바 너희 가운데 계신 성령의 전인 줄을 알지 못하느냐…그런즉 너희 몸으로 하나님께 영광을 돌리라" (고전 6:19-20).

만일 우리가 그 방법을 알고 싶다면, 다시금 예수님을 배우자. 그분은 아버지 하나님께 순종하셨다. 절대적(simple)이고 순전하게 순종하는 것이 우리의 전 생애의 특징이 되게 하자. 겸손히 어린아이와 같이 지도를 기다리고 군인같이 명령을 기다리며 하나님이 우리에게 자신의 길을 보여주시는 것에 대해 그리스도와 같이 아버지 하나님을 의지하는 것이 우리의 일상의 태도가 되게 하자. 주님과의 직접적인 관계 안에서 그분의 뜻에 따라 그분의 영광을 위해서 모든 것을 그분을 위해 행하자. 하나님의 영광이 우리의 거룩한 삶 속에서 빛나게 하자.

예수님은 아버지 하나님을 인정하셨다. 그분은 어린 아이가 육신의 부모에게 말하듯이 종종 자신과 아버지 하나님 사이의 개인적인 관계에 대해 망설임 없이 말씀하셨다. 우리가 사람들 앞에서 바르게 사는 것만으로는 충분하지가 않다. 만일 해석해 주는 사람이 없다면 어떻게 그들이 이해할 수 있을까? 그들은 설교의 문제로서가 아니라 개인적인 증언의 문제로서 우리의 신분과 우리가 하는 일은 우리가 하나님을 사랑하고 또 그분을 위해 살고 있기 때문이라는 것을 들을 필요가 있다. 삶으로 증언하는 것과 말로 증언하는 것은 병행되어야 한다.

예수님은 자신을 바쳐 아버지 하나님의 일을 하셨다. 그렇게 그분은 아버지 하나님을 영화롭게 하셨다. 예수님은 죄인들에게, 하나님께서는 완전히 그리고 오직 자신만을 위해 우리를 소유하실 권리가 있다는 것과 하나님의 영광만이 삶과 죽음을 위한 목적으로 삼을 만한 가치가 있다는 것 그리고 우리가 그것을 위해 우리 자신을 바칠 때 하나님은 다른 사람들도 자신의 영광을 보고 인정하게 하시는 데 가장 놀랍게 우리를 사용하시고 축복하실 것이라는 것을 보여주셨다. 사람들이 하늘에 계신 하나님을 영화롭게 하고 또 그들이 이 영광의 하나님을 알고 섬기는데서 자신들의 복을 발견하도록 하는 것, 그것이 바로 예수님이 사신 목적이었고 또한 우리가 살아야 하는 목적이어야 한다. 오, 사람들을 위해 하나님께 우리 자신을 바치자! 우리의 동료들이 하나님은 거룩하심으로 영광스러우시다는 것을 보도록, 그리고 온 땅이 그분의 영광으로 충만하도록 간구하고 일하고 살고 죽자.

신자여, "영광의 영 곧 하나님의 영이 너희 위에 계심이라"(벧전 4:14). 예수님은 당신 안에서 아버지 하나님을 영화롭게 하시는 사역, 자신이 가장 사랑하는 사역을 하기를 기뻐하신다.

두려워하지 말고 다음과 같이 말하라. "오, 나의 하나님 아버지! 저도 주님의 아들 예수님 안에서 그분과 같이 오직 주님을 영화롭게 하기 위해 살겠습니다."

⟨함께 드리는 기도⟩ ─────────────────────

오, 나의 하나님! 주님께 기도하오니 저에게 주님의 영광을 보여 주옵소서. 제 자신의 결심이나 노력으로 제 자신을 고양시키거나 맹세하여 오직 주님의 영광을 위해 산다는 것이 참으로 불가능함을 절실히 느낍니다. 그러나 만일 주님이 주님의 영광을 저에게 보여주신다면, 만일 주님이 주님의 모든 선하심을 제 앞으로 지나가게 하여 저에게 주님이 얼마나 영광스러우신지를 보여주신다면, 주님의 영광 외에 어찌 다른 영광을 위해 살겠나이까? 오, 나의 하나님 아버지! 주께서 제 마음 속에 주님의 영광을 비춰주시고 저의 내면을 사로잡으신다면, 저는 오직 주님을 영화롭게 하는 것만, 주님은 참으로 영광스럽고 거룩하신 하나님이시라는 것을 알리기 위해서만 살겠습니다.

주 예수님, 주님은 우리가 보는 앞에서 아버지 하나님을 영화롭게 하시기 위해서 이 땅에 오셨고, 이제 주님의 이름으로 그리고 주님을 대신하여 우리로 하여금 그렇게 하도록 남겨두시고는 하늘로 올라가셨습니다. 오, 주님이 그것을 어떻게 행하셨는지 성령으로 말미암아 우리에게 보여 주옵소서. 주님이 아버지 하나님께 순종하신 것의 의미와 어떤 희생을 치르더라도 그분의 뜻을 이루어야 한다는 것을 주님이 인정하신 것의 의미를 우리에게 가르쳐 주옵소서. 우리로 하여금 아버지 하나님께 대한 주님의 고백에 주목하도록 가르쳐 주시고, 개인적인 증거로서 하나님은 주님께 어떤 분이셨고 또 주님은 하나님께 대해 무엇을 느끼시는지에 대하여 사람들에게 어떻게 말씀하셨는지 우리에게 가르쳐 주옵소서. 우리의 입술도 우리가 하나님 아버지의 사랑에 대해 맛보는 것을 말하게 하소서. 사람들이 무엇보다도 하나님을 영화롭게 하도록 말입니다. 오, 구원하는 사랑이 승리와 기쁨을 가지는 것은 죄인들을 구원할 때라는 것을 우리에게 가르쳐 주시고, 하나님이 최고의 영광을 얻으시는 것은 거룩하심 안에서 죄를 몰아내실 때라는 것도 우리에게 가르쳐 주옵소서. 그리고 "모든 입으로 예수 그리스도를 주라 시인하여 하나님 아버지께 영광을 돌리게 하"(빌 2:11)는 이 한 가지를 위해 우리가 사랑하고 일하고, 살고 죽도록 우리의 온 마음을 사로잡아 주옵소서.

오, 나의 하나님 아버지! 온 땅이 주님의 영광으로 충만하게 하시고 제 마음도 주님의 영광으로 충만하게 하옵소서. 아멘.

예수 그리스도의 영광 가운데 사는 삶

> 사랑하는 자들아 우리가 지금은 하나님의 자녀라
> 장래에 어떻게 될지는 아직 나타나지 아니하였으나
> 그가 나타나시면 우리가 그와 같을 줄을 아는 것은
> 그의 참모습 그대로 볼 것이기 때문이니 주를 향하여
> 이 소망을 가진 자마다 그의 깨끗하심과 같이
> 자기를 깨끗하게 하느니라.
> ─요일 3:2-3

> 내 아버지께서 나라를 내게 맡기신 것 같이
> 나도 너희에게 맡겨.
> ─눅 22:29

하나님의 영광은 그분의 거룩하심이다. 하나님을 영화롭게 하는 것은 하나님이 우리 안에서 자신의 영광을 나타내 보이시도록 우리 자신을 내맡기는 것이다. 그분의 영광이 우리에게서 빛을 발할 수 있는 것은 오직 우리 자신을 내맡기어 거룩하게 하

고 그분의 거룩하심이 우리의 삶을 채우도록 함으로 말미암는다. 그리스도의 유일한 사역은 아버지 하나님을 영화롭게 하시는 것, 곧 그분이 얼마나 영광스럽고 거룩하신 하나님이신지를 보여주시는 것이었다. 그리스도의 사역과 같이, 그렇게 우리의 사역도 우리의 순종, 증언 그리고 삶을 통해 우리 하나님을 "거룩하심으로 영광스"(출 15:11)러우신 분으로 알리는 것이어야 한다. 그분이 하늘과 땅에서 영광을 받으시도록 말이다.

주 예수님이 이 땅에서 아버지 하나님을 영화롭게 하셨을 때, 아버지 하나님은 하늘에서 자신과 함께 그분을 영화롭게 하셨다. 이것은 예수님이 받으실 정당한 보상일 뿐만 아니라 원래 필연적인 것이었다. 하나님의 영광을 위해 자기 목숨을 바치는 사람에게는 그 영광 안에 그의 자리가 있다. 그리스도와 같이 말이다. 그 법칙은 우리에게도 유효하다. 하나님의 영광을 갈망하고 열망하는 마음, 그것을 위해 살다가 그것을 위해 죽을 준비가 되어 있는 마음은 하나님의 영광 가운데 살 준비가 되어 있고 또 그렇게 살기에 적합하다. 이 땅에서 하나님의 영광을 위해 사는 것은 하늘에서 하나님의 영광 가운데 사는 것에 이르는 문이다. 만일 그리스도와 함께 우리가 하나님 아버지를 영화롭게 한다면, 하나님 아버지는 또한 그리스도와 함께 우리를 영화롭게 하실 것이다. 그렇다. 우리의 영광은 그분의 영광과 같이 될 것이다.

우리의 영적 영광은 그분의 영적 영광, 곧 그분의 거룩하심의 영광과 같이 될 것이다. 성령의 이름으로 두 말을 통합해 보면, 우리는 거룩한 것과 영적인 것은 서로 밀접한 관계가 있다는 것을 알게 된다. 인간으로서 예수님이 하나님의 영광을 위해 자신을 나타내시고 존중하시며 바치심으로써 그분을 영화롭게 하셨을 때, 인간으로서 그분은 신적 영광 안으로 받아들여져서 그 영광에 참여하는 자가 되셨다.

그렇게 하면 우리도 그와 같이 될 것이다. 만일 우리가 여기 이 땅에서 하나님의 영광이 우리를 취하도록 우리 자신을 바쳤다면, 그리고 만일 하나님의 거룩하심과 그분의 성령이 우리 안에 거하시면서 빛을 발하신다면, 하나님의 모양대로 지음 받은 우리의 인간성은 우리의 모든 능력 안에서 그 모양을 통해 하나님의 영광의 깨끗함, 거룩하심, 생명 그리고 밝음을 쏟아 붓고 옮겨 붓을 것이다.

우리의 영광의 몸은 그분의 영광의 몸과 같이 될 것이다. "화육(embodiment)은 하나님의 방법들의 목표(end)이다"라는 말은 아주 적절한 말이다. 인간의 창조는 하나님의 걸작이 되는 것이었다. 그 전에는 몸이 없는 영들이 있었고 영이 없는 생명체들이 있었다. 그러나 인간 안에서 몸 안에 있는 영이 그 몸을 정신적으로 고양시키고 영적으로 만들어 그 자체가 지니고 있는 하늘의 깨끗함과 완전함이 되게 했다. 인간은 전체로서 하나님의 형상이다. 그의 영뿐만 아니라 그의 몸도 그분의 형상인 것이다. 예수님 안에서 인간의 몸은 하나님의 보좌에 앉게 되고, 신적 영광의 훌륭한 파트너이자 그것을 담는 용기가 된다. 우리 몸은 하나님의 변형시키는 능력의 가장 놀랄만한 기적의 대상이 될 것이다. "그는 만물을 자기에게 복종하게 하실 수 있는 자의 역사로 우리의 낮은 몸을 자기 영광의 몸의 형체와 같이 변하게 하시리라"(빌 3:21). 그리스도의 영광의 몸과 같이 될 때 우리의 몸에서 보게 될 하나님의 영광은 우리의 영들 안에 있는 영광보다 더 놀라운 것이 될 것이다. "우리까지도 속으로 탄식하여 양자 될 것 곧 우리 몸의 속량을 기다리느니라"(롬 8:23).

우리의 영광의 자리는 그분의 영광의 자리와 같이 될 것이다. 모든 것은 자신의 영광을 보일 수 있는 적절한 자리가 필요하다. 그리스도의 자리는 우주의 중심 자리, 곧 하나님의 보좌이다. 그분은 제자들에게 이렇게 말씀하셨다. "사람이 나를 섬기려면 나를 따르라 나 있는 곳에 나를 섬기는 자도 거기 있으리니 사람이 나를 섬기면 내 아버지께서 그를 귀히 여기시리라"(요 12:26). "내 아버지께서 나라를 내게 맡기신 것 같이 나도 너희에게 맡겨 너희로 내 나라에 있어 내 상에서 먹고 마시며 또는 보좌에 앉아 이스라엘 열두 지파를 다스리게 하려 하노라"(눅 22:29-30). 예수님은 두아디라 교회에 이렇게 말씀하셨다. "이기는 자와 끝까지 내 일을 지키는 그에게 만국을 다스리는 권세를 주리니 그가 철장을 가지고 그들을 다스려 질그릇 깨뜨리는 것과 같이 하리라 나도 내 아버지께 받은 것이 그러하니라"(계 2:26-27). 또한 라오디게아 교회에는 이렇게 말씀하셨다. "이기는 그에게는 내가 내 보좌에 함께 앉게 하여 주기를 내가 이기고 아버지 보좌에 함께 앉은 것과 같이 하리라"(계 3:21). 더 높을 수도 없고 더 가까울 수도 없다. "우리가 흙에 속한 자의 형상을 입은 것 같이 또한 하늘에 속한 이의 형상을 입으리라"(고전 15:49).

그와 같이 신령하고 하나님이 주신 안목으로 미래를 볼 때, 우리는 "우리의 형상을 따라 우리의 모양대로 우리가 사람을 만들고"(창 1:26)라는 하나님의 창조의 말씀에 어떤 대단한 진리, 어떤 신적인 의미가 있는지를 알게 된다. 보이지 않으시는 하나님의 형상을 나타내 보이는 것, 신적 본성에 참여하는 자가 되는 것, 하나님과 함께 우주를 다스리는 것은 인간의 운명이다. 인간의 자리는 진정 말로 표현할 수 없는 영광의 자리이다. 두 가지 영원한 진리(eternities), 곧 우리가 먼저 나신 하나님의 아들 예수님의 형상을 본받도록 미리 정해져 있는 영원한 목적과, 우리의 영광이 그분의 영광과 같이 될 때 그 목적의 영원한 성취 사이에 설 때, 우리는 사방에서 이런 소리를 듣게 된다. "오, 하나님의 형상을 지닌 이들이여! 하나님의 영광과 그리스도의 영광을 함께 나누면서 하나님을 닮는 삶을 살라. 그리스도를 닮는 삶을 살라."

"나는…깰 때에 주의 형상으로 만족하리이다"(시 17:15). 시인은 옛날에 그렇게 노래했다. 하나님의 형상 외에 영혼을 만족시킬 수 있는 것은 아무 것도 없다. 왜냐하면 영혼은 하나님의 형상을 위해 지음을 받았기 때문이다. 그러나 하나님의 형상은 영혼에게 외적인 어떤 것과 같지 않으며, 단지 보이기만 할 뿐 소유되지는 않는다. 우리가 만족하게 되는 것은 그 형상에 참여하는 자가 될 때이다. 한 없이 배고파하면서 하나님의 형상에 참여하기를 갈망하는 사람들은 복이 있나니 "그들이 배부를 것임이요"(마 5:6). 이것은, 곧 하나님의 형상은 하나님 자신으로부터 그들에게 흘러내리고 그들의 전 존재를 통해 흘러가며 그들로부터 흘러나와 우주 끝까지 흘러가는 영광일 것이다. "우리 생명이신 그리스도께서 나타나실 그 때에 너희도 그와 함께 영광 중에 나타나리라"(골 3:4).

사랑하는 그리스도인들이여, 여기 이 세상에서 실재하지 않는 것이 그날에 나타날 수 있는 것은 아무 것도 없다. 만일 하나님의 영광이 이 세상에서 우리의 삶이 아니라면, 그것은 오는 세상에서도 우리의 삶이 될 수 없다. 그것은 불가능하다. 이 세상에서 하나님을 영화롭게 하는 사람만이 오는 세상에서 하나님을 영화롭게 할 수 있다. 인간은 하나님의 형상이며 영광이다. 당신이 이 세상에서 하나님의 형상을 지니고, 또 "하나님의 영광의 광채시요 그 본체의 형상"(하 1:3)이신 예수님의 형상으로 살아갈 때, 당신은 장차 올 영광을 준비하는 것이다. 만일 우리가 영광 중에 계신 하늘의 그리스도의 형상을 닮으려고 한다면, 우리는 먼저 겸손히 자신을 낮추셨던 지상의 그리스도의 형상을 지녀야 한다.

하나님의 자녀여, 그리스도는 지음 받지 않으신 하나님의 형상이시다. 반면에 인간은 그분의 지음 받은 형상이다. 그러나 영광의 보좌에서 그 둘은 영원히 하나가 될 것이다. 우리로 하여금 다시금 그 형상을 소유하도록 회복시키시기 위해 그리스도께서 무엇을 하셨고 어떻게 가까이 나아가셨으며 모든 것을 어떻게 희생하셨는지 당신은 알고 있다. 오, 우리는 이 놀라운 사랑에, 상상도 할 수 없는 이 영광에 우리 자신들을 온전히 내맡기고 그리스도의 형상과 영광을 나타내 보이기 위해서 우리의 삶을 전부 바쳐야 하지 않겠는가? 예수님과 같이, 우리는 오는 세상에서 그분의 영광 가운데 살 방법으로 이 세상에서 그분의 영광을 위해 살면서 하나님의 영광을 우리의 목적과 희망으로 삼아야 하지 않겠는가?

그리스도의 영광과 마찬가지로, 우리의 영광의 기원도 하나님 아버지의 영광이다. 아버지 하나님이 예수님께 계셨듯이 우리에게도 계시도록 하자. 또한 아버지 하나님의 영광이 예수님의 것이었듯이, 우리의 것도 되도록 하자. 그리스도의 삶의 모든 특징들은 그것들의 중심으로서 하나님의 영광에 모아진다. 예수님은 하나님의 아들이셨다. 그분은 하나님의 아들로서 사셨고, 하나님께서는 그분께 아버지이셨다. 예수님은 아들로서 아버지 하나님의 영광을 구하셨다. 아들로서 그분은 그것을 찾으셨다. 오, 이와 같이 우리도 하나님의 아들의 형상을 본받자. 하나님 아버지가 우리들 삶의 전부가 되시도록 하자. 하나님 아버지의 영광이 우리의 영원한 원동력(home)이 되어야 한다.

  사랑하는 형제들이여, "우리가 그와 같을 줄을 아는 것은 그의 참모습 그대로 볼 것이기 때문이니 주를 향하여 이 소망을 가진 자마다 그의 깨끗하심과 같이 자기를 깨끗하게 하느니라"(요일 3:2-3). 그리스도와 같이. 바로 이것이 우리 믿음의 유일한 목적이 되고 우리 마음이 바라는 그 한 가지 소원이 되며 우리들 삶의 그 한 가지 기쁨이 되도록 기도하자. 오, 참으로 우리가 영광 가운데 볼 때가 있을 것이다. 즉 우리가 예수님을 그분의 참모습 그대로 보고 또 서로가 모두 그분과 같이 되는 것을 볼 때가 있을 것이다.

〈함께 드리는 기도〉

참으로 복되시며 가장 영광스러우신 하나님, 우리는 하나님의 형상이신 그리스도의 영광스런 복음으로 인해, 그리고 그분 안에서 우리에게 비치는 주님의 영광의 빛으로 인해 진정으로 주님께 감사를 드립니다! 그리고 예수님 안에서 우리가 주님의 형상뿐만 아니라 우리의 영광의 형상을 보게 된 것과, 우리가 영원토록 주님과 함께 있을 것이라는 굳은 약속을 알게 된 것을 진심으로 감사합니다!

오, 하나님! 우리를 용서해 주옵소서. 우리가 이것을 제대로 믿지 못한 것과, 우리가 이것을 온전히 삶으로 실천하지 못한 것을 주님의 보혈을 위해 우리를 용서해 주옵소서. 그리고 주님께 간구하오니, 이것들을 묵상하면서 다른 사람들과 교제를 나누는 모든 사람들에게, 주님을 영화롭게 하면서 그들이 그 안에서 영원히 살고 또 지금도 그들이 살 수 있는 영광을 보여 주옵소서. 오, 하나님 아버지! 우리와 주님의 모든 자녀들을 일깨우셔서 우리에 대한 주님의 목적이 무엇인지를 깨닫고 느끼게 하여 주옵소서. 진정으로 주님의 영광 안에서 영원히 살고 싶습니다. 주님의 영광이 우리 주변에, 우리 위에 그리고 우리 안에 있기를 소원합니다. 우리의 영광이 주님의 아들 예수 그리스도의 영광과 같이 되기를 원합니다. 하나님 아버지, 주님께 간구하오니 주님의 교회에 오소서! 영광의 영이신 주님의 성령으로 하여금 교회 안에서 강력하게 역사하게 하여 주옵소서. 그리고 이것이 교회의 유일한 소원, 곧 교회가 알려지는 그 유일한 표징인 그 위에 머무는 하나님의 영광이 되게 하여 주옵소서. 우리의 하나님 아버지, 예수님을 위해 그것을 이루어 주옵소서. 아멘.

우리의 본이신 예수 그리스도를 전하기

우리의 형상을 따라 우리의 모양대로 우리가 사람을 만들고.
-창 1:26

성경에서 인간의 역사가 시작되는 창조 회의(the Council of Creation)의 말씀을 보면, 우리는 인간이 자신의 존재로 달성해야 할 영원한 목적, 곧 자신에게 미리 정해져 있는 영광스럽고 영원한 미래가 있다는 것을 알게 된다. 하나님은 자신의 형상과 모양, 곧 보이지 않으시는 하나님 자신의 영광을 가시적으로 분명하게 보여줄 자신을 닮은 피조물을 만드시기로 작정하신다.

인간을 창조하시자마자 하나님을 닮은 존재가 되게 하시는 것은 진정 무한한 지혜에 어울리는 훌륭한 일이었다. 하나님이 어떤 것에도 의존하심이 없이 자신 안에 생명을 가지고 오직 스스로 존재하시는 것은 바로 그분의 본성과 영광이다. 만일 인간이 하나님을 닮고자 한다면, 그는 이 점에서도 그분의 형상과 모양을 지녀야 한다. 그는 자신의 자유로운 선택에 따라 자신의 모습을 이루어가야 한다. 그는 자기 자신을 형성해 가야 한다. 의존적이 되는 것, 곧 모든 것에 대해 복되신 창조주 하나님의 은혜를 입는 것은 인간의 본성과 영광이다. 의존적이면서도 스스로 결정하는 존재라는 모순된 사실, 곧 지음을 받았음에도 하나님을 닮은 존재라는 모순된 사실이 어떻게 조화를 이룰 수 있을까? 인간 안에서 그 신비가 풀린다. 하나님은 인간에게 생명을 주시지만, 그에게 자유 의지의 능력을 부여하신다. 하나님의 모습을 닮는 것과 같이 그토록 고귀하고 거룩한 것이 진정으로 자기 자신의 것이 될 수 있는 것은 오직 개인적으로 그리고 자발적으로 자기 것으로 만드는 과정 가운데서다.

죄가 들어오고 인간이 자신의 고귀한 운명에서 타락했을 때, 하나님은 자신의 목적을 포기하지 않으셨다. 하나님이 이스라엘 백성에게 주신 계시의 중심 사상은 "내가 거룩하니 너희도…거룩하게 하고"(레 11:44)였다. 하나님의 최고로 완전하신 모습을 닮는 것이 이스라엘의 소망이 되어야 했다. 구속은 창조가 나타내는 이상과 같았다. 구속은 바로 그 영원한 목적을 취하여 성취하는 것이었다.

하나님 아버지는 바로 이 마음을 가지고 그분의 아들 예수님을 이 땅에 보내주셨다. 우리가 지음 받은 목적이자 우리가 개인적으로 자기 것으로 만들어야 하는 하나님과 같은 모습이 예수님 안에서 인간의 형태로 나타났다. 예수님은 우리에게 하나님의 형상과 우리 자신의 형상을 보여주시기 위해 오셨다. 그분을 바라볼 때, 우리가 오랫동안 잃어버린 하나님의 모습을 닮고자 하는 소원이 생겼다. 우리로 하여금 그 형상을 따라 새롭게 되기 위해 우리 자신들을 내맡길 수 있는 용기를 갖게 해준 소망과 믿음이 생긴 것이다. 이것을 성취하시기 위해서 예수님은 두 가지 일을 하셔야 했다. 하나는 우리로 하여금 그 형상 안에서 살아가는 삶이 어떤 것인지 알고 또 우리 구세주이신 그분으로부터 무엇을 기대하고 받아들여야 하는지 이해하도록 자신의 삶으로 하나님의 형상을 나타내 보여주시는 것이었다. 예수님이 이것을 다 행하시고 인간의 모습으로 하나님의 생명의 모습을 우리에게 보여주셨을 때, 그분은 (십자가에서) 죽으심으로 우리를 위해 승리하시고 우리에게 자신의 생명을 나누어주셨다. 그러므로 우리는 그것의 능력 가운데 우리가 그분 안에서 본 것을 닮는 삶을 살게 된다.

예수님은 하늘로 올라가실 때, 먼저 그분이 우리 앞에 두셨고 그 다음에 우리에게 나누어주시기 위해 승리하신 그 생명의 능력을 성령을 통하여 우리에게 주셨다. 이 둘은 서로 의존적이다. 왜냐하면 우리의 본으로서 예수님이 자신의 삶으로 보여주셨던 것, 바로 그것이 될 수 있는 능력을 우리의 구세주이신 그분이 자신의 죽음을 통해서 얻으셨기 때문이다. 예수님의 지상에서의 삶은 그 길을 보여주시며, 그분의 하늘에서의 삶은 우리가 그 길로 행할 수 있는 능력을 제공해준다. 구속의 충만한 믿음 가운데 서지 못하는 사람은 누구도 주님의 본을 따를 수 없다. (그럴만한 능력이 없기 때문이다.) 구속의 위대한 목적으로서 그 형상을 본받으려고 하지 않는 사람은 누구도 온전히 그 능력 안으로 들어갈 수 없다. 그리스도께서는 자신의 삶으로 하나님의 형상을 보여주시기 위해 이 땅에서 사셨다. 그리고 지금은 우리가 우리 삶으로 하나님의 형상을 보여줄 수 있도록 하늘에서 사신다.

그리스도의 교회가 이 두 진리 사이의 적절한 관계를 항상 유지한 것은 아니다. 로마 가톨릭교회에서는 교인들에게 그리스도의 본을 따르는 것을 아주 엄격하게 요구했다. 그 결과로 가톨릭교회는 많은 과오를 범했음에도 불구하고 아주 훌륭하게 헌신함으로 실제로 그리고 온전히 주님의 형상을 지니려고 애썼던 많은 성도들을 가르칠 수 있었다. 그러나 진리의 다른 반쪽을 무시함으로 성실한 많은 영혼들을 잃고 말았다. 그리스도의 죽으심의 능력 안에서 자신들 안에 그분의 생명을 받는 사람들만이 자신들 앞에 놓인 대로 그분의 삶을 닮을 수 있다는 것을 믿게 되었다.

개신교 교회들은 두 번째 진리의 부흥에 그 기원을 두고 있다. 하나님의 용서하시고 소생시키시는 은혜의 진리로 인해 수많은 불안한 영혼들이 참으로 큰 위로와 기쁨을 얻게 되었다. 그럼에도 불구하고 그리스도가 우리의 구속을 위해 죽으실 뿐만 아니라 우리가 어떻게 살아야 하는지를 보여주시기 위해 이 땅에서 사셨다는 교리는 충분히 주목을 받지 못했다. 정통 교회는, 그리스도는 우리의 본이시라는 것을 부인하지는 않으면서도, 그분의 삶의 본을 따르는 것의 절대적인 필요성은 그분의 죽으심의 속죄를 신뢰하는 것의 필요성만큼 분명하게 전하지 않는다. 사람들로 하여금 그분의 죽으심의 공덕을 받아들이도록 인도하기 위해서는 많은 수고가 필요하며, 그것은 아주 당연한 것이다. (반면에) 사람들로 하여금 그분의 삶을 본받는 것을 참된 제자도의 유일한 표시와 시금석으로 받아들이도록 이끄는 노력은 충분히 기울이지 못했다, 그것은 옳지 않다.

만일 속죄와 용서가 가장 중요한 것이고, 그분의 모습을 닮아가는 삶은 부차적인 것이라면, 무엇보다도 속죄와 용서에 주의를 기울이는 것은 당연할 것이다. 용서와 평화가 바라는 주된 목적이 될 것이다. 그것이 달성되면 만족한 상태로 안심하게 될 것이다. 다른 한편으로, 만일 하나님의 아들의 형상을 본받는 것이 주된 목적이고 속죄는 창조(Creation)에서의 하나님의 목적의 성취로서 이 목적을 달성하는 수단이라면, 회개와 용서에 대한 모든 설교에서 그 참된 목적은 언제나 계속해서 맨 앞에 있게 될 것이다. 예수 그리스도를 믿는 믿음과 그분의 성격을 본받는 것은 서로 나뉠 수 없는 것으로 여겨질 것이다. 그와 같은 교회는 주님의 참된 제자들을 삼게 될 것이다.

 이 점에서, 개신교회는 여전히 계속해서 성숙해질 필요가 있다. 이 두 진리가 그리스도 자신의 삶 속에 나타나는 그 놀라운 연합 가운데 유지될 때만, 교회는 자신의 아름다운 옷을 입고서 하나님의 영광의 빛 가운데 진정으로 빛나게 될 것이다. 예수님은 자신이 우리를 위해 고난을 받으신 모든 것 안에 본을 남기시고 우리로 하여금 자신의 발자취를 따르게 하신다. 십자가의 깃발이 높이 들릴 때, 십자가의 속죄와 사귐은 참된 제자도의 조건으로 똑같이 선포되어야 한다.

 복되신 주님의 가르침 속에 이것이 아주 분명하게 나온다는 것은 주목할 만하다. 실제로, 주님은 십자가에 대해 말씀하실 때 십자가의 속죄보다도 십자가의 사귐을 더 중요하게 여기셨다. 주님은 제자들에게 자신과 함께 그리고 자신과 같이 십자가를 져야 한다고 여러 번 말씀하셨다. 오직 그럴 때만, 그들은 제자들이 될 수 있었고 또 그분의 십자가를 짐으로 얻게 되는 복에 참여할 수 있었다. 예수님이 자신이 십자가에 못 박히실 것에 대해 말씀하시자 베드로가 자신을 꾸짖었을 때, 그분은 인간을 구원하시는 데 있어서 십자가의 필요성을 논하지 않으셨다. 예수님은 다만 십자가를 지실 것을 강력히 주장하셨다. 왜냐하면 예수님에게 있어서 자기(self)를 죽이는 것이 하나님의 생명에 이르는 유일한 길이기 때문이다. 그것은 우리에게도 마찬가지이다. 제자는 주님을 닮아야 한다. 주님은 그것을 자기희생의 도구로, 우리 생명을 죽음에 내어주는 표시와 수단으로 그리고 그분이 가져오신 새로운 신적 생명 안으로 들어가는 통로로 말씀하셨다. 매일 자기희생의 정신인 십자가가 그분에 대한 우리의 충성의 표시가 되어야 한다. 베드로는 그 교훈을 아주 잘 배웠는데, 우리는 그의 서신에서 그것을 보게 된다. 그가 우리를 위해 고난을 당하시는 주님에 대해 말하는 주목할 만한 구절들 중 두 구절은 그분과 같이 우리가 고난을 당하는 것과 연결하여 거의 부수적으로 소개된다(예를 들면, 벧전 2;21,24; 3:18을 보라). 우리가 십자가에 못 박히신 분을 볼 때, 우리는 십자가를 그리스도께서 영광에 이르는 자신의 길이라고 확인하신 길(path)이자 우리 각자가 그분을 따라야 하는 길로 간주해야 한다고 그는 우리에게 말한다.

    사도 바울의 서신들에도 이러한 사상이 현저하게 나타난다. 갈라디아서에서 우리는 십자가의 능력을 제시하는 네 개의 구절을 보게 된다. 바울은 대리(substitution)와 대속의 복된 진리에 대한 가장 두드러진 표현들 중 하나를 썼다. "그리스도께서 우리를 위하여 저주를 받은 바 되사 율법의 저주에서 우리를 속량하셨으니 기록된바 나무에 달린 자마다 저주 아래에 있는 자라 하였음이라"(갈 3:13). 이것은 교회와 그리스도인의 믿음이 기초하는 초석들 중 하나이지만, 한 채의 집은 그 이상의 초석이 필요하다. 그러므로 우리는 그의 서신에서 최소한 세 번은 개인적인 경험으로서의 십자가의 사귐을 기독교적 삶의 비밀로 말하고 있음을 보게 된다(갈 2:20; 5:24; 6:14).

그리스도께서 우리를 위해 십자가를 지신 것이 전부가 아니다. 그것은 단지 그분의 사역의 시작일 뿐이다. 그것은 우리가 그리스도, 곧 십자가에 못 박히신 분과 평생의 사귐을 시작하게 됨으로 십자가가 할 수 있는 것을 온전히 나타낼 수 있는 길을 열어준다. 우리는 일상생활 가운데서 세상에 대해 십자가에 못 박힌다는 것이 어떤 것인지를 경험하고 나타낸다. 그렇지만 우리를 위해 그리스도께서 십자가에서 죽으신 것이 해석되는 그리스도의 십자가의 영광에 관해서는 중요한 설교들을 참으로 많이 해왔지만, 바울이 그토록 영광스럽게 여겼던 우리가 그분과 함께 죽는 것은 무시해 왔다!

교회는 첫 번째 진리를 분명하게 말로 나타내는 만큼 이 두 번째 진리도 그렇게 할 필요가 있다. 그리스도인들은, 십자가를 지는 것은 우리가 십자가(crosses)라고 부르는 시련들과 관계가 있지 않다는 것을 이해할 필요가 있다. 그 대신, 그것은 예수님을 특징지었던 것과 마찬가지로 우리도 특징지어야 하는 그 매일 목숨을 바치는 것, 곧 자기에 대해 죽는 것-우리가 역경 가운데 있을 때보다도 번영의 때에 필요로 하는 것-과 관계가 있다. 그것 없이는 십자가의 풍성한 축복이 우리에게 나타날 수 없다. 갈보리 위에서 보여 졌을 뿐만 아니라 그것이 우리를 십자가에 못 박기 때문에 영광스럽게 되는 십자가는 승리와 영광과 인간의 구원을 위한 하나님의 능력에 이르는 길이다.

십자가의 구속은 두 부분으로 이루어진다. 첫째는 그리스도께서 십자가를 지신 것, 우리의 속죄를 위한 그리스도의 십자가 고난, 그리고 생명의 길을 여신 것이다. 둘째는 우리의 십자가 고난 우리의 성화(sanctification)로서 우리가 그리스도와 함께 십자가를 지는 것 그리고 그분의 복되신 형상을 본받는 길로 걸어가는 것이다. 보증이신 그리스도와 본이신 그리스도를 똑같이 전해야 한다.

그러나 이 두 진리를 별개의 교리로 제시하는 것은 충분하지 않다. 그것들은 오직 우리의 머리이신 그리스도의 더 깊은 진리 안에서 그것들의 내적인 통일성이 발견될 때만 그 능력을 충분히 발휘할 수 있다. 우리는 주 예수님과의 연합이 어째서 보증과 본의 능력이 그것의 생명을 가지고 있는 뿌리인지를 알고 있다. 우리는 또한 어째서 그 유일하신 구주 예수님이 우리를 자신의 십자가의 속죄와 사귐에 참여하는 사람들로 만드시는지를 알 수 있다. 우리가 그 두 가지 진리를 봄에 따라, 우리는 그 둘의 조화가 얼마나 놀라운지와 그것들이 교회의 안녕에 얼마나 필수적인지를 이해하게 될 것이다. 예수님은 우리에게 믿도록 주신 속죄에 의해서 못지않게 우리로 하여금 밟고 가도록 그분이 우리에게 남겨주신 발자국에 의해서 하늘에 이르는 길을 열어놓으셨다. 자신의 보혈을 통해서 우리를 용서하시고 또 자신의 성령을 통해서 자신을 본받게 하시는 분은 똑같은 예수님이다. 이 속죄의 생명력은 오직 믿음을 통해서 온다. 본의 생명력도 마찬가지다. 우리의 복음주의적 개신교는 오직 믿음을 통해 구원을 받는다는 중대하고 중심적인 진리가 인의 뿐만 아니라 성화에 충분히 적용될 때까지 자기 사명을 성취할 수 없다.

교인들을 구주의 모습을 온전히 본받는 길로 인도하기를 바라는 설교자는 넓은 들판이 자신에게 펼쳐져 있음을 발견하게 될 것이다. 그리스도를 닮는 삶은 우리가 열매와 뿌리 그리고 그 둘을 연결 짓는 줄기를 구별하는 나무와 같다. 개인적인 노력에서처럼, 공적 사역에서도 아마 우선적으로 열매가 이목을 끌 것이다. "내가…행한 것 같이 너희도 행하"라(요 13:15)는 그리스도의 말씀과, 서신들에서 그리스도께서 하신 것 같이 사랑하고 용서하고 참으라는 빈번한 권고는 우선적으로 그리스도의 실제 삶과 그리스도인들의 실제 삶을 비교하도록 이끌어준다. 그 다음에 그것들은 구주의 본이 제공하게 되어 있는 행동의 그 유일한 법칙과 기준을 서술하고 세우도록 이끌어준다. 시간을 내어 그 놀라운 묘사의 특징들 각각을 똑똑히 볼 필요가 있다는 생각이 들 것이다. 그러므로 하나님이 실제로 우리로 하여금 어떤 모습이 되게 하실 지에 대한 몇몇 분명하고 정확한 인상을 그것으로부터 받게 될 수 있다.

신자들은 그리스도의 삶이 자신들의 삶의 법칙이며 그분을 완전히 본받는 것이 하나님이 자신들에게 기대하시는 것이라는 것을 반드시 깨달아야 한다. 하늘에서 빛나는 태양과 이 세상에 있는 우리들 집을 밝히는 등불 사이에는 양의 차이는 있을지라도 빛의 본질에서는 같다. 그리고 태양과 같이 등불도 작은 공간에서 자기 임무를 멋지게 수행할 것이다. 교회의 양심은, 예수님의 겸손과 자기 부인은 바로 각 신자가 나타내 보여야 할 자신의 특권이자 자신의 절대적인(simple) 의무로 고려해야 하는 것이라고 이해하도록 가르침을 받아야 한다. 아주 많은 사람들이 생각하듯이, 그리스도를 위한 기준과 그분의 백성들을 위한 기준이 따로 있는 것이 아니다. 진정, 그렇지 않다. 포도나무(하나님)의 가지들로서, (그리스도의) 몸의 지체들로서, 같은 성령에 참여하는 사람들로서 우리는 형님(Elder Brother)이신 예수님의 형상을 지니게 될 것이며 또한 반드시 지녀야 한다.

대다수의 그리스도인들이 이렇게 예수님을 본받는 것을 그토록 사소하게 보거나 거의 추구하지 않는 주된 이유는 의심할 바 없이 우리의 연약함과, 또 우리가 신적 은혜가 우리 안에서 역사하기를 기대할 것에 관한 잘못된 견해들 가운데서 발견하게 된다. 사람들은 죄의 능력에 대해서는 강한 믿음을 가지고 있으면서도 은혜의 능력에 대해서는 믿음이 적어서 그들은 우리가 예수님과 같이 사랑하고 용서하고 또 하나님 아버지의 영광에 헌신하기를 기대하신다는 생각을 즉각 물리친다. 그들은 그것을 자신들이 도달할 수 없는 멀리 있는 하나의 이상, 곧 진정으로 아름답지만 결코 실현될 수 없는 것으로 간주한다. 하나님은 우리가 그토록 우리 능력을 완전히 넘어서는 존재가 되거나 그런 것을 하기를 기대하실 수 없다는 것이다. 그들은 성질을 억제하고 또 그 일이 있을 수 없다는 증거로 오로지 하나님을 위해서 살려고 진정으로 시도하면서 자신 있게 자신들의 실패를 들먹인다.

이 복된 진리의 모든 충만함과 영광 안에서 우리의 본이신 그리스도를 지속적으로 전함으로써만 그러한 불신앙이 극복될 수 있다. 하나님은 자신이 뿌리지 않으신 곳에서는 거두지 않으신다는 것과, 열매와 뿌리는 완전히 일치한다는 것을 신자들은 알아야 한다. 하나님은 우리가 바로 그리스도와 같이 애쓰고 생각하며 행동하기를 기대하신다. 왜냐하면 우리 안에 있는 생명과 그분 안에 있던 생명이 정확히 똑같기 때문이다. 우리 안에는 그리스도의 생명과 동일한 생명이 있다. 그렇다면 우리의 외적인 삶이 그분의 삶과 같아야 하는 것은 지극히 당연하지 않겠는가?

우리 안에서 사시는 그리스도는 그리스도가 우리를 통해 행하시고 말씀하시는 것의 근원과 힘이시며, 세상이 보도록 우리에게서 비춰 나오신다.

하나님이 자기 백성들을 자신이 원하시는 모습이 되도록 계속해서 인도하시는데 필요한 것은 우리의 본이신 그리스도를 설교하는 것인데, 우리는 오직 믿음으로 그분을 영접하게 된다. 우리는 예수님을 우리의 속죄와 우리의 구주로서 믿어야 하고 그 다음에 감사와 일관성이라는 강력한 동기의 영향을 받으면서 그분을 본받으려고 노력해야 한다는 것이 일반적인 생각이다. 그러나 동기는 힘을 제공할 수 없고 순전히 무력감만 남는다. 우리는 다시금 율법 하에 놓이게 된다. 우리는 하려고 애를 써야 하지만 그렇게 할 수가 없다. 이런 영혼들은 자신들의 본이신 그리스도를 믿는 것이 무엇을 의미하는지, 그리고 그분이 자신들을 위해서 준비하신 구원의 일부로서 그분의 거룩한 삶을 믿음으로 주장하는 것이 무엇인지 가르침을 받아야 한다. 그들은, 이 본이 대단한 인물(something)이거나 심지어는 자신들 밖에 있는 어떤 사람이 아니라 살아 계신 주님 자신, 곧 그분이 먼저 자신들에게 그분의 지상생활에서 볼 수 있는 것을 주신 것을 자신들 안에서 이루실 바로 자신들의 생명이시라는 것을 믿도록 가르침을 받아야 한다. 만일 그들이 주님께 복종한다면, 그분은 자신들 안에서 뿐만 아니라 자신들의 모든 생각을 능가하는 방식으로 자신들의 평생의 여정 가운데서 그분 자신을 보여주실 것이라는 것을 믿는 것을 배워야 한다. 예수님의 본과 그분을 본받는 것은 하늘로부터 내려오신 그 영원한 생명의 일부라는 것과, 모든 신자에게 자유롭게 주어진다는 것을 그들은 믿어야 한다. 우리가 그리스도와 하나가 되어 그분 안에 거하기 때문에, 그리고 그분이 가지고 계신 신적 생명이 우리 안에도 동일하게 있기 때문에, 주님은 우리에게 자신과 같이 행하기를 기대하신다.

　이 진리를 충분히 이해하고 그것을 최종적으로 받아들이는 것은 쉬운 일이 아니다. 그리스도인들은 계속해서 넘어지고 불충실한 생활에 너무나 익숙해진 나머지 자신들이 그리스도를 닮는 것을 보일 수 있다고 생각하는 것이 낯선 것이 되었다. 하나님의 백성의 불신앙을 깨고 그들을 승리로 이끌어 줄 설교는 분명 기쁨을 주고 승리하는 믿음에 의해 활기차게 된다. 왜냐하면 자신들의 삶 전부를 소유하고 계신 그리스도의 본이 지니고 있는 능력은 그리스도인들이 구원을 위해 필요하다고 보통 생각하는 믿음보다 더 크고 더 깊이 있는 믿음을 가진 사람들에게만 주어지기 때문이다. 그러나 자신의 충만함 가운데 계신 그리스도, 곧 신자의 법칙과 생명이신 그리스도를 전할 때, 그분과 우리의 생명의 하나 됨의 참된 근원에 침투하는 이러한 더 깊이 있는 믿음이 생길 것이다. 그것과 더불어 그 생명을 보일 수 있는 힘도 생길 것이다.

　이 믿음이 자라는 모습은 매우 다양할 것이다. 어떤 사람들의 믿음은 조용히 끈기 있게 하나님을 기다리는 동안 자랄 것이다. 또 어떤 사람들의 믿음은 노력과 고투와 실패의 시간이 지난 다음에 갑작스런 계시(revelation)로서 생길 것이다. 본으로서의 예수님, 곧 자신이 요구하시는 모든 것이 되시고 또 그 모든 것을 하시는 그분 자신이 진정으로 어떤 분이신지를 바로 한 번에 충만히 볼 때에 말이다. 어떤 사람들의 믿음은 고독 가운데 홀로 있는 곳에서, 곧 살아 계신 하나님 그분 외에는 도울 수 있는 이가 아무도 없는 곳에서 생길 것이다. 또 어떤 사람들의 믿음은 종종 그랬던 것처럼 성도들과 교제를 나누는 가운데 생길 것이다. 바로 거기에서, 곧 성령의 교제가 창출하는 열정과 사랑의 한복판에서, 마음이 누그러지고 결심이 강해지며 믿음이 자극을 받아 예수님이 우리로 하여금 자신을 닮도록 자신을 계시하시고 내어주실 때 그분이 제공하시는 것을 이해하게 한다. 그러나 믿음이 어떤 식으로 생기든지 간에, 그것은 성령의 능력 안에서 그리스도를 하나님의 자녀들이 닮아야 하는 모습에 대한 하나님의 계시로 전할 때 생길 것이다. 그리고 신자들은 완전한 죄악과 연약함을 깊이 의식하는 가운데 이전과는 전혀 다르게 자기 자신과 자신의 삶을 전능하신 구주의 손에 내맡기도록 인도함을 받게 될 것이다. 그들은 "내 속 곧 내 육신에 선한 것이 거하지 아니하는 줄을 아노니"(롬 7:18)와 "내게 능력 주시는 자 안에서 내가 모든 것을 할 수 있느니라"(빌 4:13)는 외관상 모순적인 두 말씀 사이의 아름다운 조화를 자신들의 경험을 통해 깨달을 필요가 있다.

그러나 뿌리와 열매는 언제나 줄기에 의해 그 가지와 잎들에 연결된다. 그리스도의 삶도 그와 같았다. 하나님 안에 뿌리내리고 있던 그분의 감추어진 생명과, 거룩한 말씀과 사역의 열매 가운데 나타나는 그 생명 사이의 관계는 의식적으로 그리고 끊임없이 아버지 하나님과 개인적으로 교제하는 생활에 의해 유지되었다. 자신이 알려야 했던 것을 보고 듣기 위해서 아버지 하나님을 기다리는 것과 성령의 인도하심에 자기 자신을 내맡기는 것, 자신이 이루기 위해 오신 말씀의 가르침에 순종하는 것과 밤을 새워 기도하는 것 그리고 의존하고 믿는 모든 생활에서도 그리스도는 우리의 본이 되셨다. 그분은 그토록 범사에 참으로 우리와 같이 되시고 육신의 연약함 가운데 우리와 하나가 되심으로 아버지 하나님의 생명이 계속해서 자유롭게 그분 안으로 흘러들어와 그분의 사역 가운데 나타날 수 있었던 것은 오직 그와 같이 하셨기 때문이다.

그리고 정확히 우리도 그와 마찬가지일 것이다. 우리가 그리스도와 연합하여 그분의 생명이 우리 안에 있게 되면, 우리는 분명히 그분을 닮는 삶을 살 수 있게 될 것이다. 그러나 그것은 필연적인 결과로서 저절로 그렇게 되는 것이라기보다는 지성 있고 자발적이며 사랑스러운 협력을 통해, 곧 믿음과 기도로 내맡기는 가운데 끊임없이 그분으로부터 오고 받는 것, 조심스럽게 순종하고 진정으로 노력하는 가운데 우리가 받는 것을 끊임없이 자기 것으로 만들고 실천하는 것, 그분이 우리 안에서 역사하신다는 것을 우리가 알기에 끊임없이 사역을 하는 것을 통해 그렇게 될 것이다. 우리가 영원히 뿌리내리고 있는 그 생명의 활력과 에너지를 믿는 믿음이 우리에게 있다면 나태와 부주의에 빠지지 않을 것이다. 그리스도의 경우처럼, 그것은 우리의 에너지들을 유발시켜 그것들의 최고의 힘을 발휘하게 할 것이다. 그것은 참된 개인적인 사귐과 하나님을 기다리는 것을 구성하는 모든 것을 육성하게 될 우리의 삶을 그리스도 안에서 우리에게 열어주는 영광스러운 가능성들을 믿는 믿음이다.

그리스도를 닮는 삶은 이 세 가지 유사점에서 이해되어야 한다. 하나님 안에 감추어진 그리스도의 삶과 같은 우리의 삶-그리고 하나님과 함께 나누는 사귐 안에서 그분의 삶과 같이 유지되는 우리의 삶-은 그것을 외적으로 나타낼 때 그분의 삶과 같이, 곧 하나님을 위한 삶과 같이 될 수 있다. 신자들이 그 진리, 곧 우리가 그리스도를 통해 하나님 안에서 가지고 있는 생명 가운데 진정으로 그리스도를 닮게 된다는 것, 우리가 하나님과 나누는 사귐 가운데 그 생명을 유지하고 강화하는 것에서 그리스도를 닮을 수 있다는 것 그리고 우리는 그와 같은 삶이 반드시 맺게 되는 열매들에서 그리스도를 닮을 수 있다는 것을 이해하기 시작함에 따라, 그리스도를 따르는 사람들이라는 이름, 곧 그리스도를 본받는 것은 하나의 고백일 뿐만 아니라 현실이 될 것이다. 아버지 하나님은 그분의 아들 예수님을 사랑하셨듯이 진정으로 우리를 사랑하셨다는 것을 세상은 알게 될 것이다.

　나는 이 탐구서를 읽는 모든 사역자들과 그리스도인들에게, 교회의 가르침과 생각에서 우리는 그리스도를 신적 모범과 귀감으로 높였는지 감히 말하고자 한다. 우리는 오직 그분을 닮음으로써만 우리가 본래 지음 받았던 하나님의 형상에로 회복될 수 있다. 교회의 교사들이 진리가 근거하고 있는 영원한 토대, 다른 진리들을 완전하고 건전하게 개발하는데 있어서 그것들에 대한 그 진리의 본질적인 중요성 그리고 하나님이 우리를 위해 준비하신 그 놀라운 구원을 온전히 누리도록 인도하는데 있어서 그것이 가고 있는 몫을 더 분명하게 깨달을수록, 그들은 하나님의 백성들을 고귀한 특권과 거룩한 실천의 그 영광스러운 삶의 복된 소유가 되도록 더 잘 인도할 수 있을 것이다. 이러한 생활은 하나님이 그들에게 의도하신 대로 그들이 세상에 복이 되도록 준비시킬 것이다. 오늘날 세상이 필요로 하는 것이 한 가지 있다. 곧 그리스도가 이 세상에 계셨던 것과 같이 자신들도 세상에 있다는 것과, 그들이 존재하는 한 가지 목표는 다름 아닌 그리스도의 목적이었던 것, 곧 하나님 아버지를 영화롭게 하고 사람들을 구원하는 것이라는 것을 입증하는 그리스도를 닮는 삶을 사는 사람들이다.

그리스도를 닮는 것을 설교하고 그리스도를 닮으려고 애쓸 때 은밀하지만 치명적인 이기심이 생기지 않도록 주의하자. 그것은 사람들로 하여금 그들 자신들을 위해 그리스도를 닮는 것을 구하도록 이끈다. 그리고 그들은 할 수 있는 대로 기꺼이 하나님의 은혜 안에서 탁월하고 하나님의 은총 안에서 고귀하려고 할 것이기 때문이다. 하나님은 사랑이시다. 하나님의 형상은 하나님을 닮는 사랑이다. 예수님이 제자들에게 "그러므로 하늘에 계신 너희 아버지의 온전하심과 같이 너희도 온전하라"(마 5:48)고 말씀하셨을 때, 온전하심이란 무가치한 사람들을 사랑하고 축복하는 것을 의미했다. 그리스도의 이름들이 우리에게 말해주는 것이 있다. 그리스도를 닮는 것의 다른 모든 특성들은 이 한 가지 특성, 곧 사람들을 사랑하고 구원할 때 하나님의 뜻과 영광을 구하는 것을 따라야 한다는 것이다. 그분은 그리스도, 곧 기름부음을 받으신 이이시다. 주 하나님이 그분에게 기름을 부으셨다. 누구를 위해서인가? 실의에 빠진 자들과 포로된 자들을 위해서이며, 묶인 자들과 애통해 하는 자들을 위해서다(사 61:1-2; 눅 4:18-19를 보라). 그분은 잃어버린 자들을 구원하시기 위해서 살고 죽으신 예수님이시다.

참된 거룩함이나 그리스도의 영이 없이 행해지는 기독교 사역이 많을지도 모른다. 그러나 자신을 확실히 바쳐 하나님의 영광을 위해 죄인들을 구원하는 것을 우리들 삶의 목적으로 삼지 않고는 실제로 그리스도와 같은 거룩함을 거의 닮을 수 없다. 그리스도께서는 우리를 위해 자신을 바치셨다. 자신을 위해 우리를 "선한 일을 열심히 하는 자기 백성"(딛 2:14)이라고 주장하시기 위함이다. 우리를 위해 자기 자신을 바치시는 것과 그분 자신을 위해 우리를 바치는 것, 그것은 완전한 교환이자 완전한 연합이며 관심과 목적에서 완전한 일치이다. 그분은 구주로서 우리를 위해 자기 자신을 바치셨고, 우리는 여전히 구주이신 그분 자신을 위해 우리를 바친다. 우리는 그분과 같이 그리고 그분을 위해 그분이 이 땅에서 시작하신 일을 계속한다.

우리가 그리스도를 닮는 삶을 전할 때, 하나님 안에서 그분과 우리의 하나됨에서 비롯되는 그것의 깊고 내적인 샘에서 전하든, 신앙과 기도 생활로 말미암고 또 의존과 하나님 아버지와의 사귐으로 말미암는 성장과 유지 가운데서 전하든, 또는 그것이 맺는 겸손과 거룩함과 사랑의 열매로 전하든, 언제나 이것을 맨 앞에 두자. 그리스도의 유일한 주된 표시와 영광은, 그분은 오직 이 한 가지, 곧 죄인들을 구원하는 사랑의 하나님의 뜻과 영광을 위해서 사시고 죽으셨다가 (부활하여) 다시 살아 계신다는 것이다. 그리고 그리스도를 닮는 것은 간단히 하나님의 생명과 은총 그리고 영을 구하는 것을 의미한다. 그러므로 우리는 같은 목적, 곧 죄인들을 구원하는 사랑의 하나님의 뜻과 영광을 위해 우리 자신을 온전히 바친다.

독자들에게 사랑받는 드림북 추천도서

www.dreambook21.co.kr | 블로그 http://cafe.naver.com/dreambookpub.cafe

공평하신 하나님

송명희 지음 | 182면 | 정가 8,000원

주님을 부르는 송명희 시인의 울림!
이 시대를 대표하는 시인의 대표작 모음선
찬양으로 만들어져 수없이 듣고 불렀어도
공평하신 하나님을 모르다가
그 뜻을 점차 알게 되었다.
그 고백을 여기에 담는다.

주일학교 교사가 꼭 알아야 할 24가지 비결

엘머 타운즈 지음 | 박민희 옮김 | 정가 7,000원

하나님은 당신을 사용해
천하보다 귀한 아이들을 꿈꾸게 하신다.
좋은 교사는 많이 배운자가 아니라
하나님을 사랑하듯 아이들을 사랑하고
주께서 자신에게 주신 은사를 알고
어떻게 사용할 것인가를 생각하는 자이다.

새신자교리 업그레이드

윤상덕 지음 | 정가 6,000원

새신자들 뿐만 아니라 교리에 대해 고민하는
모든이들에게 좋은 출발이 되어주는 도서!
좀더 깊은 신앙을 갖기 원하고, 기독교 신앙의 근본이 무엇인지
확인하고 싶은 새신자에게나, 기독교에서 '교리'가 왜 중요한지
교리를 아는 것이 실제 신앙인으로서의 '삶'과 어떻게 깊은
관계를 맺을 수 있는지 고민하는 사람분들에게 적극 추천한다.

독자들에게 사랑받는 드림북 추천도서

www.dreambook21.co.kr | 블로그 http://cafe.naver.com/dreambookpub.cafe

복음, 이렇게 전하자

그렉 로리 지음 | 박민희 옮김 | 정가 7,000원

이렇게 쉽게 복음을 전하고
신앙을 나눌 수 있다!!
당신의 심장은 당신 주변에 있는 사람들과
복음의 희망을 나누고 싶어서 못견뎌 하는가?
당신에게는 아직 주님을 알지 못하는 사람들에 대한
부담이 있는가? 그렇다면 여기 그 해답이 있다

순교자 주기철 목사의 생애

김충남 지음 | 정가 9,000원

일사각오의 신앙으로 순교한
한국기독교의 중심 주기철 목사!!
7년에 걸쳐 수집한 자료로 집필하여 철저한 고증을 통하였다. 아울러 이땅의 부흥을 꿈꾸는 이들에게 전하는 작은 선물이 될 것이다.

개역 개정판에 맞춘 핵심 성경 문제집

홍동표 지음 | 정가 신약, 구약(상) 12,000원 구약(하) 13,000원

갓피플이 선정한 최고의 성경문제집
갓피플에서 매주 본서로 성경퀴즈를 출제합니다.

- 신학대학교나 신학대학원 입학생들의 성경시험 준비
- 각 학교의 성경 시험
- 성경퀴즈 대회 대비용
- 개역개정 4판의 성경책으로 문제를 만들었습니다.

【 심약한 사람은 읽지 마십시오 】

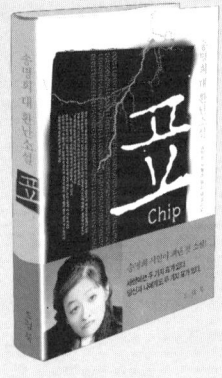

내가 말하고 싶은 것은 인체 칩이라기보다
그 시스템을 조정하게 될 정권을 알리고 싶다.

한국 기독교 소설 또하나의 이정표를 세운 화제작!
출판 후 대형 서점과 인터넷서점의
스테디셀러로 끊임없는 사랑을 받고 있는 도서!!

송명희 지음 | 46양장 | 208면 | 정가 9,900원

송명희 대환난 소설

복음송 '나'의 작시자 송명희 시인의 자전 에세이

태어날 때부터의 이야기에서부터 시작하여
최근까지의 근황을 담았습니다

내가 너를 들어 쓰리라

송명희 지음 | 46판 양장 | 274면 | 12,000원